Mister Playoffs

Martin Leclerc

Mister Playoffs
L'histoire de Daniel Brière

Biographie

Hurtubise

Catalogage avant publication de Bibliothèque et Archives nationales du Québec et
Bibliothèque et Archives Canada

Leclerc, Martin, 1967-

Mister Playoffs : l'histoire de Daniel Brière

ISBN 978-2-89781-081-8

1. Brière, Daniel, 1977- . 2. Joueurs de hockey - Québec (Province) - Biographies. I. Brière,
Daniel, 1977- . II. Titre. III. Titre : Mister Playoffs. IV. Titre : Histoire de Daniel Brière.

GV848.5.B74L42 2017   796.962092   C2017-941314-7

Les Éditions Hurtubise bénéficient du soutien financier du gouvernement du Québec par
l'entremise du programme de crédit d'impôt pour l'édition de livres et de la Société de développement des entreprises culturelles du Québec (SODEC). L'éditeur remercie également le
Conseil des arts du Canada de l'aide accordée à son programme de publication.

Financé par le gouvernement du Canada | Canadä

Conception graphique : René St-Amand
Photographie de la page couverture : Bruce Bennett, Getty Images
Maquette intérieure et mise en pages : Folio infographie

Copyright © 2017, Éditions Hurtubise inc.

ISBN (version imprimée) : 978-2-89781-081-8
ISBN (version numérique PDF) : 978-2-89781-082-5
ISBN (version numérique ePub) : 978-2-89781-083-2

Dépôt légal : 4e trimestre 2017
Bibliothèque et Archives nationales du Québec
Bibliothèque et Archives Canada

Diffusion-distribution au Canada :   Diffusion-distribution en Europe :
Distribution HMH   Librairie du Québec/DNM
1815, avenue De Lorimier   30, rue Gay-Lussac
Montréal (Québec) H2K 3W6   75005 Paris FRANCE
www.distributionhmh.com   www.librairieduquebec.fr

Imprimé au Canada
www.editionshurtubise.com

Table des matières

Je dédie cet ouvrage à mes parents, Robert et Constance Brière,
ainsi qu'à ma petite sœur Guylaine.
Sans leur amour, leur soutien et leurs sacrifices,
mon parcours aurait été bien différent.

Prologue

Pourquoi certains jeunes joueurs parviennent-ils à se tailler une place dans la LNH alors que d'autres, tout aussi talentueux, n'y arrivent jamais ?

Une vieille croyance veut que la réussite d'un grand nombre de hockeyeurs professionnels repose en partie sur la chance et que ceux-ci doivent se trouver « au bon endroit, au bon moment » pour obtenir une véritable occasion de démontrer leur savoir-faire. D'autres pensent qu'il leur faut simplement être en mesure de saisir les opportunités, aussi minces soient-elles, lorsqu'elles leur sont offertes.

On pourrait débattre longtemps là-dessus.

Ce que je sais, c'est que ma carrière dans la LNH s'est jouée en l'espace de 54 secondes, le 28 décembre 2001, alors que je disputais ma cinquième saison dans l'organisation des Coyotes de Phoenix.

Et tout ce qui s'est produit durant ces fameuses 54 secondes fut le résultat d'une cascade d'événements déclenchée un an et demi auparavant par le propriétaire des Coyotes, Richard Burke.

L'organisation des Coyotes de Phoenix m'avait réclamé en première ronde au repêchage de 1996 (24ᵉ joueur au total) après m'avoir vu inscrire 126 buts et 183 passes (309 points) en 149 matchs dans l'uniforme des Voltigeurs de Drummondville.

Avant d'entreprendre ma carrière professionnelle à l'automne 1997, la seule « adversité » que j'avais rencontrée dans le monde du hockey était le scepticisme de ceux (et ils étaient nombreux) qui me jugeaient trop petit pour franchir les étapes des niveaux bantam AA, midget AAA et junior majeur. Sauf qu'à chaque fois, j'avais bénéficié du temps de jeu nécessaire pour régler cet insignifiant débat sur la patinoire.

Dans les rangs professionnels, les enjeux étaient toutefois différents et les facteurs échappant à mon contrôle étaient nombreux.

Après une première excellente saison au sein du club-école de Springfield (36-56-92 en 68 parties) dans la Ligue américaine, j'avais bien fait à mon second camp d'entraînement à l'automne 1998. Le directeur général des Coyotes, Bobby Smith, avait alors pris la décision de me faire une place dans la LNH. Or, malgré le fait qu'on m'ait fait disputer 64 matchs, mon temps d'utilisation était très limité et je n'avais pas véritablement de rôle précis au sein de la formation. Dans le dernier segment de cette saison 1998-1999, on m'avait donc renvoyé dans la Ligue américaine.

Avant l'instauration du plafond salarial, la LNH était bien différente de ce qu'elle est aujourd'hui. Les équipes étaient très majoritairement composées de vétérans, et les dirigeants accordaient la plupart du temps le bénéfice du doute aux joueurs qui avaient cumulé plusieurs années d'ancienneté. Même si un jeune joueur performait mieux qu'un coéquipier plus âgé, le vétéran obtenait souvent trois ou quatre chances de sauver son poste avant d'être définitivement remplacé.

En plus, Phoenix était l'une des équipes les plus âgées de la ligue à cette époque. Nous avions Mike Gartner, Craig Adams, Cliff Ronning, Keith Tkachuk, Jeremy Roenick et Rick Tocchet, tous d'excellents vétérans. Ce n'était pas évident de faire sa place et de déloger des joueurs de cette trempe.

À ma troisième saison (en 1999-2000), ma production offensive avait baissé dans la Ligue américaine. Et quand les Coyotes m'avaient rappelé pour 13 matchs ici et là, je n'avais pas été en mesure de me démarquer.

Et c'est à ce moment que le propriétaire de l'équipe est venu à ma rencontre.

— Daniel, j'ai un ami qui est psychologue sportif. Il travaille avec les Cardinals de l'Arizona dans la NFL et aussi pour les Mariners de Seattle dans le baseball majeur. C'est un ami personnel, et j'aimerais que tu le rencontres, avait proposé Richard Burke.

Le psychologue en question s'appelait Gary Mack. Monsieur Burke avait préalablement discuté de mon cas avec Mack et il avait résumé ma situation ainsi :

— Il y a un jeune joueur dans mon équipe qui devrait gagner des millions mais qui ne gagne que quelques dizaines de milliers de dollars par saison. Et je pense que tu pourrais l'aider.

Richard Burke aimait beaucoup son équipe. Mais comme je ne faisais pas partie des joueurs réguliers de la formation, je n'avais pas la chance de le rencontrer souvent. Par contre, son fils Taylor était le directeur général adjoint des Coyotes. Et j'avais beaucoup plus souvent affaire avec Taylor puisqu'il était responsable des opérations du club-école de la Ligue américaine.

Le fils Burke et moi entretenions une bonne relation. C'est peut-être pour cette raison que son père et lui ont mis autant d'effort pour m'aider. À ma connaissance, le psychologue sportif auquel Richard Burke m'avait référé n'avait travaillé avec aucun autre joueur de l'organisation auparavant.

Je suis donc allé rencontrer Gary Mack chez lui, dans les montagnes de Scottsdale. Son bureau était aménagé au sous-sol de sa résidence. C'était une vaste pièce bien meublée dont les murs étaient ornés de photos encadrées de clients avec lesquels il avait travaillé, surtout dans le monde du football et du baseball. En entrant dans cette pièce, on savait immédiatement qu'on venait de pénétrer dans un repaire de gars...

Lors de notre première rencontre, Gary m'a tout simplement demandé ce qui n'allait pas.

Et tout naturellement, j'ai tenté de lui expliquer pourquoi les choses ne fonctionnaient pas à mon goût et les raisons pour lesquelles j'avais de la difficulté à devenir un bon joueur de la LNH. Je me souviens de lui avoir raconté que l'entraîneur Bobby Francis ne me faisait pas confiance, qu'il ne me plaçait pas dans des situations qui m'étaient favorables et qu'il ne me faisait pas jouer suffisamment.

Gary Mack m'a laissé parler pendant de longues minutes sans dire un mot. D'un petit geste de la main, il m'a ensuite invité à faire une pause.

— Réalises-tu que tu as recours à des excuses pour tout expliquer et que, depuis que nous avons commencé cette conversation, tu ne t'es pas regardé dans le miroir pour me dire quelles sont tes fautes à toi ?

C'est sur cette observation que notre première rencontre a pris fin.

Ébranlé par ce que je venais de me faire lancer au visage, je suis rentré à la maison. Sur le chemin du retour, je me disais que Mack semblait tenir pour acquis que c'était moi le problème. Et je me demandais : « Est-ce que ça vaut la peine de continuer à voir ce gars-là ? »

J'ai ressassé tout ça pendant quelques jours. Même si je n'avais pas apprécié sa réplique, Mack avait touché une corde sensible et ça me chicotait. J'ai fini par me dire qu'il avait peut-être raison, que je devais mettre mon orgueil de côté et que ça pouvait sans doute m'être bénéfique de travailler avec lui.

Après réflexion, quand j'ai eu la certitude que je désirais sincèrement me consacrer entièrement à cette démarche, je suis retourné le voir. Et à compter de ce moment, Gary Mack et moi avons développé une intéressante complicité.

Les choses sont sans doute différentes aujourd'hui. Toutefois, il y a une vingtaine d'années, c'était encore mal vu dans le monde du hockey de consulter un psychologue sportif. Les gens interprétaient cette démarche comme une déficience ou un aveu de faiblesse, et non comme une façon de s'améliorer. À mes yeux, consulter Gary Mack n'était donc pas quelque chose d'anodin.

Toutes ces années plus tard, je constate toutefois que c'est une des meilleures choses que j'ai jamais faites.

Gary Mack était un homme sympathique, extrêmement intelligent et toujours très posé. Il ne haussait jamais le ton. Clairement, il maîtrisait parfaitement ses sujets et savait exactement de quoi il parlait. Il était capable de me citer en exemple des cas survenus au football, au baseball ou au golf. Et malgré les différences fondamentales entre ces trois sports et le hockey, il parvenait à puiser dans ses expériences passées pour identifier des dénominateurs communs avec le monde du hockey.

Même si le hockey n'était pas son sport de prédilection, il était clair qu'il faisait minutieusement ses devoirs et qu'il suivait ses clients de très près. En l'écoutant me raconter le cheminement des autres athlètes qu'il avait accompagnés, j'avais confiance qu'il pourrait m'aider à devenir un meilleur joueur de hockey.

Nos rencontres se sont échelonnées sur environ un an et demi. Mais en gros, Gary Mack m'a rapidement fait comprendre l'importance de prendre mes responsabilités et de toujours tenter de maîtriser pleinement les aspects de ma carrière dont j'étais le seul responsable.

Je ne pouvais contrôler les entraîneurs, je ne pouvais contrôler les arbitres et je ne pouvais contrôler les coéquipiers avec lesquels je jouais. Par contre, je contrôlais totalement ma préparation pour les matchs ainsi que la façon de me comporter sur la patinoire lorsqu'on me donnait la chance de jouer.

Quand j'ai commencé à le rencontrer, j'étais âgé de 21 ans. J'étais déjà père de deux garçons et ma femme était enceinte d'un troisième. Mack s'est attardé sur cette facette de ma vie – pas très courante pour un gars de mon âge, et encore moins pour un athlète professionnel – parce qu'il savait que j'étais pas mal sollicité à la maison.

Il insistait donc beaucoup pour m'aider à dissocier ma vie d'athlète professionnel de ma vie familiale. Il fallait selon lui que cette coupure s'enclenche automatiquement aussitôt que je mettais le pied dans le vestiaire. Ainsi, dès que je rangeais mes vêtements dans mon casier, j'y engouffrais en même temps tout ce qui avait rapport avec « Daniel Brière, l'homme de famille ».

— Tout ce qui appartient à l'homme de famille s'en va dans le casier avec tes vêtements, expliquait-il. Quand tu enfiles ta combinaison, tu deviens "Daniel Brière, le joueur de hockey". Et ces deux-là sont deux personnes complètement différentes. Tu laisses tout dans ton casier. Aucun problème n'existe, que ce soit à la maison avec ta femme ou avec les enfants, que ce soit avec une banque ou avec une carte de crédit. Tout ça disparaît. Tu laisses ça dans le casier et tu deviens le joueur de hockey qui n'a qu'une seule préoccupation : être le meilleur possible au cours des trois prochaines heures.

Un hockeyeur sous-utilisé a beau se préparer parfaitement et faire abstraction de tous les facteurs qu'il ne contrôle pas, en bout de ligne, s'il veut renverser la situation, il doit quand même trouver le moyen de bien performer quand l'entraîneur l'envoie sur la patinoire.

Pour m'aider à remplir ce mandat, Gary Mack me suggérait des routines et des exercices assez particuliers.

Par exemple, afin d'atténuer la frustration découlant de longues présences au banc et pour accroître mon niveau d'implication durant les matchs, l'une de ces routines consistait à faire des «présences mentales» sur la patinoire.

Ainsi, quand l'entraîneur m'utilisait peu, je devais constamment suivre du regard un coéquipier occupant la même position que moi et essayer de me mettre dans sa peau.

Très régulièrement, je choisissais de disputer ce match mental en me concentrant sur Jeremy Roenick. Je n'étais pas dans la même classe que Roenick à ce stade de ma carrière, mais il était un joueur de centre offensif occupant un rôle auquel j'aspirais. En disputant mentalement chaque présence avec lui, je n'avais pas l'impression d'avoir passé 25 ou 30 minutes assis sur le banc à ne rien faire.

Une autre stratégie intéressante consistait à identifier de façon précise le niveau d'intensité que je devais déployer sur la patinoire après avoir passé de longues minutes sur le banc. S'insérer instantanément dans le rythme d'un match auquel on participe peu est extrêmement difficile.

Mack me demandait donc d'identifier un chiffre, sur une échelle de 1 à 10, correspondant à mon niveau d'intensité optimal sur la patinoire. Par exemple, un gardien doit probablement maintenir un niveau d'intensité de 3 ou 4 afin de rester en contrôle. Lorsqu'on regarde jouer Carey Price, il est clairement en contrôle et très détendu devant son filet. De son côté, un défenseur devrait peut-être viser un 5 ou un 6.

En discutant, Mack et moi avons déterminé que le chiffre 8 correspondait probablement le mieux à mon style de jeu. J'estimais qu'en plaçant la barre à 8 sur 10, j'étais en mesure de maintenir un niveau d'implication élevé tout en prenant le temps de bien lire ce qui se déroulait autour de moi et de choisir les bonnes options une fois en possession de la rondelle.

Dans une autre phase de nos rencontres, Gary m'avait aussi demandé d'identifier des aspects du jeu qui allaient me permettre de me démarquer des autres joueurs à tous les matchs.

Je lui avais alors déballé le manuel 101 du parfait joueur de hockey :

— Je dois être fort physiquement, je dois remporter mes batailles dans les coins de patinoire, je dois utiliser mon explosivité pour me séparer des autres joueurs, je dois gagner mes mises au jeu, je dois aller au filet et ne pas avoir peur de me placer devant le gardien, je dois bien jouer défensivement, je dois me replier en défense au maximum...

Il m'avait alors interrompu.

— Écoute, tout ça est trop compliqué ! Tu n'as pas la chance de penser à tous ces détails chaque fois que tu sautes sur la glace. Alors tu vas te concentrer sur deux ou trois points clés à chaque match. Seulement sur deux ou trois aspects qui sont importants pour toi et c'est là-dessus que nous allons travailler.

Par la suite, lors des jours de matchs, nous nous entendions sur un maximum de deux ou trois points sur lesquels j'allais devoir me concentrer à chaque présence. Ces points changeaient pratiquement à chaque match. Mais comme la liste s'arrêtait à deux ou trois, c'était assez facile à mettre en pratique tout en restant concentré sur le déroulement de la rencontre.

Enfin, chaque partie était précédée d'une séance de visualisation de 15 à 20 minutes. Durant ces moments de relaxation, je passais en revue nos prochains adversaires en plus de me remémorer les plus beaux buts et les meilleurs jeux que j'avais réussis au cours des matchs précédents.

Étudier de près les joueurs des autres équipes de la LNH était pour moi une sorte de seconde nature. Les soirs où mon équipe ne jouait pas, je regardais les matchs opposant d'autres équipes à la télévision afin de mieux connaître les points forts, les points faibles ainsi que les automatismes des défenseurs et des gardiens auxquels j'allais plus tard être confronté.

La veille de chaque match, mes sessions de visualisation me permettaient en quelque sorte de passer en revue toutes ces notes que j'avais en mémoire. Je faisais jouer des pièces musicales apaisantes – souvent du Kenny G – et je passais une dizaine de minutes à dresser le portrait tactique et technique de chacun des joueurs contre lesquels j'allais jouer le lendemain.

Par la suite, je complétais ma session en faisant rejouer dans ma tête mes plus beaux jeux. En début de saison, cette portion de ma session de visualisation était beaucoup plus courte. Mais plus le calendrier avançait, plus ma liste de faits saillants s'allongeait. Si j'avais récolté 30 buts et 30 mentions d'aide quand se pointait le mois d'avril, j'étais capable de me remémorer, dans l'ordre, chaque but et chaque mention d'aide, simplement parce que je me livrais constamment à cette gymnastique mentale.

Cette routine m'aidait beaucoup. J'avais l'impression d'être parfaitement préparé chaque fois que je me rendais à l'aréna pour y disputer un match.

Quand le camp d'entraînement de la saison 2000-2001 (ma quatrième chez les pros) s'est mis en branle, je consultais Gary Mack depuis seulement quelques mois.

J'ai connu un camp correct – mieux que celui de la saison précédente, en tous cas – et le directeur général Bobby Smith a choisi de me garder à Phoenix dans le rôle de 13e attaquant. Je n'ai été utilisé que lors du match inaugural (durant six minutes) et, deux semaines plus tard, on m'a appelé pour m'annoncer que j'allais être soumis au ballotage.

— Si aucune équipe ne te réclame, tu seras renvoyé à Springfield, m'a-t-on expliqué.

Mon agent Pat Brisson s'est alors mis à l'œuvre en demandant aux Coyotes la permission de sonder lui-même le terrain auprès d'autres directeurs généraux. Il voulait ainsi vérifier s'il y avait de l'intérêt à mon endroit sur le marché. Comme les Coyotes avaient lancé la serviette, cette permission lui a été accordée.

Pat m'a appelé en début de soirée pour me dire que les deux seules organisations qui avaient témoigné de l'intérêt à mon endroit étaient les Thrashers d'Atlanta et le Canadien de Montréal.

Il a insisté sur le fait que des pourparlers extrêmement sérieux avaient eu lieu avec le Canadien. Il avait même été question d'une nouvelle entente contractuelle.

— Ton contrat les effraie un peu, mais on a travaillé sur un scénario pour restructurer l'entente et nous assurer que tout le monde soit à l'aise. Le Canadien va me faire parvenir un fax demain matin et je te l'envoie pour qu'on signe tout ça, m'avait-il expliqué.

Quand je suis allé me coucher ce soir-là, je ne rêvais qu'au Tricolore. Je me disais que j'allais faire partie de la grande famille du Canadien et j'étais surexcité par ce revirement de situation. Je n'en ai presque pas dormi de la nuit.

Le lendemain matin, j'ai fait les cent pas à la maison. Les Coyotes m'avaient dispensé de me présenter à l'aréna. Nous avions convenu qu'un représentant de l'équipe allait me téléphoner pour m'annoncer si je devais me rendre à Springfield ou si une autre organisation m'avait réclamé. Dans ma tête, je me disais que les jeux étaient déjà faits. J'étais convaincu que le Canadien allait me réclamer.

Les joueurs soumis au ballotage devaient être réclamés avant midi, heure de l'est. Comme le décalage horaire est de trois heures entre New York et Phoenix, je m'attendais à recevoir un appel autour de 9 heures. Mais le téléphone n'a pas sonné. À 10 heures non plus. Finalement, Taylor Burke m'a appris vers 11 heures que je n'avais pas été réclamé et que je devais prendre un avion en après-midi à destination de Springfield, au Massachusetts.

Incrédule, j'ai tout de suite téléphoné à Pat pour tenter de comprendre ce qui venait de se passer. Le Canadien, semble-t-il, avait décidé de passer son tour afin de ne pas avoir à sacrifier le Finlandais Juha Lind.

Cette nouvelle a eu l'effet d'une retentissante claque en pleine face. En tant qu'athlète, on croit toujours qu'il y a un autre directeur général, quelque part, qui sera disposé à nous accorder une chance. Mais le verdict qui venait de tomber était sans appel : dans toute la LNH, personne ne croyait en moi. Personne.

Encore sous le choc, j'ai fait mes valises, j'ai quitté ma femme et mes fils, je me suis rendu à l'aéroport et je suis monté à bord du vol Phoenix-Hartford.

Cette envolée de cinq heures a été l'un des moments de ma vie où j'ai le plus grandi et le plus gagné en maturité. Au lieu de pointer un doigt accusateur vers les dirigeants des Coyotes, je me suis regardé dans le miroir. Plongé dans mes pensées, je me répétais sans cesse :

« C'est moi le problème. Plus personne ne veut de moi ! Il faut que je me prenne en main. Je dois changer mon style de jeu. Je dois retrouver la fougue et la détermination qui m'ont mené jusqu'à la LNH. »

Quand j'ai rejoint le club-école à Springfield, je suis directement allé à la rencontre de l'entraîneur-chef Marc Potvin.

— Marc, je ne suis pas ici pour faire la baboune comme dans le passé. Je veux retourner dans la LNH et je suis ici pour jouer au hockey ! Je veux faire une différence au sein de ton équipe et je veux être ton meilleur joueur. Je veux que tu me donnes la chance de jouer en avantage et en désavantage numérique. Je veux me faire confier toutes les mises au jeu importantes et je veux être confronté aux meilleurs joueurs des autres équipes tous les soirs, à chaque présence.

Assis derrière son bureau, Potvin a semblé à la fois amusé et surpris.

— Calme-toi un peu, le jeune ! On va voir comment ça va aller. On va pratiquer aujourd'hui et après, on verra.

Le lendemain était un jour de match. Je me présente à l'aréna pour l'entraînement matinal et l'entraîneur m'appelle dans son bureau.

— J'ai pensé à ce que tu m'as dit hier. C'est parfait ! Je vais te donner la chance que tu réclames, mais tu es mieux de répondre, m'a-t-il prévenu.

Marc Potvin a tenu sa parole et j'ai tenu la mienne.

En 30 rencontres avec Springfield, j'ai obtenu 21 buts et 25 passes, pour 46 points. Ces statistiques offensives étaient à peu près semblables à celles de la saison précédente. Sauf que la qualité de mon jeu était incomparable. Parce que l'entraîneur m'utilisait dans toutes les situations importantes, autant en défense qu'en attaque, ma contribution aux succès de l'équipe était nettement plus importante et plus valorisée.

Après ces 30 matchs dans la LAH, les Coyotes m'ont rappelé à Phoenix au début de janvier.

Quand j'ai rejoint l'équipe, ma relation avec le hockey avait considérablement changé. Tout le travail fait en compagnie de Gary Mack commençait à porter fruits. Je me suis dès lors concentré exclusivement sur les facteurs qui étaient sous mon contrôle, comme ma préparation, la qualité de mon jeu ainsi que la qualité de mes entraînements.

L'entraîneur avait beau me jumeler à des joueurs de quatrième trio qui n'étaient là que pour se battre, il pouvait m'écarter de l'avantage numérique ou réduire mon temps de jeu au minimum, il n'était plus question de me plaindre ou de m'apitoyer sur mon sort.

J'ai récolté 11 buts et 4 mentions d'aide en 27 matchs avec Phoenix durant cette deuxième moitié de saison, ce qui était remarquable compte tenu de mon temps d'utilisation.

Bobby Francis m'avait utilisé durant seulement sept minutes à mon premier match et j'avais récolté deux passes. De match en match, mon temps de jeu s'est graduellement mis à grimper jusqu'à 16 minutes et j'ai connu une séquence de six rencontres de suite avec au moins un but (sept buts au total).

Toutefois, plus la saison avançait, plus Francis misait sur les vétérans parce que l'équipe était engagée dans une course aux séries éliminatoires. Mon temps de jeu s'est rapidement mis à diminuer et j'ai même été laissé de côté plusieurs fois. J'ai passé pas mal de temps sur la passerelle de presse à regarder jouer le reste de l'équipe en compagnie de mon coéquipier Joël Bouchard.

Heureusement que Joël était là pour me soutenir durant cette période. Il en était à sa huitième saison et à sa quatrième organisation dans les rangs professionnels. Joël avait vu neiger. Il avait appris à rouler avec les coups et il était fort mentalement. En nous soutenant l'un l'autre, nous avons réussi à accepter plusieurs décisions de l'entraîneur que nous estimions injustes. Cette adversité a fait naître entre nous une solide amitié qui a traversé le temps.

À la fin de la saison, lors du traditionnel bilan que les entraîneurs font en tête à tête avec chacun de leurs joueurs, Bobby Francis a clairement mis cartes sur table avec moi.

— Tu as très bien fini la saison, Danny. Tu as ouvert les yeux à plusieurs personnes et tu as fort bien joué. Personnellement, je t'adore comme individu mais, en tant que joueur, j'ai de la difficulté à te trouver de la place au sein de notre alignement. Tu devrais demander à l'organisation de t'échanger et de te donner la chance d'aller jouer ailleurs.

Francis et moi n'avions aucun conflit de personnalité et nous étions tout à fait capables de nous parler franchement. Sauf qu'il n'appréciait pas le type de joueur que j'étais et il ne voyait pas comment je pouvais lui être utile. En d'autres mots, l'entraîneur-chef appréciait « Daniel Brière, l'homme de famille », mais il ne voulait rien savoir de « Daniel Brière, le joueur de hockey ».

Et pour régler ce genre de problème, Gary Mack n'avait aucune solution...

Cet été-là, j'ai discuté avec Pat Brisson de la possibilité de m'exiler en Europe.

— L'entraîneur ne m'aime pas, l'organisation m'a soumis au ballo-tage et personne ne m'a réclamé. Il n'y a pas de place pour moi, avais-je déclaré.

Je recevais des offres de certains clubs suisses et j'étais prêt à partir. Mais Pat n'en démordait pas. À ses yeux, il était beaucoup trop tôt dans ma carrière pour songer à l'Europe et je devais conti-nuer de me battre. Il arguait par ailleurs que les Coyotes étaient la meilleure organisation au sein de laquelle je pouvais poursuivre ma carrière.

— Faisons un exercice, juste pour voir. Analysons les alignements de toutes les équipes de la LNH et identifions quel serait l'endroit où tu aurais le plus de chances d'obtenir un poste régulier.

Ensemble, nous avions passé en revue les alignements des 30 for-mations de la ligue et les Coyotes étaient effectivement les seuls à ne pas miser sur deux centres capables de jouer régulièrement au sein des deux premiers trios. Offensivement, l'organisation était aussi l'une des moins stables de la ligue.

De fil en aiguille, Pat a donc fini par me convaincre de continuer à me battre pour obtenir un poste au sein de l'organisation des Coyotes et qu'un dénouement positif allait finir par survenir.

La saison 2001-2002 a donc commencé sur une note assez étrange.

J'ai connu un très bon camp et obtenu un poste avec l'équipe. Mais comme l'entraîneur me l'avait clairement indiqué quelques mois auparavant, je ne faisais pas partie de ses plans. La plupart du temps, j'évoluais donc sporadiquement au sein du quatrième trio ainsi que comme spécialiste de l'avantage numérique. Je n'étais à peu près pas utilisé à cinq contre cinq.

Malgré cela, et même si l'entraîneur me rayait de l'alignement à l'occasion, je comptais 10 buts à ma fiche à Noël, ce qui me plaçait au premier rang de l'équipe, à égalité avec Claude Lemieux et Daymond Langkow. Je continuais à me concentrer sur mes affaires et à ignorer les aspects sur lesquels je ne pouvais exercer aucun contrôle.

Et puis est arrivé le fameux match du 28 décembre.

Deux jours auparavant, nous avions livré un match nul de 1-1 aux Kings de Los Angeles alors que j'avais été laissé de côté par Bobby Francis. Comme l'équipe n'avait remporté que deux de ses dix derniers matchs, un verdict nul était presque considéré comme une victoire. J'étais donc convaincu d'être à nouveau relégué sur la passerelle pour la partie du 28 décembre face aux Flyers de Philadelphie.

Le matin du match, je me présente à l'entraînement matinal et, comme prévu, l'entraîneur me confirme sa décision : je ne jouerai pas. Après l'entraînement, je reste donc sur la patinoire pour faire une heure de temps supplémentaire. Et quand je rentre au vestiaire, l'entraîneur responsable du conditionnement physique vient à ma rencontre et me propose :

— Est-ce que ça te tente de faire ton entraînement hors glace tout de suite ? Comme ça, tu n'auras pas à le faire ce soir, durant le match.

— Pourquoi pas ?

En début d'après-midi, je passe donc une heure de plus au gymnase à suer à grosses gouttes. Les entraîneurs de l'équipe profitent aussi de ce moment pour s'entraîner un peu. Ils me voient tous travailler.

Quand je suis sur le point de quitter l'aréna, le soigneur de l'équipe me tire par la manche.

— Pourrais-tu te présenter à l'aréna à la même heure que les joueurs qui vont participer au match ? Il y en a quelques-uns qui sont malades. Ce n'est rien de sérieux et ça ne devrait pas les empêcher de jouer, mais c'est juste une précaution, au cas où nous aurions besoin de toi.

C'est le temps des Fêtes et mes parents sont en visite à la maison. Ça ne fait pas vraiment mon affaire d'aller perdre du temps à l'aréna avant le match au cas où un coéquipier serait incommodé. Mais je me dis que c'est ma responsabilité d'être là.

Je rentre ensuite à la maison et on passe l'après-midi au bord de la piscine en famille. Nous préparons des hot-dogs sur le barbecue, puis je m'endors au soleil pendant environ une demi-heure. Quand je me réveille en sursaut, je me rends compte que je suis déjà 10 minutes en retard. Je bondis de ma chaise longue, je me change en vitesse et je me rends aussi vite que possible au America West Arena.

En entrant dans l'amphithéâtre, je passe devant le vestiaire des Flyers et je croise Jeremy Roenick, chez qui j'avais habité la saison précédente. Nous commençons alors un brin de jasette. Mais assez rapidement, l'un des préposés à l'équipement des Coyotes arrive en trombe.

— Dan ! Dan ! On te cherche partout ! L'entraîneur veut te voir !

Je me précipite au vestiaire et j'enfile rapidement ma combinaison pour faire croire que j'étais arrivé depuis un bout de temps et que j'étais en train de m'entraîner ou d'enrubanner mes bâtons. Je me rends ensuite au bureau de l'entraîneur. Quand j'entre dans la pièce, l'atmosphère est étrangement lourde. Il se passe quelque chose.

Bobby Francis est au téléphone et il griffonne des numéros de vols sur une feuille. Je balaie la pièce du regard et les entraîneurs ont tous la tête basse. Il y a clairement quelque chose d'anormal. Je me dis : « Ou bien j'ai encore été soumis au ballotage et je m'en retourne dans les mineures, ou bien je viens d'être échangé. » En toute franchise, j'espérais vraiment qu'il s'agisse d'une transaction. Je voulais avoir la chance de jouer quelque part.

Bobby Francis raccroche.

— Sortons d'ici. Je veux te parler.

Nous nous retrouvons alors tous les deux dans le corridor et l'entraîneur m'annonce :

— On vient d'effectuer une grosse transaction…

Je l'interromps sur-le-champ :

— Ah, OK. Je m'en vais où ?

— Non, non ! On a échangé d'autres gars, et ça me cause un problème majeur, répond Francis.

Il m'explique alors que les attaquants Trevor Letowski, Todd Warriner et Tyler Bouck, ainsi qu'un choix de 3ᵉ ronde, viennent d'être cédés aux Canucks de Vancouver en retour du défenseur Drake Berehowski et de l'attaquant Denis Pederson.

— La transaction vient de se faire et les nouveaux joueurs ne sont pas arrivés. Nous manquons de personnel pour ce soir. Serais-tu en mesure de jouer ? demande-t-il.

Je le regarde, les yeux ronds.

— Certainement que je suis prêt à jouer ! C'est ma job. Je suis prêt et je veux jouer !

— Oui, mais j'ai vu que tu as fait du temps supplémentaire sur la patinoire et que tu t'es entraîné en gymnase cet après-midi. J'ai vu tout ce que tu as fait. Alors je t'utiliserai seulement en avantage numérique.

— Non, non, Bobby ! Je suis prêt à jouer sans restriction. Je veux absolument jouer !

— Je ne veux pas te placer dans une mauvaise situation. J'ai vu tout ce que tu as fait aujourd'hui.

— Non, non ! Je me sens bien. Je suis prêt à jouer et je veux jouer !

Nous nous quittons sur ce dialogue de sourds. Et là, je me rends compte que je dois me dépêcher parce que je suis vraiment en retard ! Je n'ai aucun bâton prêt pour le match et je dois arranger mon équipement. Je suis vraiment à la dernière minute. Je passe à travers ma routine habituelle à vitesse grand V.

Je réussis à me présenter sur la patinoire à temps pour la période d'échauffement. Ensuite, le match commence. Je suis assis au bout du banc. Malgré ma vive insistance et même si nous n'avons pas suffisamment de joueurs, il est clair que je ne jouerai pas beaucoup. Je détache donc mon casque et je m'installe pour regarder le match.

Toutefois, dès la troisième minute de jeu, Keith Primeau (des Flyers) est puni pour assaut. L'entraîneur m'ayant prévenu qu'il m'utiliserait seulement en supériorité numérique, j'attache tout de suite mon casque et je regarde par-dessus mon épaule pour voir si l'entente tient toujours. Il me fait signe d'y aller.

Après 35 secondes de jeu, mon coéquipier Teppo Numinen attaque la ligne bleue adverse au centre de la patinoire. Il me refile la rondelle sur l'aile, j'entre en zone adverse et j'effectue un tir frappé. But!

Sur le banc, les gars la trouvent bien bonne. Ils savent que je jouerai peu et ça les amuse que je sois parvenu à marquer dès ma première présence.

Ma seule présence, en fait, car les lames de mes patins ne retoucheront pas à la surface glacée durant les dernières 17 minutes de jeu du premier engagement. J'effectue donc des présences mentales afin de rester sur le qui-vive. Puis, durant le premier entracte, je me précipite sur la bicyclette stationnaire pour tenter de me dégourdir un peu les jambes. J'ai patiné 35 secondes et j'ai été assis durant environ trois quarts d'heure! Il faut que je bouge pour être capable de suivre le rythme du match si jamais une autre pénalité survient.

La deuxième période commence. Dans la cinquième minute, Luke Richardson écope d'une pénalité pour bâton élevé du côté des Flyers.

J'attache mon casque. Je regarde par-dessus mon épaule. « Vas-y », m'indique Francis.

Cette fois, la séquence de jeu dure exactement 19 secondes. Numminen tire de la ligne bleue. Je sors depuis l'arrière du filet pour m'emparer du retour et je contourne le gardien Brian Boucher à toute vitesse pour marquer dans une cage déserte. But!

Sur le banc, mes coéquipiers sont pliés en deux. Je marque chaque fois que je touche à la rondelle! Puis le jeu reprend et, encore une fois, Bobby Francis m'oublie au bout du banc jusqu'au prochain entracte.

Quand nous rentrons au vestiaire après la deuxième, tous les joueurs rigolent encore. Ils n'en reviennent pas que je sois parvenu à marquer deux buts en passant seulement 54 secondes sur la glace !

Un entraîneur adjoint fait alors irruption dans le vestiaire.

— Danny, est-ce que tu peux venir dans le bureau ? Bobby Francis voudrait te reparler.

Alors j'entre dans le bureau et Bobby me demande :

— Est-ce que tu as déjà joué à l'aile ?

C'est la question qui tue. Je n'ai presque jamais occupé cette position. Mais dans la situation où je me trouve, je n'ai plus rien à perdre. Je veux simplement qu'on me donne la chance de sauter sur la patinoire.

— Oui, bien sûr ! que je lui réponds.

— Est-ce que tu préfères l'aile gauche ou la droite ?

J'essaie de réfléchir rapidement pour identifier la meilleure option. Sergei Berezin, l'un de nos ailiers gauches, est blessé. Un autre ailier gauche, Brad May, est aussi blessé. Todd Warriner, qui vient d'être échangé, était aussi un ailier gauche. Dans les circonstances, même si je suis droitier, je lui réponds que je préfère le côté gauche.

— Parfait ! Tu vas jouer avec Shane Doan et Daymond Langkow en troisième, déclare Francis.

J'ai joué en compagnie de Doan et Langkow pendant environ trois semaines, jusqu'à ce que notre deuxième joueur de centre, Michal Handzus, se blesse sérieusement. Bobby Francis m'a alors confié le poste d'Handzus et j'ai détenu ces responsabilités jusqu'à la fin du calendrier.

Quand la saison 2001-2002 a pris fin, il y avait 32 buts et 28 mentions d'aide à ma fiche. Cette saison-là, je suis véritablement devenu un joueur de la LNH.

Plusieurs moments clés surviennent au cours d'une carrière d'athlète professionnel. Et lorsque je repense à l'ensemble de mon parcours, je sais que ce match et ces 54 secondes de jeu ont définitivement fait basculer ma carrière du bon côté.

En dressant la liste de tous les événements survenus lors de cette mémorable journée du 28 décembre 2001, on peut facilement convenir que tous les astres étaient parfaitement alignés, non seulement pour que j'échoue, mais aussi pour m'offrir une liste d'excuses longue comme le bras. C'était comme si quelqu'un avait mis la main sur le manuel *Comment gâcher une partie de hockey.*

J'avais fait du temps supplémentaire sur la patinoire et en gymnase après l'entraînement matinal. J'avais passé l'après-midi au soleil, où je m'étais endormi pendant quelques minutes au lieu de faire ma sieste habituelle. À la place d'un bon repas d'avant-match, j'avais mangé des hot-dogs ! J'étais arrivé à l'aréna en retard, au pas de course, et l'entraîneur m'avait appris à la toute dernière minute que j'allais jouer, bien après l'heure de mon habituelle préparation d'avant-match. Mes bâtons et mon équipement n'étaient pas prêts. Sans compter que mon utilisation avait été limitée à deux courtes présences lors des deux premières périodes.

Aucun autre moment ne pourrait mieux exprimer toute l'ampleur et toute la valeur du travail mental que j'avais fait en compagnie de Gary Mack au cours des 18 mois précédents. Cette démarche m'a permis d'être prêt et de saisir ma chance lorsqu'elle s'est enfin présentée.

—

Gary Mack n'a malheureusement jamais vu tout ce qu'il m'a aidé à accomplir dans la LNH. Il est décédé d'une crise cardiaque moins d'une année après ce match déterminant, le 7 octobre 2002, à l'âge de 58 ans.

Ma carrière s'est finalement étalée sur 17 saisons, au cours desquelles j'ai disputé 1097 matchs (en incluant les séries éliminatoires).

Chaque fois que je posais mes patins sur la patinoire, j'étais confronté à des adversaires auxquels je concédais 40 ou 50 livres. Je savais parfaitement qu'ils étaient plus forts que moi, mais, mentalement, j'étais convaincu qu'aucun d'entre eux ne m'arrivait à la cheville.

Les joueurs les plus costauds savent qu'ils jouissent d'un net avantage parce qu'ils peuvent frapper leurs adversaires et leur faire mal.

Or la force mentale que j'ai développée avec Gary Mack me procurait en quelque sorte le même genre de complexe de supériorité. Je savais que je possédais quelque chose que les autres n'avaient pas. Avant chaque match, j'avais la profonde conviction que j'étais le joueur le mieux préparé et que j'allais faire la différence entre la victoire et la défaite. Sans cette conviction, je ne crois pas que j'aurais eu le même genre de carrière.

CHAPITRE 1

La transaction

Pepsi Center, Denver, le 10 mars 2003

Nous sommes à moins de 24 heures de la date limite des transactions dans la LNH. Les Coyotes de Phoenix occupent le dixième rang dans la conférence de l'Ouest et accusent huit points de retard sur les détenteurs du huitième rang, les Oilers d'Edmonton.

Nous venons tout juste de terminer un match endiablé contre l'Avalanche du Colorado. À cause de l'altitude et de la raréfaction de l'oxygène, les matchs sont toujours un peu plus difficiles à Denver. Mais quand même, nous nous en sommes tirés avec un verdict nul de 2-2.

J'ai été assez peu utilisé en temps réglementaire, même si mon jeu était à point. Bobby Francis m'a toutefois fait jouer trois des cinq minutes de la période de prolongation et, en rentrant au vestiaire, je suis totalement vidé. Assis devant mon casier depuis 30 secondes, je n'ai pas encore commencé à retirer mon équipement lorsque l'entraîneur adjoint Rick Bowness vient à ma rencontre.

— Bobby veut te voir deux secondes.

Je me lève immédiatement. Je me dis que j'ai peut-être commis une erreur et que l'entraîneur souhaite probablement me faire visionner une courte séquence de jeu. Mais quand la porte du bureau des entraîneurs se referme derrière moi, c'est la surprise totale :

— Danny, tu viens d'être échangé.

— Pas à Buffalo, j'espère ?

Buffalo n'était pas une destination particulièrement prisée des hockeyeurs de la LNH à cette époque. Au point où le directeur général des Coyotes, Mike Barnett, menaçait parfois d'échanger des joueurs à Buffalo ou à Edmonton quand les choses n'allaient pas à son goût. Il était ainsi convaincu de brandir la menace du pire des châtiments.

Bobby Francis a baissé les yeux.

— Oui, c'est à Buffalo, a-t-il laissé tomber.

C'était la première fois de ma vie que j'étais échangé. Je suis là, debout, avec mon chandail des Coyotes complètement détrempé sur le dos et je ne sais trop comment réagir.

Depuis quelques jours, quelques rumeurs de transactions circulaient au sujet de notre équipe, mais mon nom n'y figurait pas. Mon nom n'était même jamais mentionné. Les rumeurs les plus persistantes concernaient l'attaquant Brad May, qui semblait destiné à aboutir à Ottawa.

Depuis la naissance de cette rumeur, je taquinais constamment Brad :

— Ne t'en fais pas si tu t'en vas à Ottawa. Je connais beaucoup de monde dans la région et les gens vont bien prendre soin de toi là-bas. Tu vas bien aimer Ottawa !

En apprenant que c'est finalement moi qui pars dans une transaction que personne n'avait vue venir, Brad May la trouve bien bonne. Plus tôt dans sa carrière, May a passé six saisons et demie dans l'uniforme des Sabres.

— Ne t'en fais pour Buffalo. Je connais beaucoup de gens là-bas et ils vont bien s'occuper de toi. Tu vas aimer Buffalo, me dit-il avec son plus beau sourire.

J'apprends ensuite que j'ai été échangé contre Chris Gratton. Au passage, les Coyotes et les Sabres ont aussi troqué des choix de repêchage.

L'ex-agent de Wayne Gretzky, Mike Barnett, est en train de compléter sa deuxième saison à titre de directeur général des Coyotes. À l'été 2001, Richard Burke a vendu l'équipe à un groupe d'actionnaires dont Gretzky fait partie. Barnett, qui est aux commandes depuis ce temps, est reconnu à travers la LNH comme le DG qui effectue le plus grand nombre de transactions.

Barnett estime que la présence d'un gros joueur de centre améliorera les chances de son équipe de participer aux séries. Dans la conférence de l'Ouest, on retrouve à ce moment-là plusieurs centres format géant comme Joe Thornton (à San Jose), Mike Modano (à Dallas) et Jason Allison (à Los Angeles). C'est la raison pour laquelle on m'envoie à Buffalo.

Blair Mackasey, qui m'a dirigé durant deux saisons dans les rangs juniors à Drummondville, faisait alors partie du personnel de dépisteurs des Coyotes. À ses yeux, mes jours étaient comptés depuis un bout de temps à Phoenix.

« Daniel n'a jamais joui d'un préjugé favorable auprès de Mike Barnett parce que son nom était associé à celui du précédent directeur général, Bobby Smith.

« Parfois, les joueurs de petit gabarit ont besoin d'un peu plus de temps pour vraiment s'implanter dans la LNH. Sauf que quand l'équipe a commencé à connaître des difficultés, les dirigeants des Coyotes ont tout de suite manqué de patience envers Daniel. C'était une grosse gaffe parce que ce n'était qu'une question de temps avant qu'il devienne un joueur dominant », estime Mackasey.

Les heures suivant cette annonce ont été assez bizarres. Voici comment ça se passe : je remonte à bord de l'avion des Coyotes avec mes désormais anciens coéquipiers afin de récupérer des vêtements et mes effets personnels à Phoenix. L'appareil se pose au début de la nuit. Et quand je rentre chez moi vers 2 heures 30, c'est le branle-bas de combat.

Sylvie et moi avons trois jeunes enfants. Nous discutons un peu pour tenter de voir ce que cette transaction signifie à court terme pour notre famille. Nous établissons rapidement qu'elle et les enfants devront rester à Phoenix pour le dernier mois de la saison et que nous planifierons un déménagement plus tard. Qu'est-ce qui m'attend à Buffalo ? Je n'en ai aucune idée. Et je n'ai pas le temps de dormir. Je dois faire mes bagages au plus vite et me rendre à l'aéroport à 6 heures 30 pour prendre mon avion en direction de Buffalo.

Vers 4 heures du matin, alors que je suis au beau milieu des préparatifs, mes amis Dustin Weeter et Lance Lunde sonnent à la porte. Ils viennent d'apprendre la transaction. L'un d'eux a une caisse de bière sous le bras et ils veulent me témoigner leur solidarité… Visiblement, ils ont besoin de ventiler !

Dustin et Lance ont le même âge que moi. Ils travaillent au terrain de golf dont je suis membre et qui est adjacent au quartier où nous vivons. La plupart des membres du club étant des retraités, nous nous sommes vite liés d'amitié.

Dustin et Lance prennent quelques bières en analysant la transaction et je discute avec eux en courant d'un bord et de l'autre, continuant à paqueter mes affaires.

Ils repartent vers 6 heures. À peu près au même moment, mes trois fils Caelan, Carson et Cameron se réveillent et la maison s'anime à nouveau. Nos garçons sont alors âgés de quatre ans, trois ans et un an. Sylvie et moi leur expliquons, comme cela s'est produit si souvent dans le passé, que papa s'en va jouer dans une autre ville et qu'il reviendra bientôt.

Ce sont les pires moments de la carrière d'un joueur de hockey. Ceux qui font le plus de peine.

Les garçons sortent de la maison avec nous pendant que Sylvie et moi chargeons la voiture de bagages. Puis vient le temps de les quitter.

Je mets la voiture en marche et je recule doucement dans l'allée jusqu'à la rue. La barrière automatique délimitant notre terrain se referme devant moi. Mes trois fils s'approchent alors de la barrière et s'y agrippent. L'image me darde en plein cœur. Mes trois petits gars ont l'air de prisonniers sur lesquels se referme la porte d'un pénitencier. Et voilà que je me mets à pleurer comme un enfant. Je me sens lâche de les laisser derrière moi alors que je m'en vais poursuivre mon rêve à Buffalo. Pourquoi ai-je cette réaction? La fatigue? Le stress? La déception de devoir repartir à zéro?

Chose certaine, cette scène fait remonter à la surface plusieurs autres épisodes, tout aussi douloureux, survenus alors que je faisais la navette entre la LNH et les ligues mineures. En particulier celui que voici:

Quelques années auparavant (en 1999), à mon troisième camp d'entraînement chez les professionnels, Sylvie était enceinte de notre deuxième enfant, Carson, et son accouchement était prévu vers la fin du calendrier présaison.

L'un de nos derniers matchs préparatoires était joué à Anaheim le 23 septembre et je devais en principe y participer. Mais comme l'accouchement devait être provoqué le lendemain, les dirigeants de l'équipe m'avaient accordé deux jours de congé pour assister à la naissance de mon fils et être en mesure de seconder ma femme. On m'avait laissé sous-entendre que ma place chez les Coyotes était assurée et que tout allait se poursuivre normalement après la naissance de Carson.

— Ne t'inquiète de rien. Reste à la maison, occupe-toi de ta famille et on se revoit à l'entraînement le 25 septembre, m'avait-on dit.

Mais quand je m'étais présenté à l'aréna le 25 septembre, j'avais immédiatement été convoqué au bureau du directeur général de l'époque, Bobby Smith, qui m'avait annoncé qu'il me cédait au club-école de la Ligue américaine.

— Danny, on pense que tu n'es pas encore prêt à jouer régulièrement dans la LNH. Aussi, on aimerait que tu laisses ta famille à

Phoenix. On ne veut pas que tu l'emmènes avec toi à Springfield. On veut que tu te concentres uniquement sur le hockey.

Smith portait clairement un jugement sur mes choix de vie. Il estimait que le fait d'avoir à m'occuper d'une famille allait affecter mon jeu et occuper une trop grande partie de mon temps. Il soutenait que j'avais besoin d'être libre et qu'il était impossible, pour un jeune de 21 ou 22 ans, d'avoir des responsabilités familiales tout en essayant de faire sa place dans la LNH. Il avait d'ailleurs dit exactement la même chose à mon agent Pat Brisson.

C'était assez ordinaire, merci. Ma femme venait d'accoucher par césarienne et je devais la quitter, alors qu'elle se trouvait encore à l'hôpital, et la laisser se débrouiller avec un bébé naissant et un garçon de 14 mois.

Smith m'avait placé dans une situation atroce. J'étais un jeune joueur rêvant de faire carrière dans la LNH. Je ne pouvais pas claquer la porte et renoncer à ça. D'un autre côté, j'étais un jeune père à qui il ordonnait littéralement d'abandonner sa famille. Je me sentais totalement impuissant. C'était un sentiment horrible.

L'organisation croyait que j'allais pouvoir me concentrer davantage sur le hockey en me séparant des miens, mais c'est exactement le contraire qui s'est produit. Ma mère et celle de Sylvie se relayaient tant bien que mal pour tenter de pallier mon absence. Mais ça ne changeait rien au fait que je n'étais pas à ma place loin des miens.

J'ai donc connu une mauvaise saison en 1999-2000. J'ai disputé quelques bons matchs ici et là mais, de façon générale, je n'étais certainement pas aussi bon et aussi enthousiaste que j'aurais dû l'être à ce stade de ma carrière.

Après les Fêtes, j'ai décidé que cette situation ridicule ne menait nulle part et qu'elle avait assez duré. Les Coyotes ne me rappelaient pas à Phoenix, de toute manière. J'ai loué une petite maison à l'extérieur de la ville de Springfield et ma famille est venue me rejoindre au Massachusetts.

Sylvie et les enfants sont arrivés à Springfield à la mi-janvier. Et, incroyablement, les Coyotes m'ont rappelé à Phoenix deux jours plus tard !

Ce séjour dans la LNH avait été assez court et j'étais finalement retourné auprès de ma famille à Springfield. Je n'ai jamais su si ce rappel était un message que voulait me passer Smith. Peu importe.

Cet épisode, entre autres, m'avait donc rendu particulièrement sensible lorsqu'il était question de ma présence auprès de mes fils et de ma famille. Il expliquait en partie ma réaction en ce matin du 11 mars 2003.

Quand Bobby Francis m'avait appris que j'étais échangé aux Sabres, j'avais instantanément éprouvé un sentiment de rejet. J'estimais que les Coyotes s'étaient carrément débarrassés de moi. Et je n'étais pas tellement emballé par l'idée d'aller à Buffalo.

Or tout juste avant de prendre le vol Phoenix-Buffalo, j'ai reçu un appel du directeur général des Sabres, Darcy Regier, et de leur entraîneur-chef Lindy Ruff.

— Parle-moi de ton jeu. De quelle manière penses-tu pouvoir contribuer au succès de notre équipe ? m'a demandé Ruff.

— Je ne sais pas trop. Je pense que je suis peut-être plus un ailier qu'un centre, parce que ça n'allait pas bien à Phoenix. L'entraîneur ne voulait pas me confier les responsabilités défensives d'un centre. Il me voyait plus comme un ailier.

« Je me rappelle très bien cette première conversation, se souvient Lindy Ruff. J'ai expliqué à Daniel que notre système était davantage basé sur le positionnement que sur la taille de nos joueurs et que je le croyais capable d'exceller au centre dans toutes les zones.

« C'est sûr que c'était susceptible de compliquer les choses si vous confrontiez Daniel Brière à Jaromir Jagr à un contre un au fond de votre territoire. Mais avec notre défense de zone, je lui ai expliqué qu'il allait recevoir de l'aide. Compte tenu des films que j'avais décortiqués, j'étais aussi convaincu qu'avec la qualité de ses mains, Daniel Brière allait jouer un rôle important pour nous en sortie de territoire. »

Cette mise au point avec mon nouvel entraîneur m'a tout de suite rassuré. Finie l'ambiguïté ! J'étais un centre et c'est comme ça que ça allait se passer !

Après m'être entretenu avec Regier et Ruff, mon état d'esprit n'était plus du tout le même. Je me sentais désormais comme un joueur convoité. Tout d'un coup, je me rendais compte que des hommes de hockey chevronnés étaient vraiment enthousiastes à l'idée de me faire une place dans leur formation.

À bord de l'avion me transportant vers ma nouvelle équipe, je recevais des textos et des messages d'amis qui me souhaitaient bonne chance. Mais ces vœux n'avaient pas tous la même signification. Certains saluaient la nouvelle chance s'offrant à moi, d'autres craignaient que ma carrière prenne une tournure encore plus difficile.

Pour les joueurs des équipes visiteuses, le centre-ville de Buffalo n'offrait pas grand-chose d'excitant. Par ailleurs, l'organisation des Sabres était sous la tutelle de la LNH depuis plus d'un an parce que leur propriétaire John Rigas faisait face à des accusations de fraude. Une bonne dose d'incertitude flottait dans l'air quant à l'avenir de cette concession, dont les difficultés financières étaient notoires depuis plusieurs années.

Mais heureusement, à l'époque de la transaction, c'était le début d'un temps nouveau à Buffalo.

D'abord, un nouveau propriétaire, Tom Golisano, était sur le point d'être officiellement présenté à la presse. Ensuite, sur la patinoire, l'équipe était en train de procéder à une spectaculaire transition.

Les Sabres venaient à peine de sortir de ce qu'on pourrait appeler l'ère du gardien Dominik Hasek, durant laquelle Lindy Ruff avait connu beaucoup de succès en préconisant un style résolument défensif.

Mais Darcy Regier avait décidé de reconstruire son club différemment. À mon arrivée à Buffalo, l'organisation comptait déjà sur d'autres joueurs offensifs comme Jean-Pierre Dumont et Maxim Afinogenov qui, comme moi, n'étaient qu'au début de la vingtaine. Par ailleurs, de prometteurs choix au repêchage comme Derek Roy et Jason Pominville poursuivaient leur développement.

Je n'étais pas encore conscient de tous les changements qui étaient en train de s'opérer chez les Sabres. Toutefois, je ne cessais de me répéter que les dirigeants de cette organisation m'offraient une chance de me mettre en valeur et que je leur devais exactement la même chose. Il fallait donc que je sois positif et que je fasse tout pour être heureux dans ce nouvel environnement. Après avoir tourné en rond à Phoenix, Buffalo se présentait à moi comme une nouvelle expérience et un nouveau tremplin. C'était une occasion de tourner la page la plus difficile de ma vie de hockeyeur.

À mon arrivée à Buffalo, les Sabres alignaient deux autres Québécois de mon âge : Jean-Pierre Dumont et le gardien Martin Biron. J'avais affronté Jean-Pierre et Martin pendant plusieurs saisons dans la LHJMQ, alors qu'ils portaient respectivement les couleurs des Foreurs de Val-d'Or et des Harfangs de Beauport.

Sans être des amis intimes, Martin, Jean-Pierre et moi étions de bons copains. J'avais notamment côtoyé Martin Biron à l'occasion de matchs d'étoiles et en tant que coéquipier au sein d'Équipe Canada junior. Jean-Pierre et moi avions par ailleurs évolué au sein du même trio à Toronto, à l'occasion du Match des espoirs, une vitrine regroupant les jeunes joueurs les mieux cotés en vue du repê-chage de 1996.

« Le lendemain de la transaction, dans le vestiaire, certains joueurs des Sabres se demandaient qui était Daniel Brière. Et je suis tout de suite intervenu, raconte Martin Biron.

« — Vous allez voir à quel point c'est un bon joueur ! Brière est capable de scorer, mais il est encore meilleur dans le vestiaire. C'est un gars combatif ! Un leader ! Vous allez voir ! Ce gars-là, c'est quelque chose ! »

« Lindy Ruff était lui-même venu m'annoncer que nous venions d'acquérir Daniel », se souvient pour sa part Jean-Pierre Dumont.

« Ma première réaction avait été instantanée : je lui ai répondu que j'espérais avoir la chance de jouer avec lui ! Daniel et moi avions amassé sept ou huit points ensemble lors de ce fameux Match des espoirs, en vue du repêchage. J'étais vraiment content qu'un centre de premier niveau se joigne à notre équipe. »

Aussitôt débarqué de l'avion, Martin et Jean-Pierre m'ont pris sous leur aile et ils m'ont énormément aidé à me familiariser à mon nouvel environnement, tant dans l'entourage de l'équipe qu'à l'extérieur de la patinoire.

Martin Biron se rappelle :

« La première chose que j'ai dite à ma femme quand Daniel est arrivé chez les Sabres a été : "Il faut qu'on prenne soin de lui. Daniel est un bon joueur qui va aider notre équipe, mais c'est aussi un bon gars. On va l'emmener souper tout de suite pour que tu fasses sa connaissance. Je veux vraiment qu'on puisse les aider, lui et sa famille." À partir de là, les choses ont tout de suite cliqué entre Daniel et moi. Outre l'aspect hockey, j'ai découvert Daniel en tant que personne, en tant que père et en tant qu'ami. »

« Lorsqu'on arrive dans une nouvelle ville, raconte pour sa part Jean-Pierre Dumont, c'est toujours plus facile si quelqu'un nous guide un peu. Les joueurs québécois ont la plupart du temps le réflexe de s'entraider. Je connaissais la situation familiale de Daniel, alors je lui ai expliqué comment était la vie à Buffalo, quels quartiers et quelles écoles étaient les plus prisés par les joueurs de l'équipe. À l'aréna comme à l'extérieur, nous passions énormément de temps ensemble et une solide amitié s'est rapidement forgée entre nous. »

Dès ma deuxième semaine chez les Sabres, Sylvie est venue me rejoindre à Buffalo pour faire un peu de repérage. Nous en avons profité pour visiter quelques maisons et planifier comment nous allions installer la famille à compter de la saison suivante.

Nous en avons finalement acheté une située à un pâté de maisons de celle de Jean-Pierre.

J'ai disputé mon premier match dans l'uniforme des Sabres le 12 mars contre les Hurricanes de la Caroline.

Comme prévu, Lindy Ruff a inséré Jean-Pierre Dumont au sein de mon trio sur le flanc droit. Et sur la gauche, il a misé sur l'Allemand Jochen Hecht.

« Je m'attendais à ce que Brière et Dumont s'entendent bien sur la patinoire parce qu'ils se connaissaient et qu'ils étaient deux joueurs offensifs. Et je trouvais intéressant de les faire jouer en compagnie de Hecht, qui était capable d'exceller dans les trois zones », explique Lindy Ruff.

Dès cette première rencontre, la chimie s'est instantanément créée entre nous trois. Ç'a été une expérience formidable de ressentir cette complicité aussi rapidement.

Jean-Pierre Dumont était un joueur extrêmement intelligent qui non seulement savait marquer des buts, mais qui savait aussi où, et à quel moment, aller se positionner pour y parvenir. La chimie s'est donc créée naturellement entre nous. Aussi, la solide amitié que nous développions faisait en sorte que nous cherchions toujours à nous entraider sur la patinoire.

En ce qui a trait à Jochen Hecht, notre haut niveau de complicité était moins prévisible. Il possédait un instinct plus défensif, mais nous pensions quand même de la même façon sur la patinoire et nous savions exactement à quel endroit nous repérer l'un l'autre.

Il ne restait que 14 parties à disputer au calendrier régulier et les Sabres étaient exclus de la course aux séries éliminatoires quand Jochen, Jean-Pierre et moi avons joué pour la première fois ensemble.

J'étais un jeune attaquant offensif venant d'être impliqué dans une transaction. Il fallait absolument que je fasse mes preuves et que je prenne ma place au sein de ma nouvelle équipe. C'était ma plus grande priorité.

Notre trio a immédiatement commencé à préparer l'avenir en inscrivant 13 buts et en récoltant 28 points durant ce dernier segment de calendrier.

Pendant les trois années suivantes, jusqu'à ce que Jean-Pierre quitte les Sabres pour se joindre aux Predators de Nashville, cette combinaison Hecht-Brière-Dumont n'a jamais été démantelée.

———

Plus les matchs passaient, plus je comptais les jours nous séparant de la fin du calendrier. Puisqu'il n'y avait pas de séries éliminatoires au menu, j'avais hâte de retourner à Phoenix pour y retrouver ma famille et aider Sylvie à organiser notre déménagement.

Toutefois, à moins d'une semaine de la fin de la saison, un appel des dirigeants d'Équipe Canada a contrecarré mes plans.

On m'offrait d'aller rejoindre l'équipe nationale à Tampere et à Turku, en Finlande, afin de participer au Championnat mondial. Dans les circonstances, cette invitation était aussi alléchante que déchirante.

C'était la première fois qu'on m'offrait la chance de porter les couleurs de l'équipe nationale depuis mon arrivée chez les professionnels et c'était un privilège qui ne se refusait tout simplement pas. Aucun jeune joueur dans ma situation n'aurait pu tourner le dos à une invitation d'Équipe Canada, d'autant plus que cette expérience était susceptible de m'ouvrir d'autres portes dans l'avenir.

Quand les Coyotes m'avaient échangé, je prévoyais revoir mes fils au bout de cinq semaines. Je suis finalement rentré à la maison au bout de dix semaines, avec une médaille d'or dans mes bagages.

Ce championnat mondial de 2003 m'a permis de découvrir Dany Heatley, un autre partenaire de jeu avec lequel une parfaite chimie s'est installée. Hockey Canada avait confié à Andy Murray le mandat de diriger l'équipe nationale et celui-ci nous avait jumelés dès le début du tournoi.

Heatley était un tireur puissant capable de se démarquer et de rediriger vers le filet, sur réception, les passes les plus vives. Notre complicité instantanée a porté ses fruits. Il a été l'attaquant le plus productif de notre équipe, terminant au sixième rang des marqueurs du tournoi (7-3-10), alors que j'ai pris le douzième rang (4-5-9), à égalité avec Peter Forsberg.

Notre médaille d'or a été durement gagnée. Il nous a fallu vaincre les Suédois en prolongation, au compte de 3-2, pour clore le débat en finale.

Dès la fin du tournoi, je suis retourné chercher ma famille à Phoenix. À partir de là, sans trop nous presser, nous sommes rentrés au Québec en voiture pour y passer l'été auprès de notre monde.

C'était le début d'une nouvelle vie.

CHAPITRE 2

La saison qui n'a jamais eu lieu

Je m'étais tout de suite senti à l'aise en arrivant à Buffalo en avril 2003. Au cours de ma première saison complète avec l'équipe, ce sentiment est devenu de plus en plus fort. Je m'y sentais véritablement à ma place.

Le contraste avec Phoenix était frappant. À Buffalo, j'étais presque uniquement entouré de jeunes de mon âge et je sentais que j'étais un membre à part entière de l'équipe. La moyenne d'âge chez les Sabres se situait autour de 25 ou 26 ans, alors qu'elle était de 30 ou 31 ans lorsque j'étais chez les Coyotes.

«Nous avions tous le même âge et c'était fabuleux! se souvient Martin Biron. Nous avions des intérêts communs et nous étions à peu près tous à la même étape dans nos vies. Plusieurs d'entre nous commençaient à avoir des enfants. Cette saison-là, les femmes de neuf joueurs s'étaient organisées une journée de détente dans un spa et elles avaient pris une photo pour immortaliser l'événement. Sur ce cliché, il y en avait sept sur neuf qui étaient enceintes! Nous étions très soudés et solidaires. C'était vraiment un bon groupe.»

Il régnait chez les jeunes Sabres une ambiance tout à fait particulière qu'on retrouve parfois dans les partys de famille lorsque les gens décident de sortir les cartes et que la soirée semble ne jamais vouloir finir.

Avec Martin, Jean-Pierre, le gardien Mika Noronen, le défenseur Jay McKee et l'attaquant Chris Taylor, nous passions presque tous nos temps libres à jouer aux cartes. À bord de l'avion ou de l'autobus, à l'hôtel ou dans le vestiaire, nous étions tout le temps en train de jouer aux cartes. C'était notre dada.

« On jouait surtout à la dame de pique ainsi qu'à un jeu appelé Seven Up, Seven Down. Durant ces parties, nous nous sommes rendu compte assez vite que Daniel n'aimait pas perdre, ni au hockey ni aux cartes. Je l'ai souvent vu casser des téléphones (fixes) parce qu'il avait perdu une main aux cartes. Il était vraiment mauvais perdant ! », se rappelle Jean-Pierre Dumont.

« Si j'avais le malheur de lui remettre la dame de pique et qu'il restait ensuite pris avec, ajoute Martin Biron, le téléphone de chambre d'hôtel ou les manettes de télévision passaient un mauvais quart d'heure ! On a déjà dû faire remplacer deux téléphones en deux jours dans notre chambre. Il garrochait ça d'un bord comme de l'autre. C'était un de nos grands plaisirs de le faire fâcher. En même temps, on voyait à quel point il était compétitif. Il avait en lui une véritable haine de la défaite. »

J'ai eu plusieurs coéquipiers qui sortaient de l'ordinaire au cours de ma carrière, mais aucun n'est arrivé à la cheville du robuste attaquant Eric Boulton, dont la bonhomie et l'amour de l'argent ont animé un très grand nombre de soirées d'équipe durant ma première saison complète à Buffalo.

L'histoire de Boulton avait commencé tout à fait innocemment, dans un restaurant, vers la fin d'un souper d'équipe. Alors que des assiettes contenant toutes sortes de restants de repas se trouvaient encore sur la table, Boulton avait demandé à un coéquipier :

— Tu me donnes combien si je mange ce yogourt mélangé avec la sauce au poivre ?

— Je suis prêt à mettre 40 dollars, mais à condition qu'on ajoute du fudge et du saumon fumé !

L'imagination d'un groupe de jeunes hockeyeurs pouvant parfois être sans limite, cet étrange pari a alors donné lieu à une sorte de jeu qui s'est perpétué tout au long de la saison et dont les règles et le quotient de difficulté ne cessaient jamais de progresser.

Ainsi, à chaque repas d'équipe (principalement en voyage), Eric Boulton devenait le clou de la soirée. Dès que nous terminions notre repas, des joueurs lui préparaient dans un bol le mélange le plus repoussant possible. Et à compter de ce moment, les enchères étaient ouvertes!

Plus la concoction était écœurante, plus les joueurs misaient des sommes importantes pour convaincre Boulton de tout ingurgiter. Au début, les attentes n'étaient pas très élevées et les joueurs misaient 10 ou 20 dollars chacun pour le voir relever le défi. Mais les «recettes» se sont rapidement mises à devenir plus répugnantes les unes que les autres, si bien que les joueurs misaient souvent 100 ou 200 dollars.

Prenez un restant de patates pilées, ajoutez-y du chocolat fondant, du saumon fumé, de la crème sure et une bonne quantité de moutarde. Mélangez bien et, soudainement, vous venez de créer tout un événement dans un souper tranquille!

Au bout du compte, Boulton pouvait donc se faire entre 2 000 et 4 000 dollars durant un seul souper d'équipe! À un certain moment, nous nous sommes mis à rigoler à l'idée qu'il faisait peut-être autant d'argent en portant les couleurs des Sabres qu'en animant nos soirées. Mais bon sang! Ce qu'il ingurgitait était tellement effroyable qu'il sacrifiait probablement davantage son corps au restaurant que lorsqu'il jetait les gants sur la patinoire!

Beau joueur, Eric Boulton avalait au complet les infectes mixtures qu'on lui tendait. Il ne reculait devant rien. Le problème, c'est que les recettes ne cessant d'empirer au fil du temps, il lui est arrivé en quelques occasions de se mettre à vomir, ce qui n'a pas manqué de provoquer la création de nouveaux règlements. Par la suite, il lui fallait absolument garder ces affreux mélanges dans son estomac durant cinq, dix ou quinze minutes afin de pouvoir remporter son pari.

Boulton était une sorte d'acrobate gastronomique dont nous tentions toujours de repousser les limites. Ce n'était certainement pas élégant comme divertissement, mais nous avons eu énormément de plaisir avec lui.

L'ambiance chez les Sabres était à la fois intense et stimulante. Sans oublier le fait que la région de Buffalo nous offrait une excellente qualité de vie. Toute la famille s'y plaisait vraiment.

Les joueurs des autres équipes ont une vision tronquée de cette ville. Les équipes visiteuses séjournent toujours dans un hôtel du centre-ville, qui n'est pas aussi développé (et peut-être un peu plus vieillot) que ceux de la plupart des autres grandes villes de la LNH. Par ailleurs, les villes qui ont la réputation d'être très froides et de recevoir de grandes quantités de neige ont rarement la cote auprès des joueurs de la ligue.

Mais lorsqu'on prend le temps d'y vivre, Buffalo révèle un tout autre visage. J'ai rapidement constaté qu'un grand nombre d'anciens joueurs des Sabres s'étaient installés dans la région une fois leur carrière terminée. Cette situation m'étonnait au début. Mais au fil du temps, nous nous y sommes tellement plu que j'en suis venu à croire que j'allais passer toute ma carrière chez les Sabres.

Durant l'été précédant cette saison 2003-2004, le directeur général Darcy Regier avait clairement montré son intention de bâtir une formation gagnante en faisant l'acquisition du centre Chris Drury, des Flames de Calgary.

Dans cette importante transaction, les Sabres avaient aussi mis la main sur l'attaquant Steve Bégin. Ils avaient en retour cédé l'attaquant Steve Reinprecht et le défenseur Rhett Warrener.

« La photo de Chris Drury que les journaux ont publiée au moment de cette transaction valait mille mots, souligne en riant Martin Biron. Quand l'Avalanche l'avait échangé aux Flames de Calgary, Drury affichait la mine d'un type condamné à la prison. Et quand Calgary l'a envoyé à Buffalo, c'était un peu la même chose. »

Chris Drury, qui n'était alors âgé que de 25 ans, avait mérité le trophée Calder à titre de recrue par excellence en 1998-1999 et avait remporté la coupe Stanley avec l'Avalanche du Colorado en 2001. En plus d'être un marqueur de 20 à 25 buts, Drury était reconnu comme l'un des centres les plus complets de la LNH,

« Quand Daniel et Drury sont arrivés coup sur coup, un fort vent d'optimisme s'est levé au sein de l'équipe. C'était comme si nous étions passés, en claquant des doigts, du statut d'équipe en reconstruction au statut d'une équipe gagnante », ajoute Biron, qui était le gardien numéro un de la formation à cette époque.

Les échanges complétés par Regier et la progression des jeunes joueurs précédemment sélectionnés au repêchage par l'organisation faisaient en sorte que Lindy Ruff avait désormais beaucoup plus de munitions à sa disposition en attaque.

Avec Drury, Jean-Pierre Dumont, Maxim Afinogenov, Miroslav Satan et moi, les Sabres comptaient désormais sur cinq marqueurs potentiels de 20 buts ou de 25 buts et plus, sans compter la présence de quelques marqueurs de 15 buts comme Ales Kotalik et Jochen Hecht. Et sans parler de Derek Roy, un jeune attaquant rapide et prometteur qui commençait à se tailler une place avec l'équipe.

Aussi, en défense, les Russes Dmitri Kalinin et Alexei Zhitnik alimentaient l'attaque pendant que le jeune Brian Campbell, le futur quart-arrière de l'organisation, commençait à percer dans la LNH.

Ruff était un entraîneur intelligent et très ouvert d'esprit. Il savait s'adapter aux joueurs qu'il avait sous la main au lieu de tenter, comme la plupart des entraîneurs, de les modeler à un style de jeu en particulier. Il était capable de remporter des matchs de hockey en utilisant différentes recettes.

Ainsi, lorsqu'il a vu débarquer toute cette cohorte de jeunes joueurs offensifs, Ruff a pris le pari de nous laisser exploiter notre créativité.

— Je n'ai pas de problème à ce que vous preniez des risques. Mais si vous provoquez un revirement, tout ce que je vous demande, c'est de revenir en défense à 100 milles à l'heure, disait-il.

C'est cette extraordinaire capacité d'adaptation qui a fait en sorte, à mon avis, que Ruff puisse rester aux commandes des Sabres pendant 17 saisons. Ce qui est tout à fait remarquable. Avec le temps, sa vision a aussi permis à notre groupe de joueurs de devenir l'un des plus dominants de la LNH.

Tout en étant à la fois sévère, exigeant et rigoureux, Lindy Ruff savait faire preuve de souplesse quand les circonstances le commandaient et cela lui valait le respect de ses joueurs. Si on voulait lui demander une faveur, il valait mieux attendre que l'équipe connaisse une série de deux ou trois victoires. Il était toujours plus détendu et souriant dans ces circonstances.

Dès le début, j'ai adoré joué pour Lindy Ruff.

« Ma relation avec Daniel n'a pas toujours été parfaite, raconte Lindy. Ç'a été une démarche évolutive et il y a eu des moments où j'ai été vraiment dur avec lui. Je lui lançais parfois la phrase "Et si l'objectif était juste de gagner ?", par opposition à ce que ce l'objectif soit juste d'inscrire des points.

« Nous nous sommes affrontés en quelques occasions sur ce genre de question, mais ça faisait partie du processus pour que l'on parvienne à se comprendre. Je souhaitais l'emmener plus loin en tant que joueur et en tant que leader au sein de l'équipe. »

Les Sabres avaient raté les séries éliminatoires et connu des saisons très difficiles au cours des deux années précédant mon arrivée avec le club. Mais durant la saison 2003-2004, les partisans ressentaient exactement la même chose que nous. Ils savaient que notre équipe allait finir par connaître du succès et la fièvre du hockey était en train de renaître à Buffalo.

Les gens qui visitent régulièrement les différents amphithéâtres de la LNH soutiennent souvent que la passion des partisans des Sabres est telle que Buffalo pourrait être considérée comme la huitième ville canadienne de la ligue. Je suis bien d'accord avec eux.

Peu après avoir installé toute la famille à Buffalo, j'ai reçu un coup de fil de la directrice de la nouvelle école primaire de nos garçons, la Christian Central Academy. Cet appel m'a vite fait réaliser à quel point les Sabres occupaient une place importante dans leur communauté.

— Monsieur Brière, serait-ce possible de ne plus sortir de votre voiture quand vous venez chercher vos fils à la fin des cours ?

— Pardon ?

— Chaque fois que vous venez chercher vos enfants, c'est la cohue dans l'école. Les enfants se précipitent sur vous pour obtenir un autographe et ils en perdent la notion du temps. La dernière fois, il y en a cinquante qui ont raté leur autobus ! Des membres du personnel ont dû prolonger leur journée de travail et téléphoner aux parents de chaque enfant pour les prévenir et leur demander de venir les cueillir.

La directrice et moi avons alors convenu qu'à l'avenir j'allais lui téléphoner quand j'allais passer prendre les garçons à l'école. Une fois prévenue, elle allait personnellement accompagner les enfants jusqu'à ma voiture pour éviter les attroupements.

Je trouvais la situation à la fois amusante et contrariante. J'étais un jeune père dont les enfants commençaient à fréquenter l'école primaire et j'aimais bien aller jeter un coup d'œil sur ce qui se passait à l'école. Et voilà que ce n'était plus possible...

Le contraste avec le total anonymat que j'avais connu à Phoenix était frappant. Les joueurs des Sabres ne passaient certainement pas inaperçus à Buffalo.

D'ailleurs, une autre anecdote savoureuse est survenue durant la première année scolaire de nos trois fils à la Christian Central Academy.

Un bon soir, notre deuxième fils, Carson, se met à me parler de l'homme qui vient surveiller la période des dîners à l'école. Il semble avoir développé une bonne relation avec ce surveillant. Carson en parle même comme s'il s'agissait d'un grand ami.

— Comment il s'appelle, ton ami surveillant ?

— Il s'appelle Jim Kelly ! me répond Carson.

Vérification faite, fiston n'en avait absolument aucune idée, mais son nouvel ami était l'un des plus grands héros sportifs de l'histoire de la ville ! Un quart-arrière qui venait tout juste d'être admis au panthéon de la NFL et qui avait mené les Bills à quatre participations consécutives au Super Bowl, une décennie plus tôt.

Cette fois c'était moi, et non les enfants, qui était impressionné...

La nouvelle vague d'enthousiasme que suscitaient les jeunes Sabres dans un marché aussi fervent de hockey était plutôt justifiée.

Au terme de cette saison 2003-2004, nous présentions la dixième meilleure attaque de la LNH, mais notre formation manquait encore un peu de maturité et nous ne sommes pas parvenus à nous qualifier pour les séries d'après-saison.

Nous avons amassé 85 points au classement (13 points de plus que la saison précédente), ce qui nous a valu le neuvième rang dans la conférence de l'Est.

Au moment de nous séparer pour l'été, nous nous sommes dit que le meilleur était à venir et que la saison suivante allait nous permettre

de confirmer notre ascension parmi les bonnes équipes de la conférence. Sauf qu'il n'y a jamais eu de saison suivante.

Le 16 septembre 2004, tout juste avant l'ouverture du camp d'entraînement, les propriétaires de la LNH ont décrété un lock-out qui a
finalement duré un peu plus de dix mois et qui a entraîné l'annulation
complète de la saison 2004-2005.

L'enjeu de cette négociation contractuelle était majeur. Les propriétaires visaient l'instauration d'un plafond salarial afin de restreindre
le pouvoir de dépenser des organisations les mieux nanties et de
limiter les salaires des joueurs.

Prévoyants, les dirigeants de l'Association des joueurs avaient commencé à préparer leurs membres à la forte éventualité d'un lock-out
quelques années avant qu'il ne soit déclenché. Des sessions d'information extrêmement pointues avaient par ailleurs été organisées
durant l'été 2004 afin que chaque joueur soit bien au fait des enjeux
économiques de la négociation et du conflit à venir.

Malgré toute l'information dont nous disposions, j'ai ressenti un
choc lorsque le lock-out a officiellement été décrété. Soudainement,
tout ce qu'on nous avait annoncé devenait réel : les propriétaires
avaient bel et bien mis la clé dans la porte.

J'étais déçu mais je n'étais pas en colère. Je me considère comme
étant une personne assez réaliste et j'étais capable de comprendre le
point de vue des deux parties. Pour les propriétaires, le hockey était
avant tout une entreprise qu'ils souhaitaient rééquilibrer en amélio-
rant la santé financière d'un certain nombre de franchises.

De l'autre côté, il était très légitime pour les joueurs de tout faire
pour protéger des carrières que l'on met une vie à bâtir mais qui sont,
dans les faits, très courtes.

Je comprenais donc les enjeux des deux côtés. Je n'étais ni paniqué ni
en colère, mais j'espérais que ça se règle le plus tôt possible. Sauf qu'étant
donné le profond fossé idéologique et financier qui séparait alors l'Association des joueurs et les propriétaires, un long conflit était à prévoir.

Pour garder la forme et être prêt à reprendre le collier immédiatement après le lock-out (j'étais persuadé qu'on signerait une nouvelle convention collective après les Fêtes), il me semblait donc important de dénicher une équipe en Europe et de disputer des matchs au lieu de rester à la maison à tourner en rond.

André Ruel, qui avait été l'un de mes entraîneurs chez les Voltigeurs de Drummondville dans les rangs junior, collaborait justement avec les dirigeants du club suisse SC Berne qui étaient à la recherche de joueurs nord-américains.

«C'est la mère de Daniel, Constance, qui a été la première à m'appeler pour savoir si je pouvais aider son fils à trouver une place à Berne», se souvient André Ruel.

— André, penses-tu pouvoir envoyer Daniel là-bas? J'ai l'impression qu'il va devenir fou s'il ne joue pas au hockey. Il faut qu'il joue au hockey!

Le premier coup de téléphone logé à Berne était toutefois resté sans réponse. L'équipe avait remporté le championnat de la Ligue nationale A suisse (LNAS) le printemps précédent et son directeur général, Roberto Triulzi, ne voyait pas d'urgence à insérer des lock-outés de la LNH dans son alignement.

Or, dès le mois d'octobre, environ 25 % des joueurs de la LNH avaient déjà été embauchés par des clubs européens et le paysage de la LNAS avait considérablement changé. Une équipe comme Davos, par exemple, misait désormais sur Joe Thornton et Rick Nash! Après une dizaine de matchs, Berne ne revendiquait que deux victoires et la direction de l'équipe a appuyé sur le bouton panique. Ils ont alors appelé André Ruel en réclamant des joueurs de la LNH.

Quand André m'a demandé si ça m'intéressait toujours d'aller jouer à Berne, j'ai tout de suite répondu oui. En plus, l'équipe était dirigée par Alan Haworth, un ancien des Voltigeurs de Drummondville. Mais mon fils Carson devait subir l'ablation des amygdales la semaine suivante. J'ai donc proposé de me rendre en Suisse pour disputer les deux matchs du week-end, puis de rentrer à Buffalo pour l'opération avant de rejoindre le SC Berne pour de bon.

— C'est parfait, faisons les choses comme ça. Ça te permettra en même temps de voir un peu à quoi ressemble l'environnement de l'équipe, m'a répondu André.

J'ai pris un vol Washington-Zurich le jeudi soir et je suis arrivé à Berne le vendredi matin. Roberto Triulzi avait expliqué à André Ruel qu'étant donné le décalage horaire et la fatigue du voyage, l'équipe allait profiter de la première journée pour me faire essayer mon équipement et prendre quelques photos promotionnelles. Pour le match en soirée, on prévoyait me faire jouer uniquement en avantage numérique.

Une fois arrivé à l'aréna, j'ai revêtu mon équipement et je me suis fait photographier. Les préposés à l'équipement n'avaient toutefois pas encore eu le temps d'installer une visière sur mon casque. Puis, comme la séance d'entraînement débutait, Alan Haworth m'a demandé si je voulais faire quelques exercices avec mes nouveaux coéquipiers. J'ai accepté avec joie, mais après quelques minutes sur la patinoire, une rondelle déviée m'a fracturé le nez! J'ai été obligé de disputer le match du soir avec une grille complète...

Le match s'est mal passé. Durant ma première présence sur la patinoire, il y a eu tellement de revirements que je me demandais: «Tabarnouche, qu'est-ce qui se passe ici?» J'avais par ailleurs de la difficulté à suivre le jeu avec une grille protectrice complète. Je me suis rendu à l'hôpital après le match et les médecins m'ont inséré des tiges dans le nez, ce qui m'obligeait à respirer par la bouche.

J'ai disputé le match du dimanche à Genève en portant encore une fois une grille protectrice complète. Mais j'étais incapable de développer une complicité avec les partenaires de jeu qui m'avaient été assignés. En plus, dans le vestiaire, je sentais que les regards étaient braqués sur moi. Mes coéquipiers semblaient me regarder en se disant: «Mais qu'est-ce que tu attends pour nous faire gagner?» Je n'avais jamais ressenti une chose pareille dans le passé.

« Daniel est rentré à Buffalo après ce deuxième match et Roberto Triulzi m'a appelé pour me faire part de son insatisfaction », se souvient André Ruel.

— Brière né vaut pas une claque. Il ne patine pas et il ne fait rien.

— Heille, si tu me dis ça, je ne connais rien au hockey ! a rétorqué André, tel un véritable protecteur. Daniel Brière va être un de tes meilleurs joueurs, mais regarde un peu dans quel contexte tu l'as placé : il se fait casser le nez ; il n'est pas supposé de jouer le vendredi et vous le faites jouer, puis il rejoue le dimanche avec des gars qui n'ont aucune intelligence sportive. Il faut que tu le fasses jouer avec des joueurs qui ont de l'allure ! Moi, je peux t'assurer qu'il va être un des meilleurs joueurs de votre ligue, je suis convaincu de ça.

Lorsque André m'a téléphoné par la suite pour connaître mes impressions sur ma courte incursion à Berne, ça me tentait beaucoup moins d'y retourner.

— En tous cas, si j'y retourne, il faut que ce soit avec un autre joueur, ai-je proposé.

— Penses-tu que Jean-Pierre Dumont voudrait y aller ?

C'était impossible pour Jean-Pierre. Sa femme attendait leur premier enfant sous peu. Il ne pouvait tout simplement pas partir en Europe dans ces conditions. André m'a relancé :

— Et Dany Heatley ? Penses-tu que ça l'intéresserait ? Est-ce que ça fonctionnerait s'il allait jouer là-bas avec toi ?

— Certain que ça marcherait ! Amène-moi Heatley et tu vas voir qu'on va dominer là-bas !

Après avoir connu énormément de succès ensemble au Championnat mondial de 2003, Heatley et moi nous étions à nouveau retrouvés au sein de l'équipe canadienne au Championnat mondial de 2004, qui était cette fois disputé à Ostrava et Prague, en République tchèque.

Comme les Sabres de Buffalo, les Thrashers d'Atlanta (l'équipe de Heatley) avaient à nouveau raté les séries.

Mike Babcock était aux commandes de l'équipe nationale cette année-là. Étant donné les succès que Heatley et moi avions connus ensemble l'année précédente, l'entraîneur nous avait encore réunis au sein du même trio. Et cette fois, la chimie s'était avérée encore meilleure. Heatley avait terminé au premier rang des marqueurs du tournoi en vertu d'une fiche de 8 buts et 3 passes. Pour ma part, j'avais pris le neuvième rang avec 2 buts et 6 mentions d'aide.

Nous nous étions à nouveau retrouvés en finale face aux Suédois, que nous avions vaincus au compte de 5 à 3 pour mettre la main sur une deuxième médaille d'or consécutive.

Alors que nous cherchions à savoir si Heatley avait envie de m'accompagner en Suisse, André et moi avons appris qu'il était représenté par l'associé de Pat Brisson, JP Barry. Il n'a donc pas été difficile à retrouver. Heatley n'a pas été difficile à convaincre non plus.

Pat et JP Barry ont rapidement négocié des contrats avec Roberto Triulzi, et nous avons mis le cap sur Berne.

Entre Heatley et moi, la complicité a vite repris de plus belle et nous nous sommes mis à remplir les filets dès notre arrivée.

«Heatley a réussi un tour du chapeau dès le premier match et Daniel a inscrit deux buts. Il y avait salle comble à Berne et les partisans de l'équipe n'en revenaient pas», se souvient André Ruel, qui n'a pas manqué de rappeler Roberto Triulzi le lendemain.

— Pis? Comment Daniel a-t-il joué?

— C'est tout un joueur de hockey!

Nous avions une belle équipe mais le SC Berne faisait quand même face à beaucoup d'adversité. Le calibre de jeu de la Ligue nationale A suisse était extrêmement relevé en cette année de lock-out. Lorsque les premiers trios s'affrontaient sur la patinoire, c'était du hockey de la LNH et aucune victoire n'était facile à obtenir.

Le SC Berne avait constamment besoin de renfort. Alan Haworth passait ses commandes à André Ruel, qui s'arrangeait ensuite pour dénicher le type de joueur recherché. C'est ainsi que sont arrivés, entre autres, le défenseur Henrik Tallinder (un de mes coéquipiers à Buffalo) et l'attaquant Chris Clark (des Flames de Calgary) au fil de la saison.

En tout, André Ruel a déniché cinq joueurs pour le SC Berne cette saison-là ! La source semblait intarissable.

Au-delà du hockey, cette expérience en Suisse s'avérait extraordinaire pour ma famille. Nous avions emménagé au centre-ville de Berne. C'était la première fois que nous vivions au cœur d'une grande ville et ce style de vie nous plaisait.

Nos deux fils les plus âgés fréquentaient une école internationale où l'enseignement était fait en anglais, tandis que le plus jeune fréquentait une école francophone. Les garçons étaient tous les trois inscrits au hockey mineur de Berne.

Nous adorions vivre là-bas. C'était une expérience de vie enrichissante pour chacun des membres de la famille.

Pendant ce temps, en Amérique du nord, les négociations entre les propriétaires de la LNH et l'Association des joueurs piétinaient.

Comme tous les joueurs qui avaient choisi de signer des contrats en Europe, Dany Heatley et moi recevions toutes les deux ou trois semaines des comptes rendus de la part d'un représentant de l'Association. Malgré la distance, j'essayais de rester branché le plus possible sur la progression des pourparlers.

Au début du conflit, les joueurs n'avaient pas tous réagi de la même façon. Certains étaient carrément paniqués alors que d'autres ne semblaient pas mécontents de profiter d'une pause.

Mais plus le lock-out se prolongeait, plus j'étais agréablement surpris par la solidarité dont les joueurs faisaient preuve les uns envers les autres. Il y en a bien sûr quelques-uns qui se plaignaient dans les journaux et qui disaient vouloir retourner jouer au plus sacrant, alors que d'autres coulaient aux journalistes des informations privilégiées de l'Association des joueurs. Toutefois, dans l'ensemble, j'étais fier de la manière dont les joueurs se serreraient les coudes dans cette épreuve.

Au début décembre, l'Association des joueurs a proposé aux propriétaires d'imposer une coupe salariale de 24 % et d'oublier l'idée d'imposer un plafond salarial. L'offre a été refusée et l'impasse s'est poursuivie.

Finalement, en février, après qu'une ultime tentative de sauver la saison eut échoué, le commissaire Gary Bettman a annoncé l'annulation pure et simple de la saison.

La vie au sein du SC Berne n'était pas dénuée de rebondissements non plus. À peu près au même moment, Dany Heatley est venu m'annoncer qu'il venait de recevoir une offre mirobolante pour aller terminer la saison avec la formation d'Ak Bars Kazan, dans la Ligue élite russe.

Une semaine auparavant, Heatley avait été condamné à trois ans de probation après avoir plaidé coupable à des accusations de méfait, à la suite d'un accident d'automobile survenu en 2003 qui avait coûté la vie à son coéquipier Dan Snyder.

En plus d'être privé de son salaire de la LNH, Heatley avait dépensé beaucoup d'argent pour assurer sa défense dans ce procès. Il n'y avait aucune chance de le convaincre de rester en Suisse. J'ai alors téléphoné à Jean-Pierre Dumont, dont la première fille avait vu le jour plusieurs mois auparavant, au début de la saison.

Jean-Pierre avait passé tout l'hiver à patiner avec d'autres joueurs des Sabres à Buffalo. Et toutes les fins de semaine, il avait fait l'aller-retour

Buffalo-Montréal en voiture pour participer à la Caravane McDonald's – une série de matchs impliquant des joueurs de la LNH. La Caravane était organisée par Joël Bouchard.

— Viens me rejoindre à Berne ! Il nous reste trois matchs à disputer et on doit les remporter tous les trois pour participer aux séries. Viens passer deux semaines en Europe ! Ça va être le fun, ai-je plaidé auprès de Jean-Pierre.

« Ma femme m'avait vu tourner en rond durant tout l'hiver, raconte Jean-Pierre Dumont, et elle était contente pour moi que je reçoive cette invitation. Elle savait à quel point le hockey me manquait. Alors j'ai pris mon sac et je suis parti. J'étais censé rejoindre Daniel pour deux semaines et je suis revenu au bout de presque trois mois. »

Avec trois matchs à disputer, le SC Berne occupait le neuvième rang de la LNAS. Nous étions acculés au pied du mur. Nous devions absolument remporter ces trois parties, dont deux allaient être disputées sur des patinoires adverses. C'était une sacrée commande.

« Les amateurs de hockey en Suisse ne font pas de compromis, raconte Jean-Pierre Dumont. Ou bien ils aiment un joueur, ou bien ils le détestent. Dès mon arrivée à Berne, je me suis rendu compte que Daniel était vraiment adoré là-bas. Les fans avaient créé une chanson pour lui et ils la chantaient chaque fois qu'il marquait un but.

« L'entraîneur nous a mis ensemble, Daniel et moi, et j'ai compté deux buts à mon premier match. Quand j'ai à nouveau marqué lors du match suivant, les partisans m'avaient déjà composé une chanson ! Alors je me suis tout de suite senti accepté. J'ai tellement apprécié cette expérience que je suis allé terminer ma carrière à Berne plusieurs années plus tard, après mon passage chez les Predators de Nashville. Et même après tout ce temps, les partisans se rappelaient encore de la saison du lock-out de la LNH. »

Grâce à l'aide de dernière minute de Jean-Pierre, nous avons remporté les trois derniers matchs du calendrier régulier. Nous avons ensuite connu un excellent parcours éliminatoire, qui a malheureusement pris fin alors qu'il ne nous manquait qu'une seule victoire pour accéder à la finale.

C'est le HC Davos de Joe Thornton et Rick Nash qui nous a éliminés en demi-finale.

« Une fois la saison terminée, Daniel s'est fait décerner le titre de Master. Il s'agissait d'une grande marque de respect parce que ce sont généralement des joueurs qui ont passé de très longues carrières dans la LNAS qui reçoivent ce titre », analyse André Ruel, qui était venu séjourner à Berne durant cette mémorable saison.

« Dans une longue conversation, un journaliste du quotidien suisse *Blick* m'avait expliqué que les partisans faisaient un rapprochement avec le soccer lorsqu'ils analysaient le jeu de Daniel. Ils appréciaient son intelligence sportive et sa façon de construire les buts. C'est pour cette raison qu'il était devenu l'un des favoris de l'équipe. »

CHAPITRE 3

Deux capitaines, une seule famille

Dans la nuit du 12 au 13 juillet 2005, l'Association des joueurs et les propriétaires ont complété un sprint de négociation qui s'est conclu à l'aube par une entente de principe. Un partage des revenus 52 % - 48 % en faveur des joueurs a été institué et les propriétaires ont fini par obtenir ce qu'ils recherchaient au départ : l'instauration d'un plafond salarial.

Compte tenu du résultat final de la négociation, de nombreux gérants d'estrades estimaient que l'Association des joueurs avait fait fausse route. Selon ces observateurs, l'équipe de négociation des joueurs aurait mieux fait d'accepter le principe du plafond salarial dès le départ, ce qui aurait empêché l'annulation d'une saison complète.

Je n'étais absolument pas d'accord avec cette analyse. Les deux parties devaient défendre leurs positions. Je pense que le hockey – propriétaires aussi bien que joueurs – aurait souffert si l'une ou l'autre des parties avait obtenu tout ce qu'elle désirait. Au bout du compte, propriétaires et joueurs sont ressortis de cet exercice en ayant accepté des compromis et avec une assez bonne entente.

D'ailleurs, dans l'ensemble, même si la situation n'est pas devenue parfaite après la conclusion du nouveau contrat de travail, la situation financière de plusieurs organisations, et de la LNH dans son ensemble, s'est considérablement améliorée. Je défendais à l'époque les couleurs d'une équipe basée dans un petit marché et j'accordais une certaine importance à cet enjeu.

⟶

Quand le camp d'entraînement des Sabres de Buffalo s'est mis en branle en septembre 2005, ce n'étaient toutefois pas les nouvelles clauses de la convention collective qui retenaient notre attention, mais plutôt les conclusions du « Sommet Shanahan », dont les travaux avaient convaincu les décideurs de la LNH d'éliminer l'accrochage et de modifier certaines règles afin de rendre le hockey plus rapide et plus offensif.

Durant la saison précédant le lock-out (2003-2004), il s'était marqué en moyenne 2,57 buts par match dans la LNH. Depuis la saison 1955-1956, jamais une aussi faible moyenne offensive n'avait été enregistrée au sein de la ligue. Graduellement, depuis le début des années 1990, des stratégies défensives comme la « trappe », la tolérance des officiels envers l'accrochage et le perfectionnement technique des gardiens avaient progressivement étouffé le jeu offensif et fait basculer le hockey dans ce que des experts avaient baptisé l'« ère de la rondelle morte ».

Or, durant le lock-out, Brendan Shanahan avait pris l'initiative, avec la bénédiction de la LNH et de l'Association des joueurs, de réunir à Toronto des éminences grises et des penseurs de divers horizons (joueurs, entraîneurs, directeurs généraux et arbitres) afin d'obtenir une bonne vue d'ensemble et de repenser la manière de pratiquer le hockey.

Selon le *Globe & Mail*, Bob Gainey (directeur général du Canadien), John Tortorella (entraîneur-chef du Lightning de Tampa Bay), Mats Sundin (capitaine des Maple Leafs de Toronto), Steve Yzerman (vétéran des Red Wings de Detroit), John Davidson (alors analyste à la télévision) et l'arbitre Bill McCreary faisaient partie du panel de participants de ce qui fut baptisé le « Sommet Shanahan ».

Quelques mois plus tard, les travaux de ce groupe ont servi de base de travail au comité de compétition de la LNH, qui a annoncé plusieurs modifications aux règlements au terme du lock-out. Parmi les plus importants changements, on notait l'élimination de la ligne rouge ainsi qu'une politique de tolérance zéro des officiels envers tous les gestes (accrocher, retenir ou faire de l'obstruction) ayant pour effet de ralentir le porteur de la rondelle ou l'équipe se portant à l'attaque.

Quand ces mesures avaient été annoncées, plusieurs organisations ne les avaient pas prises au sérieux. Leurs dirigeants se disaient que les arbitres allaient finir par devenir plus tolérants et qu'on allait rapidement revenir à la bonne vieille façon de jouer au hockey.

Pendant que des organisations comme les Flyers mettaient sous contrat des défenseurs imposants et peu mobiles comme Mike Rathje et Derian Hatcher, les Sabres de Buffalo décidaient de prendre le chemin inverse et de bâtir leur formation en fonction des nouvelles règles.

Dès nos premières réunions d'équipe au camp d'entraînement, Lindy Ruff s'était montré très clair :

— Nous allons nous adapter aux nouveaux règlements et on va le faire à partir de maintenant ! Au lieu de nous plaindre, nous allons tirer avantage de cette nouvelle réalité, avait-il annoncé.

En fait, ces changements de règlements constituaient un scénario de rêve pour les Sabres. Nous misions déjà sur une bonne cohorte d'attaquants rapides. En plus, cet accent sur la vitesse allait à coup sûr favoriser des défenseurs moins physiques et plus mobiles comme Brian Campbell, Henrik Tallinder et Tony Lydman, dont les styles de jeu convenaient peut-être moins à l'« ère de la rondelle morte ».

Lindy Ruff a décidé de foncer tête première avec cette nouvelle philosophie. Et il renforçait son message en nous montrant des films expliquant comment le hockey allait désormais être joué et quels types d'infractions allaient désormais être systématiquement pénalisées. En plus, sachant que l'adaptation allait s'avérer assez difficile pour la plupart des autres équipes et qu'une hausse considérable du nombre de pénalités allait en découler, nous passions beaucoup de temps à peaufiner notre avantage numérique.

La « nouvelle LNH » était taillée sur mesure pour moi. J'étais très enthousiaste à l'idée d'avoir la chance de patiner davantage et, surtout, de pouvoir profiter d'un plus grand nombre d'occasions en avantage numérique, parce que c'était ma plus grande force.

Cette excellente préparation et cette ouverture d'esprit de notre entraîneur envers le changement nous ont permis de connaître un départ canon. Nous avons remporté six de nos huit premiers matchs pour ensuite nous maintenir parmi les quatre ou cinq meilleures formations de l'Est jusqu'au dernier droit du calendrier.

———

Durant ce même camp d'entraînement, à la mi-septembre, Lindy Ruff m'a convoqué à son bureau en compagnie de Chris Drury.

À notre dernière saison avant le lock-out, l'entraîneur avait élaboré un système dans lequel plusieurs joueurs occupaient les fonctions de capitaine et d'assistant-capitaine en alternance. Il voulait ainsi répartir le fardeau du leadership au sein de l'équipe.

Mais en septembre 2005, j'avais l'impression que Lindy allait officiellement nommer un seul capitaine et je m'attendais à ce que ce soit Chris Drury. En plus d'être un leader naturel, Chris avait fait partie d'une équipe championne dans le passé et il avait accumulé un bon bagage d'expérience dans la LNH. Il était un excellent candidat pour occuper cette fonction. J'étais donc curieux de savoir pourquoi j'avais aussi été convoqué au bureau de l'entraîneur.

« J'ai lancé à Brière et Drury l'idée de leur faire partager le titre de capitaine parce que je considérais qu'ils étaient tous deux très importants pour notre équipe, mais de manière différente», explique Lindy Ruff.

«Daniel était davantage un marqueur dynamique. Il était le centre de notre premier trio en plus d'être un joueur-clé de notre attaque massive. Quand nous avions besoin d'attaque, il était le premier gars vers qui on se tournait. Quant à Chris, il excellait aussi en attaque mais je l'utilisais systématiquement pour des missions défensives importantes en fin de match et pour écouler des pénalités. Il était aussi très bon pour bloquer des tirs.

«Brière avait aussi une autre grande qualité: dans les matchs les plus durs et les plus importants, il était la plupart du temps notre meilleur joueur. Certains de ces matchs importants finissent par définir quel genre d'athlète vous êtes et ce que vous êtes capable d'endurer», conclut l'entraîneur.

Quand Lindy nous a annoncé cette nouvelle, ma première réaction a été de m'assurer que Chris était d'accord avec l'idée de nommer des cocapitaines. J'étais sous le choc et c'était un immense honneur pour moi de partager ce titre avec un joueur de cette trempe. Chris Drury était pour moi un exemple à suivre. Heureusement, Chris s'est tout de suite montré très enthousiaste et très content de la tournure des événements parce que nous avions déjà développé une belle relation et que nous étions toujours sur la même longueur d'ondes.

Nommer deux capitaines n'est cependant pas une idée que je suggérerais à toutes les équipes, parce que cette situation comporte un certain risque. On ne sait jamais si l'un des deux leaders finira par essayer de dominer l'autre, ce qui est susceptible d'engendrer une situation malsaine.

Rien de tel ne s'est jamais produit avec Chris. Dès notre nomination, nous nous sommes brièvement assis ensemble dans le vestiaire pour déterminer comment nous allions partager les responsabilités de capitaine. Par la suite, tout s'est déroulé de façon très naturelle parce que nous nous entendions parfaitement.

Dès cette première discussion, nous avons établi que notre priorité allait être de nous assurer que tous les membres de l'équipe se sentent impliqués et que personne ne reste à l'écart du groupe.

Personnellement, j'avais précédemment joué au sein d'une équipe de vétérans à Phoenix. Plusieurs joueurs faisaient leurs petites affaires dans leur coin, ce qui faisait en sorte qu'on retrouvait plusieurs cliques dans le vestiaire. C'était beaucoup plus difficile de créer un esprit d'équipe dans ces conditions. J'avais appris de cette expérience et je ne voulais pas qu'elle se répète.

«La nomination de Daniel et Chris avait été très bien accueillie dans le vestiaire», souligne Jean-Pierre Dumont.

«Daniel était vu comme un joueur qui était prêt à tout pour gagner et qui avait énormément de caractère. En fait, Drury et lui étaient un peu faits du même bois. Ils étaient deux joueurs qui n'étaient ni grands ni gros, et qui avaient dû faire preuve d'une solide force de caractère pour s'établir dans la LNH à une époque où le gabarit des joueurs était encore très valorisé. Les joueurs de l'équipe s'entendaient donc pour dire que c'était une bonne décision de les nommer cocapitaines.»

Afin d'éviter que des groupuscules se forment dans le vestiaire, Lindy Ruff tenait absolument à ce que l'anglais soit en tout temps la langue commune durant les activités de l'équipe. Ça le froissait considérablement d'entendre deux Russes ou deux Québécois discuter entre eux dans leur langue maternelle, et il mettait systématiquement à l'amende ceux qui contrevenaient à ce règlement.

«Quand deux gars se parlent en français dans le vestiaire, ni l'entraîneur ni leurs coéquipiers ne savent de quoi il est question, explique aujourd'hui l'entraîneur. Alors je tirais la pipe aux francophones de l'équipe et je leur disais que si je parvenais à distinguer mon nom durant l'une de leurs conversations en français, j'allais présumer qu'ils parlaient de moi négativement et qu'ils allaient devoir payer une amende.»

Sauf qu'une fois, c'est nous qui avons pris Lindy la main dans le sac.

Mes trois fils traînaient dans le vestiaire après une séance d'entraînement et Lindy les a croisés en passant. Il s'est alors arrêté pour les saluer et, pour les faire rire un peu, il a tenté de leur faire la conversation en français. Jean-Pierre Dumont faisait son entrée dans le vestiaire au même moment et il avait trouvé la scène fort cocasse.

Le lendemain, le nom de l'entraîneur était inscrit au tableau, assorti de l'amende prévue au règlement.

Pour Chris et moi, le partage des tâches de capitaine comportait son lot d'avantages. D'abord en nous enlevant un peu de pression sur les épaules, parce que nous savions que nous pouvions compter l'un sur l'autre. Mais surtout, parce que notre complicité nous permettait d'exploiter les forces de chacun. Par exemple, Chris n'aimait pas trop les rencontres avec les journalistes, alors je m'acquittais le plus souvent de cette tâche. En contrepartie, il pouvait s'occuper de l'organisation d'une activité d'équipe ou prendre la parole dans le vestiaire.

« Je pense que Chris Drury était celui des deux qui s'exprimait le plus dans le vestiaire, relate Martin Biron. S'il y avait quelque chose à mettre au clair, c'était Chris qui parlait. Daniel démontrait davantage son leadership en prêchant par l'exemple. Il prouvait aussi son leadership dans les réunions que nous avions avec les entraîneurs. Lorsque nous discutions de stratégie, il arrivait souvent avec un commentaire ou une remarque intelligente qui nous emmenait plus loin. Daniel était toujours capable d'explorer et de parler de stratégie, autant avec ses coéquipiers qu'avec les entraîneurs. Il n'était pas le pilier de notre avantage numérique pour rien. »

Chris Drury et moi nous entraidions. Il n'y avait aucune compétition entre nous et c'était un privilège de pouvoir compter sur l'aide d'un coéquipier comme lui pour assumer le leadership de notre équipe. Nous voulions tous les deux gagner à tout prix et nous étions toujours là l'un pour l'autre.

Durant la saison, nous portions le «C» sur notre chandail un match sur deux. Mais chaque fois que nous allions jouer à New York, je le laissais jouer avec le «C» même si c'était mon tour, parce que je savais que ses parents et ses amis allaient être présents dans les gradins. Il faisait la même chose avec moi lorsque nous étions de passage à Montréal ou à Ottawa. Nous faisions de même quand nous affrontions nos anciennes équipes. Il portait le C contre l'Avalanche du Colorado et moi contre les Coyotes.

Quand j'ai mis fin à ma carrière, j'étais reconnu comme un joueur ayant constamment trouvé le moyen d'exceller et de marquer des buts importants au cours des séries éliminatoires. C'est à Buffalo que j'ai commencé à me forger cette réputation, durant les deux saisons que j'ai passées à titre de cocapitaine avec Chris Drury.

En le côtoyant de près, j'en ai appris beaucoup sur la manière de me préparer pour un match et sur la façon de me comporter dans les moments importants afin de pouvoir réaliser le gros jeu ou de marquer le gros but.

Même si nous avions été séparés durant toute l'année du lock-out, rien ne semblait avoir affecté l'incroyable esprit de camaraderie qui animait notre jeune équipe en 2003-2004.

«On entend souvent les anciens joueurs raconter ce qu'ils ont vécu dans les années 1970 ou au début des années 1980, alors que les transactions étaient plus rares, raconte Martin Biron. Les joueurs passaient plusieurs années ensemble et les équipes étaient tissées beaucoup plus serré. Les coéquipiers habitaient souvent dans le même quartier et il n'était pas rare qu'un joueur devienne le parrain du nouveau-né de son compagnon de trio. Les équipes étaient comme des familles et je crois que ce que nous avons vécu à Buffalo au milieu des années 2000 était, compte tenu de l'évolution de la business du hockey, ce qui pouvait le plus ressembler à l'ambiance des années 1970. »

« Nous passions énormément de temps les uns avec les autres », corrobore Jean-Pierre Dumont.

« Quand nous revenions d'un long voyage, la dernière chose dont nous avions envie était de nous retrouver au restaurant. On organisait donc des soupers d'équipe chez Daniel ou chez moi. Les joueurs arrivaient avec leur femme et leurs enfants, et on passait la soirée tous ensemble. Nous avions un vrai bon groupe de gars. »

Tout le plaisir que nous éprouvions à passer du temps ensemble ne changeait toutefois rien au fait que notre travail consistait à remporter des matchs de hockey. Et là-dessus, il n'y avait pas de compromis.

Lindy Ruff nous poussait constamment et il n'hésitait pas à interpeller ses leaders lorsqu'il percevait un relâchement ou si la qualité de notre jeu s'étiolait le moindrement. Entre joueurs, nos standards étaient tout aussi élevés.

« Il ne fallait pas se leurrer avec Daniel Brière, observe Martin Biron. C'était un beau garçon poli, toujours souriant, bien coiffé et bien habillé. Mais derrière ce sourire, il y avait une sorte de bête qui voulait gagner à tout prix et qui n'avait aucun ami sur la patinoire. Dès qu'il chaussait les patins, il était en mission et ça devenait très intense. »

« Il existe dans le hockey une règle non écrite voulant que les joueurs gardent leurs tirs un peu plus bas à l'entraînement afin d'éviter de blesser leurs gardiens. Mais quand Daniel était de mauvaise humeur ou s'il ressentait le besoin de marquer des buts dans une pratique, je me tenais sur mes gardes parce qu'il y allait pour la barre horizontale et que les rondelles me passaient sur le bord des oreilles. Sa mentalité était: "Fais ta job comme gardien et je vais faire la mienne comme marqueur!" Ça fonctionnait de cette manière avec lui. Et il était comme ça avec tout le monde. Si on travaillait les batailles à un contre un dans un coin de patinoire, le coéquipier qui s'y retrouvait avec lui pouvait recevoir toutes sortes de petits double-échecs salauds, ou même un petit coup de coude au visage. Il était chien, le p'tit maudit ! Mais c'était la marque d'un athlète qui s'était fait répéter toute sa vie qu'il était trop petit pour gravir les échelons du hockey et qui avait pris les moyens pour faire son chemin. »

À la mi-décembre, alors que nous étions de passage à Pittsburgh, nous avons vaincu les Penguins 4-3 en prolongation. Lindy m'a utilisé pendant près de 22 minutes, durant lesquelles j'ai récolté un but et une aide. Chris Drury a inscrit le but gagnant en surtemps.

Pour notre équipe, il s'agissait d'une 10e victoire en 11 matchs, une fabuleuse séquence qui nous valait le quatrième rang dans l'Est. Nous n'avions alors que 32 matchs de disputés et j'en avais déjà raté huit, sporadiquement, en raison d'une blessure persistante. J'avais quand même réussi à inscrire 14 buts et 9 mentions d'aide à mon dossier, mais, après ce match, je n'étais plus capable d'avancer.

Je ressentais depuis plusieurs semaines une douleur à l'aine qui s'accentuait de jour en jour. Et j'en étais arrivé au point où les traitements et les échauffements ne faisaient plus effet. Les médecins de l'équipe avaient diagnostiqué une hernie sportive (une déchirure des abdominaux obliques), mais l'organisation préférait que j'attende avant de passer sous le bistouri.

J'avais une approche plus agressive. Je voulais régler le problème au plus tôt afin de pouvoir disputer le plus de matchs possible dans le dernier droit du calendrier, au moment où ça compterait le plus. L'équipe a accepté ma décision et on m'a donc envoyé à Montréal, où les docteurs Rae Brown et David Mulder ont procédé à la chirurgie. Avec tout ça, je ne suis revenu au jeu qu'au début de mars, mois durant lequel nous avons connu une autre impressionnante séquence de huit victoires de suite.

Même si le lock-out nous avait privés d'une importante année de développement et de maturité sur le plan collectif, nous étions tout de même parvenus à éclore comme l'un des groupes de joueurs les plus dominants de la LNH. Mais avec le recul, il est clair que nous ne le réalisions pas encore.

Après un passage à vide à la fin de mars, nous avons terminé la saison de façon extrêmement convaincante en remportant sept de nos huit dernières parties. Cette séquence nous a permis de boucler le calendrier avec une récolte de 110 points, ce qui nous a valu le troisième plus haut total de points dans l'Est et le cinquième rang dans l'ensemble de la LNH.

D'un point de vue personnel, l'intervention chirurgicale que j'avais subie quelques mois plutôt s'est avérée une totale réussite et elle m'a permis de terminer la saison en force. Même si j'avais été limité à seulement 48 matchs, je me sentais en pleine possession de mes moyens au moment de débuter les séries.

Malgré ma longue absence, j'ai bouclé la saison 2005-2006 avec une production de 25 buts et 33 passes (58 points). Cette campagne a constitué une sorte de point tournant dans ma carrière. En récoltant 35 points lors des 24 derniers matchs du calendrier, j'ai pour la première fois réalisé que j'étais devenu un joueur de premier plan et que je pouvais être considéré comme l'un des meilleurs joueurs offensifs de la LNH. Cette constatation a eu pour effet de me rendre encore plus confiant.

Le 18 avril 2006, nous disputions notre dernier match du calendrier régulier à Raleigh contre les Hurricanes de la Caroline. Cette date restera longtemps gravée dans ma mémoire, car ce qui s'est produit ce soir-là démontre toute la fragilité dont peut faire preuve une jeune équipe de la LNH, peu importe sa position au classement.

Au dernier jour du calendrier régulier, nous étions assurés de terminer au quatrième rang dans l'Est. Même si nous avions accumulé un plus grand nombre de points que les éventuels meneurs de la division Atlantique, l'équipe qui allait remporter le titre de cette division allait d'emblée hériter du troisième rang.

Nous devions donc attendre qu'une équipe s'assure du cinquième rang pour connaître l'identité de nos adversaires en séries et trois possibilités subsistaient encore : les Devils du New Jersey, les Rangers de New York et les Flyers de Philadelphie. Mathématiquement, les chances que l'on affronte New York étaient très élevées. Les probabilités de devoir affronter les Devils étaient réduites et, quant aux Flyers, elles étaient infimes.

Nous blanchissons donc les Hurricanes lors de notre dernier match et tout le monde est de fort bonne humeur. À bord de l'avion, nous poursuivons une discussion amorcée dans le vestiaire, à savoir si nous préférerions affronter les Rangers ou les Devils.

La conversation est animée et tout le monde a son opinion là-dessus. Mais les joueurs sont unanimes sur un point : ils ne veulent pas affronter les Flyers ! Les gros méchants Flyers sont intimidants et nous ne voulons pas croiser le fer avec eux en séries.

Toujours est-il que l'avion décolle sans que l'on connaisse l'identité de nos adversaires. Les Devils sont en train de compléter un match à Montréal alors que Flyers n'ont toujours pas terminé leur rencontre face aux Islanders à Long Island.

Quelques heures plus tard, l'appareil se pose à Buffalo et le pilote s'empare du micro, la voix pleine d'enthousiasme.

— Je vous souhaite un bon retour à la maison et, surtout, bonne chance en première ronde contre les Flyers de Philadelphie !

L'avion est devenu parfaitement silencieux tout d'un coup. Nous n'avions pas vu venir ce dénouement et nous étions tous sous le choc. Un à un, nous avons quitté l'appareil la tête basse en sachant que nous allions nous faire brasser d'aplomb par les Flyers.

Durant cette première série éliminatoire disputée dans l'uniforme des Sabres, j'ai constaté à quel point Lindy Ruff était un maître, en termes de préparation mentale et de gestion des moments de doute qui s'emparent inévitablement d'une équipe au cours d'un affrontement 4 de 7.

Nous étions extrêmement bien préparés quand la série s'est mise en branle à Buffalo, mais notre équipe était inexpérimentée et nous ne croyions pas encore vraiment en nous. Mais dès le départ, les dieux du hockey nous ont fait un clin d'œil.

Dès le début du match, Peter Forsberg s'est emparé de la rondelle dans la zone des Flyers et il a déjoué presque tout le monde avant de s'élancer en direction de notre gardien Ryan Miller. Mais Forsberg a perdu le contrôle du disque avant d'entrer dans notre territoire, ce qui a convaincu Miller qu'il pouvait atteindre la rondelle avant l'attaquant des Flyers.

C'est toutefois Forsberg qui est arrivé le premier et, après avoir facilement contourné Miller, il s'est présenté seul devant une cage totalement déserte. Quand Forsberg a tiré, notre défenseur Henrik Tallinder a désespérément plongé vers le filet, et la rondelle a miraculeusement atteint le manche de son bâton dans les airs.

Sur le banc, nous nous sommes tous regardés en nous disant : « Heille, on a peut-être une chance ! »

Nous nous sommes ensuite mis à mieux jouer et ce match s'est rendu en deuxième période de prolongation. Il a pris fin quand Jochen Hecht a contourné un défenseur des Flyers pour ensuite me servir une passe parfaite dans l'angle mort du gardien Robert Esche. J'ai marqué à notre 58ᵉ tir de la rencontre.

C'était l'euphorie ! Quel moment magique ! Il s'agissait seulement de mon septième match éliminatoire en carrière ; c'était la première fois que j'avais un impact aussi important et que je réglais la question en surtemps. Je n'ai jamais oublié ce moment.

Lors du match suivant, Jason Pominville et Jean-Pierre Dumont ont tous deux signé un tour du chapeau et nous avons écrasé les Flyers par la marque de 8 à 2.

Dans ce deuxième match, nous avons marqué sur nos deux premiers tirs et nous détenions une avance de 5-0 après la première période. Et tel que nous l'avions anticipé quand le pilote de l'avion nous avait annoncé l'identité de nos adversaires, les Flyers s'en sont alors donné à cœur joie en multipliant les coups salauds. Les arbitres leur ont décerné 12 punitions rien qu'au cours des deux derniers engagements. Ils auraient très bien pu en distribuer 48.

À la fin de la soirée, Lindy Ruff a déclenché toute une controverse en déclarant aux journalistes que les Flyers s'étaient comportés comme des idiots ! L'entraîneur des Flyers, Ken Hitchcock, furieux, a été obligé de répondre à cette accusation. Hitchcock a piqué une colère et, jusqu'au troisième match, les médias n'ont cessé de se nourrir de ces déclarations et de jeter de l'huile sur le feu.

Après coup, j'ai compris la stratégie et l'intelligence de Ruff. En faisant ces commentaires alors que nous nous apprêtions à aller disputer deux matchs à Philadelphie (où nous n'étions pas à l'aise), il avait attiré toute l'attention vers lui et nous avait enlevé beaucoup de pression. Il avait par ailleurs réussi à braquer les projecteurs sur le superviseur de la ligue affecté à la série et à faire en sorte que les Flyers s'en tiennent davantage au hockey.

Philadelphie a effectivement joué de façon plus civilisée lors des matchs 3 et 4, mais nous avons perdu les deux fois par des pointages serrés. On était de retour à la case départ.

Le lendemain du quatrième match, quand nous nous sommes présentés à l'aréna pour notre séance d'entraînement, Lindy Ruff était de mauvaise humeur comme je ne l'avais jamais vu. Il était furieux.

— Pas d'entraînement aujourd'hui! On va se faire une petite réunion et une séance de vidéo! a-t-il annoncé.

Quand nous nous sommes assis dans la salle, nous avons eu droit à un film d'horreur. L'entraîneur avait découpé les matchs 3 et 4 en collant bout à bout toutes les séquences où nous avions perdu possession de la rondelle. Il devait y en avoir 90 ou 100 en tout. Pendant 45 minutes, nous nous sommes sentis gênés. Nous avions tous causé plusieurs revirements ou mal géré la rondelle à un moment ou à un autre durant ces deux matchs. Il y en avait pour tout le monde.

Tout au long de la séance, Lindy n'a pas prononcé un mot.

Quand la vidéo a pris fin, il a éteint son ordinateur et s'est calmement tourné vers nous.

— C'est très simple, les gars. Si vous voulez protéger la rondelle et la garder, on va gagner. Si vous voulez continuer à causer des revirements, on va perdre cette série-là. C'est à vous autres de décider.

Puis il est parti.

C'était très fort de sa part! En trois phrases, il venait de nous convaincre que les Flyers n'avaient joué aucun rôle dans nos deux défaites et que nous nous étions battus nous-mêmes en causant tous ces revirements.

Soudainement, notre problème n'était plus que les Flyers étaient trop forts ou trop physiques. Il n'y avait aucune excuse valable. Nous n'avions qu'à protéger la rondelle et cette série était terminée.

Le lendemain, nous avons remporté le cinquième match au compte de 3 à 0. Mais le score n'indiquait pas l'allure de la rencontre, que nous avions complètement dominée.

Puis, lors du sixième match à Philadelphie, nous avons totalement pulvérisé les Flyers en leur infligeant une volée de 7 à 1. Après cette rencontre, le défenseur Derian Hatcher a déclaré qu'il s'agissait de la défaite la plus gênante de sa carrière.

Ce qui s'est produit durant cette confrontation avec les Flyers s'est avéré une précieuse leçon que j'ai mise en pratique jusqu'à la fin de ma carrière. Les circonstances et les émotions fluctuent comme des montagnes russes en séries éliminatoires et il faut savoir gérer les périodes d'euphorie autant que les périodes creuses. Cette série – cruciale pour le développement de notre jeune équipe – m'a notamment enseigné qu'il n'existe pas d'équipes qui ont « le vent dans les voiles », comme le veut une expression très souvent utilisée dans les médias. Lorsqu'on veut remporter la coupe Stanley, il faut savoir repartir à zéro et recommencer à se battre tous les soirs.

La série suivante face aux Sénateurs d'Ottawa fut expéditive mais incroyablement serrée.

Alors que nous nous dirigions vers une défaite dans le premier match à Ottawa, nous sommes parvenus à marquer deux fois dans les 97 dernières secondes de jeu pour créer l'égalité 6-6. C'est un but de Tim Connolly, inscrit à seulement 10,7 secondes de la fin du troisième engagement, qui nous a envoyés en prolongation.

En surtemps, Chris Drury a fermé les lumières après seulement 18 secondes en déjouant Ray Emery d'un tir du cercle gauche.

Les Sénateurs étaient redoutables. Auteurs de 312 buts en saison régulière, ils possédaient la meilleure attaque de la LNH. Sans compter le fait que leur défense avait accordé le deuxième plus faible total de buts (205) au sein de la ligue. Ils n'avaient pas terminé premiers dans l'Est par hasard.

Dans le second match, ils nous ont surclassés par 44 à 17 au chapitre des tirs au but, mais Ryan Miller a livré une performance exceptionnelle et nous a permis de nous en tirer avec une victoire de 2-1.

Au bout du compte, tous les matchs de cette série se sont soldés par la marge d'un but et nous en avons remporté trois en prolongation. Les Sénateurs ont été éliminés en cinq matchs.

Lors de la série suivante, les dieux du hockey nous ont tout simplement volé la coupe Stanley. Purement et simplement.

En finale de la conférence de l'Est, nous affrontions les Hurricanes de la Caroline, qui avaient récolté deux points de plus que nous en saison régulière, mais par rapport à qui nous n'entretenions aucun complexe.

À nos yeux, les Hurricanes pouvaient d'ailleurs s'estimer chanceux de se retrouver en finale de l'Est. Lors du premier tour, ils tiraient de l'arrière 0-2 dans leur série face au Canadien de Montréal quand Justin Williams avait accidentellement et gravement blessé à un œil le capitaine montréalais Saku Koivu. Privé de son leader offensif, Montréal s'était ensuite fait battre lors des quatre matchs suivants par des scores serrés de 2-1, 3-2, 2-1 et 2-1. La Caroline avait ensuite eu droit à une deuxième ronde extrêmement facile contre les Devils du New Jersey. Un peu comme si les eaux s'étaient ouvertes toutes grandes devant eux.

Dans l'Ouest, le carré d'as était complété par les Ducks d'Anaheim et les Oilers d'Edmonton, qui avaient respectivement bouclé le calendrier aux sixième et huitième rangs de leur conférence.

Encore à ce jour, je reste convaincu que nous formions la meilleure équipe parmi les quatre qui étaient encore en lice. Mais à la ligne bleue, nos soldats se sont mis à tomber un à un.

Quand nous avons entrepris la série contre les Hurricanes, nous étions déjà privés des services de notre sixième défenseur, Dmitri Kalinin, qui s'était fracturé une cheville dans la série précédente face aux Sénateurs.

Nous avons remporté le premier match de la série, qui était disputé à Raleigh, mais durant lequel notre troisième défenseur, Teppo Numminen, a vu ses séries éliminatoires prendre fin en raison d'une blessure à une hanche.

La série s'est transportée à Buffalo sur une égalité de 1-1 et nous avons remporté la troisième rencontre. Mais à la toute fin de ce match, notre défenseur numéro deux, Henrik Tallinder, a subi une fracture à un bras.

À partir de ce moment, nous nous sommes mis à lutter pour notre survie avec des moyens très limités. Comme défenseurs réguliers, il ne nous restait que notre défenseur numéro un, Toni Lydman, le vétéran Jay McKee, qui était notre ancrage en défense, et un jeune Brian Campbell qui était encore à l'époque un défenseur de troisième paire.

« En fait, nous en étions rendus à jouer avec deux défenseurs qu'on utilisait pendant 35 minutes chacun », se souvient Lindy Ruff.

Les Hurricanes ont remporté le quatrième match au compte de 4 à 0. Deux défenseurs de notre club-école participaient à cette rencontre et, en troisième période, Lindy a utilisé l'attaquant Jason Pominville comme défenseur, en désespoir de cause.

Nous avons donné aux Hurricanes tout ce que nous avions lors du cinquième match, dont les 60 premières minutes de jeu se sont soldées par une égalité de 3-3. Dans la neuvième minute de la prolongation, Cory Stillman est toutefois parvenu à déjouer Ryan Miller, nous plaçant ainsi au bord de l'élimination.

Le sixième match avait lieu au HSBC Arena à Buffalo. Mes tympans résonnent encore quand j'en parle. Ce fut le match le plus bruyant auquel j'ai participé de toute ma vie.

Malgré notre défense rapiécée, nous sommes parvenus à livrer un autre duel extrêmement serré aux Hurricanes. Jean-Pierre Dumont a ouvert la marque en début de première, et nous avons su conserver notre avance jusqu'à très tard en fin de troisième. À moins de quatre minutes de la fin, un but de Bret Hedican nous a toutefois renvoyés en prolongation.

« De tous les matchs que j'ai disputés avec Daniel, celui-là fut l'un des plus mémorables, raconte Martin Biron. La prolongation venait de commencer. Après environ quatre minutes de jeu, nous étions installés dans la zone des Hurricanes. Daniel a contourné quelques joueurs avant de se retrouver tout près de son "bureau", juste dans la partie supérieure du cercle de mise au jeu, sur le flanc gauche. Il a tiré, et Cam Ward a été battu. L'édifice a littéralement explosé! J'ai bondi du banc avec les autres gars de l'équipe et nous avons enveloppé Daniel dans nos bras. C'était incroyable!»

Après avoir célébré sur la patinoire, nous sommes rentrés au vestiaire, totalement vidés. Au HSBC Arena, le vestiaire des Sabres est situé dans la partie avant de l'édifice, ce qui fait en sorte que l'on peut entendre les partisans qui repartent après les matchs. Ce soir-là, le volume du bruit provenant de l'extérieur était carrément anormal. Les murs tremblaient et nous nous demandions si l'édifice n'était pas en train de s'écrouler. C'était tellement intense qu'en compagnie de quatre ou cinq coéquipiers, nous avons senti le besoin d'ouvrir la porte d'une sortie d'urgence pour voir ce qui se passait. Chaque fois que j'y repense, j'ai des frissons. Ç'a été un moment extraordinaire. Le lien qui unissait l'équipe aux partisans était extrêmement fort.

«J'ai encore clairement les images dans ma tête, se rappelle Martin. Les gens s'embrassaient et se donnaient des accolades. Ils ne voulaient plus partir. Il y en avait même qui faisaient du *bodysurfing* sur une mer de partisans. Je n'avais jamais vu la foule de Buffalo être aussi folle! Et je ne sais pas si on reverra ça un jour. »

Nous étions gonflés à bloc à l'idée d'aller disputer le septième match à Raleigh. Malgré toutes les blessures que nous avions subies, nous nous disions que nous avions une chance réelle de nous rendre en finale de la coupe Stanley.

«En arrivant à l'aréna le lendemain, nous avons appris que Jay McKee n'allait pas être en mesure de disputer le septième match. Il avait subi une coupure à une cheville dans un match précédent et la blessure avait dégénéré à cause d'une infection rarissime», explique Lindy Ruff.

Quand McKee est tombé à son tour, ce fut le dernier clou dans notre cercueil. Quand nous sommes arrivés à Raleigh pour disputer le septième match, nous avions deux défenseurs de la LNH en uniforme : Toni Lydman et Brian Campbell. Notre brigade défensive était complétée par Rory Fizpatrick, Doug Janik, Nathan Paetsch et Jeff Jillson. Si un autre défenseur s'était blessé, il n'y aurait eu personne pour le remplacer !

Acculés au pied du mur, nous nous sommes toutefois accrochés et battus jusqu'au bout. Nous détenions une avance de 2-1 après deux périodes, mais Doug Weight a créé l'égalité après seulement 94 secondes en début de troisième.

Les Hurricanes ont inscrit le but gagnant en avantage numérique avec moins de neuf minutes à jouer, alors que Campbell avait été puni pour avoir tiré la rondelle par-dessus la baie vitrée. Le match a pris fin sur un score de 4-2.

Les Hurricanes se sont ensuite présentés en finale de la coupe Stanley contre les Oilers d'Edmonton et leur gardien Dwayne Roloson, qui avait été absolument phénoménal depuis le début du tournoi éliminatoire. Le gardien des Oilers avait constamment maintenu sa moyenne d'efficacité autour de ,930 pour éliminer tour à tour les Red Wings de Detroit (détenteurs du trophée du Président), les Sharks de San Jose et les Ducks d'Anaheim.

Or, à cinq minutes de la fin du premier match de la finale, le défenseur Marc-André Bergeron a sévèrement mis en échec Andrew Ladd, des Hurricanes, qui fonçait en direction du filet de Roloson. Ladd a heurté le gardien des Oilers de plein fouet. Roloson a été blessé et n'a plus été en mesure de rejouer dans cette série.

Alors que le réserviste Jussi Markkanen défendait la cage des Oilers, les Hurricanes ont finalement remporté la finale de la coupe Stanley en sept matchs.

Loin de moi l'idée d'enlever quoi que ce soit aux Hurricanes. Mais lorsqu'on analyse leur parcours éliminatoire de 2006, il est difficile de ne pas en arriver à la conclusion que les astres s'étaient parfaitement alignés pour les mener jusqu'à la coupe. Pas d'erreur : les dieux du hockey étaient de leur côté.

CHAPITRE 4

Une journée au bureau

L'entraîneur John Stevens, qui m'a dirigé durant quelques saisons au cours de ma carrière, est un véritable intellectuel du hockey. Quand je l'ai connu, pour approfondir sa compréhension de notre sport, il passait son temps à compiler des statistiques et à rédiger des études sur toutes sortes de facettes du jeu.

Il s'intéressait par exemple aux endroits où les joueurs offensifs et défensifs se postaient le plus souvent, aux endroits où les joueurs étaient le plus souvent en contrôle de la rondelle, au temps de possession des porteurs du disque et aux endroits les plus prisés des défenseurs et attaquants pour tirer au filet.

En compilant toutes ces données, Stevens s'était rendu compte que les meilleurs marqueurs de la LNH inscrivaient de 70 % à 80 % de leurs buts à partir d'une zone qu'ils semblaient affectionner particulièrement. Fait intéressant : parmi tous les prolifiques marqueurs étudiés par John Stevens, un seul était vraiment imprévisible, en ce sens qu'il n'affectionnait aucun endroit particulier sur la patinoire pour déjouer les gardiens. Ce joueur était Teemu Selanne, qui a inscrit 1 457 points en 1 451 matchs au cours de ses 22 saisons passées dans la LNH.

Dans le jargon du hockey, on dit des joueurs qui marquent souvent du même endroit qu'ils ont un « bureau ». Et quand Stevens a partagé les résultats de son étude avec moi, je me suis rendu compte que j'avais moi aussi un bureau dans lequel je me sentais tout à fait à l'aise et en plein contrôle des opérations.

Dans les années 1980, Wayne Gretzky a révolutionné le hockey parce que son bureau était situé derrière le filet des gardiens adverses. Il s'agissait jusque-là d'une partie de la zone offensive qui était sous-exploitée par les attaquants et mal défendue, autant par les défenseurs que les gardiens. Gretzky a eu le génie d'y créer sa zone de confort et de se servir de la confusion qu'il créait chez l'adversaire pour contrôler l'attaque de son équipe.

Les amateurs de hockey qui sont attentifs finissent par connaître le bureau d'un très grand nombre de joueurs. Par exemple, ils savent qu'Alex Ovechkin aime se poster juste en haut du cercle des mises au jeu, sur le flanc gauche, pour y décocher un tir sur réception. La très grande majorité de ses buts sont marqués de cette façon. Chez le Canadien de Montréal, Max Pacioretty (qui est gaucher) aime plutôt exploiter son tir en se postant quelque part à l'intérieur du cercle, sur le flanc droit.

Mon propre bureau était un rectangle imaginaire qui débutait au poteau gauche du filet et qui s'étendait à 45 degrés vers la zone de mises au jeu, jusqu'à la limite du cercle. Quand je me retrouvais en possession de la rondelle dans ce secteur, j'étais particulièrement confiant de pouvoir marquer ou de pouvoir créer une chance de marquer.

Comment en vient-on à se créer un bureau sur la patinoire ? Probablement à force de l'habiter.

Mon bureau n'existait pas encore quand j'évoluais dans les rangs midget AAA ou junior majeur. À ces étapes de ma carrière, je réagissais simplement au jeu qui se déroulait devant moi et j'improvisais en me faufilant dans les ouvertures. Je pouvais battre les défenseurs à un contre un et, même si mon tir n'était pas particulièrement puissant, il était suffisamment précis pour me permettre de tromper les gardiens même lorsque j'étais posté à l'extérieur de la zone privilégiée. Une fois chez les professionnels, j'ai toutefois vite constaté que si je voulais gagner ma vie en marquant des buts, j'allais devoir payer le prix en allant constamment me positionner dans l'enclave, et même dans le demi-cercle du gardien.

Mon bureau a commencé à prendre forme quand je faisais mes premiers pas dans l'organisation des Coyotes de Phoenix et que je participais aux entraînements des gardiens qui se déroulaient avant les séances d'entraînement du reste de l'équipe. Benoît Allaire, qui était alors l'entraîneur des hommes masqués des Coyotes, était particulièrement créatif. Et il avait toujours besoin de tireurs pour faire travailler ses gardiens.

Comme les Coyotes formaient une équipe assez âgée, la plupart des joueurs n'étaient pas intéressés à sauter sur la patinoire 45 minutes avant le début des séances d'entraînement pour échauffer et préparer les gardiens. Je suis donc devenu un participant régulier aux entraînements des gardiens, ce qui m'a permis de considérablement rehausser la qualité de mes tirs.

« C'est une habitude que Daniel n'a jamais perdue, précise Martin Biron. Plus tard, alors qu'il était un leader et un joueur établi chez les Sabres de Buffalo et les Flyers de Philadelphie, il voulait constamment participer aux entraînements des gardiens pour continuer à parfaire ses tirs. En même temps, il écoutait attentivement tous les enseignements techniques et tactiques que nous recevions. Il apprenait à penser comme nous, ce qui lui donnait un avantage supplémentaire quand venait le temps de déjouer les gardiens adverses durant les matchs. Dès qu'il posait un patin sur la patinoire, Daniel Brière cherchait toujours à apprendre quelque chose et à en tirer profit. »

À force de m'entraîner avec les gardiens, j'ai découvert que je me sentais particulièrement à l'aise sur le flanc gauche de la patinoire. J'en suis venu à identifier des points de repère très précis quand je me retrouvais à cet endroit. Et lorsque je décidais de tirer, j'étais en mesure d'atteindre à volonté n'importe quelle partie du filet.

J'ai déjà expliqué que les circonstances ont fait en sorte qu'à mes premières saisons, les Coyotes m'ont surtout utilisé comme spécialiste des avantages numériques. Dans ces situations, heureuse coïncidence, j'étais constamment appelé à travailler dans ce même espace qui m'apparaissait si confortable. En plus des habiletés développées lors des entraînements des gardiens, j'en suis donc venu à pouvoir facilement détecter tous les joueurs qui se trouvaient sur la patinoire. Graduellement, et tout naturellement, ce rectangle imaginaire est ainsi devenu mon bureau.

Au fil du temps, le processus n'a jamais cessé de se raffiner. Anticiper le déroulement et le dénouement de l'action est ainsi devenu de plus en plus naturel, au point où j'avais toujours l'impression que la rondelle allait finir par aboutir dans mon bureau. Il suffisait de m'y présenter au bon moment pour la cueillir.

Enfin, sans trop savoir comment, j'ai fini par atteindre un autre niveau en développant l'art de disparaître et de me soustraire à la surveillance de la défense quand nous étions postés en zone offensive. Immanquablement, les défenseurs devaient me tourner le dos à un certain moment pour suivre le déroulement du jeu si la rondelle se déplaçait sur le côté droit. C'était généralement le moment que je choisissais pour aller faire un tour au bureau et inscrire des points au tableau.

Durant mes quatre saisons à Buffalo, j'ai eu la chance de profiter d'une incroyable stabilité au sein de mon trio. Le flanc gauche a été constamment patrouillé par Jochen Hecht, alors que le flanc droit a été occupé pendant trois ans par Jean-Pierre Dumont, puis par Jason Pominville durant la quatrième année. Chez les Flyers, j'ai aussi eu la chance d'être dirigé par des entraîneurs qui ne modifiaient pas leurs trios sans raison, ce qui me donnait la chance de développer des affinités avec mes partenaires.

Cette stabilité était importante pour moi parce qu'elle me permettait d'exploiter totalement les habiletés et les instincts peaufinés au fil des ans en aménageant mon bureau. Ainsi, sans le savoir, les amateurs qui assistaient à nos matchs étaient témoins de chorégraphies parfaitement synchronisées qui me permettaient de travailler le plus souvent possible dans mon rectangle imaginaire.

« Daniel était toujours posté sur le côté gauche du filet, explique Jean-Pierre Dumont. À force de jouer avec lui, parce que je savais constamment où il se trouvait et comment il se déplaçait, lui et moi en sommes venus à développer une foule de petites stratégies pour créer de l'espace, gagner du temps et créer des chances de marquer. C'était la même chose pour lui. Dès que j'avais la rondelle, Daniel savait quelles options s'offraient à moi et il pouvait anticiper le prochain jeu en conséquence. »

Imaginons une partie de tic-tac-toe durant laquelle un des joueurs parvient à placer son X sur trois des quatre coins du jeu. Il devient alors impossible pour son adversaire de contrer l'attaque. C'est un peu le genre de situation que nous tentions constamment de reproduire contre les défenses adverses.

Par exemple, si la rondelle se trouvait derrière la ligne des buts sur le côté droit de la patinoire, je me positionnais derrière le poteau du côté opposé. Pour plusieurs raisons, ce positionnement créait alors une situation difficile pour le défenseur. D'abord parce qu'il ne pouvait pas quitter son poste et venir me surveiller sans laisser l'embouchure du filet toute grande ouverte. Ensuite, si mes coéquipiers me refilaient le disque à cet endroit, le défenseur chargé de me contrer avait une décision à prendre. Il pouvait a) se précipiter directement sur moi en passant devant son gardien, ou b) me pourchasser en passant par l'arrière du filet.

L'une ou l'autre des options plaçait toute la défense dans l'embarras. Si le défenseur choisissait l'arrière du filet, il me donnait un accès direct au gardien. Et s'il m'attaquait en passant devant son gardien, je me réfugiais derrière le filet, ce qui le forçait à s'arrêter, et je disposais d'encore plus de temps pour repérer un coéquipier et créer un jeu. Jochen, Jean-Pierre et Jason (à Buffalo) et Ville Leino (à Philadelphie) étaient excellents pour réagir à ces petits moments de confusion que nous parvenions à créer en zone ennemie.

Par ailleurs, si je tentais un *wrap-around* (tenter de revenir devant le filet pour battre le gardien de vitesse) quand j'étais posté derrière le but, le gardien se précipitait automatiquement sur son poteau pour fermer l'ouverture, et un défenseur fonçait inévitablement dans ma direction pour me bloquer le passage. Mes compagnons de trio savaient qu'à ce moment précis, ils devaient foncer sur le poteau opposé. Pendant que le gardien et le défenseur tentaient de m'empêcher de marquer, je tentais plutôt de trouver l'ouverture qui allait me permettre de faufiler le disque sur le côté laissé sans surveillance. Nous avons marqué énormément de buts en créant de telles situations perdantes-perdantes pour nos adversaires.

De fil en aiguille, les stratégies visant à utiliser mon bureau pour générer de l'attaque sont devenues plus complexes et se sont mises à impliquer les cinq joueurs sur la patinoire.

Le fait de constamment me positionner près du poteau gauche quand l'action se déroulait à droite faisait en sorte que si la rondelle aboutissait subitement dans le coin gauche, j'étais automatiquement le mieux placé pour la récupérer et permettre à mon équipe d'en conserver le contrôle. Alors, dans certaines situations, particulièrement en avantage numérique, nous demandions à nos défenseurs de placer la rondelle dans le coin gauche si l'équipe adverse ne leur concédait pas de corridor de tir.

Nos mises en scène étaient rendues à ce point synchronisées et parfaitement assimilées que lorsqu'ils avaient l'occasion de tirer au filet, nos défenseurs faisaient en sorte de placer la rondelle afin que Jean-Pierre puisse la faire dévier de mon côté. Jean-Pierre parvenait toujours à rediriger la rondelle à l'endroit où la circulation était la moins dense et où le filet était le moins bien protégé. Plus tard à Philadelphie, Scott Hartnell et Mike Knubble ont aussi excellé dans cette facette du jeu.

Il est donc facile de comprendre pourquoi j'adorais jouer constamment en compagnie des mêmes joueurs. Développer un synchronisme et une qualité d'exécution suffisants pour battre de vitesse une défense de la LNH nécessite du temps, une bonne complicité et énormément de communication. Quand je tombais sur des entraîneurs qui modifiaient leurs trios à toutes les périodes, ça rendait donc les choses beaucoup plus difficiles...

On ne peut pas créer une chimie en deux minutes dans le vestiaire et dire à deux nouveaux compagnons de trio : « Heille, on va jouer la prochaine période ensemble ! Voici la stratégie qu'on va employer... » Il faut du temps et de la stabilité pour créer des automatismes. Et une fois qu'ils sont en place, ils deviennent un avantage déterminant.

Dans le monde du sport, la stabilité est un important facteur de succès.

CHAPITRE 5

L'amitié, l'autonomie
et la décision d'une vie

Après notre spectaculaire parcours des séries éliminatoires du printemps 2006, les attentes étaient extrêmement élevées à Buffalo. Les partisans – à juste titre – nous considéraient comme de sérieux aspirants à la conquête de la coupe Stanley. Durant l'été, le niveau d'optimisme était à ce point élevé que l'organisation était parvenue à porter à 14 500 le nombre de détenteurs d'abonnements saisonniers en vue de la campagne 2006-2007, soit le double de la saison précédente.

Même si les coffres de l'organisation s'étaient remplis, le directeur général Darcy Regier et les autres dirigeants de l'équipe n'en avaient pas moins connu un été fort difficile.

En l'espace de quelques mois, le nombre de joueurs des Sabres commandant un salaire supérieur à 2 millions était passé de 3 à... 11 ! Et la masse salariale de l'équipe, qui s'était modestement chiffrée à 29 millions en 2005-2006, frôlait désormais le plafond de 44 millions fixé par la ligue.

Au final, cette inflation des coûts de main-d'œuvre a entraîné le départ de trois joueurs importants. L'attaquant Mike Grier a profité de son autonomie pour signer une entente avec les Sharks de San Jose. Notre pilier défensif Jay McKee a fait la même chose et s'est joint aux Blues de Saint Louis. À cause des contraintes budgétaires des Sabres, mon précieux compagnon de trio Jean-Pierre Dumont s'est lui aussi retrouvé libre de négocier avec la formation de son choix.

Comme plusieurs autres joueurs de l'équipe, Jean-Pierre a vu ses négociations avec la direction des Sabres atteindre une impasse. Forcé de recourir à l'arbitrage salarial, il s'est alors fait octroyer un salaire de 2,9 millions. Mais l'organisation s'est ensuite désistée du verdict de l'arbitre. Cette décision des Sabres a immédiatement valu à Jean-Pierre le droit de se prévaloir de son autonomie. La décision arbitrale est toutefois survenue au début d'août 2006, soit plus d'un mois après l'ouverture du marché des joueurs autonomes. La plupart des équipes avaient alors déjà complété leur alignement et le marché était évidemment moins favorable, même pour un joueur de cette qualité. Jean-Pierre a finalement pris le chemin de Nashville, où il a obtenu un contrat de deux saisons totalisant 4,5 millions.

« Nous avions tous eu beaucoup de difficulté à accepter notre élimination en finale de conférence face aux Hurricanes de la Caroline, se souvient Jean-Pierre. Mais dès le lendemain, nous pensions déjà au succès que nous allions avoir en 2006-2007. Daniel et moi pensions signer des prolongations de contrat et retrouver essentiellement la même équipe.

« Mais les Sabres ont mis plus de temps que prévu à prendre des décisions. Une douzaine de joueurs ont été contraints de s'inscrire au processus d'arbitrage salarial. Et quelques-uns, dont Daniel et moi, ont dû se rendre jusqu'au bout de cette démarche et patienter jusqu'à ce qu'un arbitre détermine leur salaire. Nous nous sommes alors mis à nous questionner. L'arbitre a accordé à Daniel un salaire de 5 millions (une augmentation de plus de 3 millions) tandis que j'ai obtenu 2,9 millions. À ce moment-là, nous nous sommes rendu compte que ce serait impossible pour la direction de nous garder tous les deux. Le hockey n'est pas toujours un business agréable », ajoute-t-il.

« Lorsqu'on analyse ce qui s'est passé chez les Sabres cet été-là, raconte Martin Biron, on comprend que les fondations sur lesquelles

Avec ma mère Constance, ma sœur Guylaine et mon père Robert dans la cuisine de la maison familiale, à Gatineau.

En compagnie de ma sœur Guylaine, dans le salon. Mon blouson indique que je joue à cette époque-là au niveau novice.

Dans l'entrée de la maison, dans mon bel uniforme du Canadien, je m'apprête à aller jouer... dans la cour !

Par la fenêtre de la cuisine, ma sœur Guylaine me regarde jouer avec un ami sur la patinoire entretenue avec soin par mon père.

Dans la cour familiale avec mon père, aussi un grand amateur de baseball et grand partisan des Expos.

Je pose fièrement avec tous les trophées remportés par mon équipe et moi-même lors de la saison 1986-1987. Une grosse saison au niveau novice !

Au terme d'un tournoi, je reçois un trophée des mains de mon entraîneur Richard Dagenais et d'un dignitaire, à l'aréna Campeau de Gatineau.

Tour à tour dans l'uniforme des Olympiques de Hull, au niveau novice...

Avec les Ambassadeurs de Gatineau, au niveau atome, et déjà capitaine...

Toujours avec les Ambassadeurs de Gatineau, cette fois chez les pee-wee

Et enfin dans le midget AAA, avec les Intrépides de Gatineau, dont j'ai eu l'honneur d'être le tout premier capitaine.

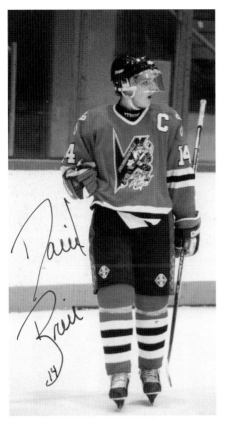

À ma troisième et dernière saison avec les Voltigeurs de Drummondville, en 1996-1997.

Au gala de la remise des trophées de la LHJMQ pour la saison 1994-1995, je pose avec le trophée Marcel Robert, remis au joueur qui combine les meilleurs résultats scolaires et sportifs.

Je viens d'être repêché par les Voltigeurs et je savoure le moment avec ma compagne de l'époque, Sylvie (au premier plan), ma mère, ma sœur et mon père.

Bien entouré par toute l'équipe de Pat Brisson, j'ai le sourire facile alors que je porte pour la première fois le chandail des Coyotes, après le repêchage 1996. Les deux autres joueurs repêchés, aux extrémités, sont Josh Holden et Josh Green, d'autres clients de Pat.

De retour à Gatineau, je pose avec mon père dans le salon familial, moi avec ma casquette des Coyotes et lui avec celle du repêchage.

En compagnie de mon ami Jean-Pierre Dumont (coupé par le cadrage de la photo), je participe au Match des espoirs, à Toronto.

Avec Alyn McCauley, je savoure ma médaille d'or du Championnat du monde junior de 1997. C'était une cinquième médaille d'or de suite pour le Canada.

De retour du Championnat du monde junior, accueil chaleureux à l'aéroport d'Ottawa. De gauche à droite : ma sœur, ma mère et mon père.

Mes trois fils à l'époque de mon passage chez les Sabres : Cameron, Caelan et Carson.

À Pâques 2015, Misha et moi avec Carson, Caelan et Cameron.

reposaient l'équipe ont commencé à faiblir quand Jean-Pierre Dumont et Jay McKee sont partis. L'exode a commencé avec eux. Il s'est poursuivi au cours des saisons suivantes et l'organisation n'a jamais été capable de retrouver des piliers aussi solides. »

Tous les hockeyeurs de la LNH savent, comprennent et acceptent que leur sport est avant tout régi par une logique économique. Malgré cela, le départ de Jean-Pierre m'attristait beaucoup. Je m'en attribuais même une part de responsabilité. Je me sentais mal parce que ma propre victoire en arbitrage avait contribué à restreindre la marge de manœuvre financière des Sabres.

En tant que coéquipier et ami, Jean-Pierre était tout simplement de l'or en barre. Il était (et est encore !) une bonne personne et un bon vivant que tout le monde voulait fréquenter. Il était toujours de bonne humeur et tous les gars de l'équipe l'adoraient. Tous les membres de ma famille aussi. Jean-Pierre était devenu l'idole de mes trois fils, avec lesquels il s'amusait à chaque occasion. Plusieurs années après que Jean-Pierre et moi avons cessé d'être coéquipiers, Cameron répondait encore systématiquement « Jean-Pierre Dumont ! » lorsque quelqu'un lui demandait qui était son joueur préféré dans la LNH.

Jean-Pierre figure toujours parmi mes meilleurs amis et je m'estime privilégié qu'il en soit ainsi. Il a eu une grande influence sur le déroulement de ma carrière.

En bout de ligne, malgré ces difficiles choix budgétaires, la profondeur de l'organisation maintenait les Sabres parmi la poignée de formations favorites pour tout rafler en 2006-2007. La pression ambiante était cependant très forte pour que l'équipe réalise ses promesses à très court terme.

Plusieurs leaders offensifs de l'organisation, dont Derek Roy, Chris Drury et moi, allaient devoir négocier de nouvelles ententes contractuelles à la fin de la saison. Et cette fois, les Sabres n'allaient pas pouvoir s'en tirer avec des contrats d'un an ou en recourant à l'arbitrage, puisque Drury et moi allions aussi obtenir le droit à l'autonomie.

Dans le vestiaire, ces sujets n'étaient toutefois pas des préoccupations quand la saison s'est mise en branle. Nous avions tous vu l'ombre de la coupe Stanley surgir à la fin de notre parcours éliminatoire du printemps 2006 et nous savions que les blessures nous avaient empêchés de la remporter. Nous étions donc résolus à nous reprendre et à corriger cette erreur de parcours.

Jean-Pierre étant parti, c'est Jason Pominville qui s'est joint à Jochen Hecht et moi pour compléter notre trio. Âgé de 23 ans, Jason amorçait seulement sa deuxième campagne dans la LNH. Il avait toutefois fait grande impression à son année recrue en inscrivant 18 buts. Il était davantage un tireur qu'un fabricant de jeu. En ce sens, son style de jeu était donc différent de celui de Jean-Pierre. Néanmoins, Jason possédait un flair exceptionnel pour trouver les espaces libres sur la patinoire et se rendre disponible pour marquer.

Nous nous sommes tout de suite entendus à merveille. Et ensemble, nous avons tous deux connu notre meilleure saison en carrière !

Par ailleurs, le départ de Jean-Pierre Dumont vers Nashville signifiait pour moi un autre changement important. Au cours des saisons précédentes, Martin Biron avait été le cochambreur de Jean-Pierre lorsque l'équipe jouait à l'étranger. Ce dernier étant parti, c'est moi qui me suis retrouvé à partager la chambre d'hôtel de Martin.

C'était une situation assez particulière parce que, dans certaines organisations, les directeurs généraux refusaient de jumeler des cochambreurs à leurs gardiens. Les joueurs occupant cette position étant souvent considérés comme des « originaux », des êtres bizarres vivant dans une bulle qui leur est particulière, certains dirigeants estimaient qu'il valait mieux les laisser en paix. Il y avait aussi une justification plus pragmatique à cet « isolement » des hommes masqués : les gardiens étant plus difficiles à remplacer quand une équipe se trouve au beau milieu d'un voyage, on voulait limiter au maximum les risques qu'ils soient contaminés par un coéquipier ayant contracté un quelconque virus.

—

Toutes sortes de choses peuvent survenir lorsqu'on hérite d'un nouveau compagnon de voyage.

L'une des premières fois où j'ai été rappelé dans la LNH, alors que j'évoluais dans l'organisation des Coyotes de Phoenix, on m'avait jumelé avec un certain Landon Wilson.

Peu après notre arrivée à l'hôtel de l'équipe à Saint Louis, Wilson m'avait demandé une faveur :

— Il y a quelqu'un qui s'en vient me faire un massage. Crois-tu que tu pourrais me laisser la chambre pour une petite heure ?

— Parfait ! lui avais-je répondu.

J'étais allé souper avec les gars de l'équipe et nous étions revenus à l'hôtel vers 20 heures. Mais quand j'avais regagné notre chambre, la masseuse était toujours présente. Beau joueur, j'avais à nouveau viré les talons.

— Je vais te donner un peu plus de temps et je vais revenir, avais-je prévenu Wilson.

À mon retour, vers 21 heures, toutes les lumières étaient éteintes. Il faisait noir comme chez le loup et Wilson s'était endormi. En faisant attention pour ne pas le réveiller, j'étais entré dans la chambre à tâtons et je m'étais dirigé vers la salle de bain. Or, il y avait environ un pouce d'eau sur le plancher ! La salle de bain était inondée ! Wilson avait visiblement utilisé la douche et je ne sais trop quel genre de catastrophe était survenu par la suite. Pour tenter de réparer les dégâts, mon co-chambreur avait brillamment étendu toutes nos serviettes dans la mare couvrant le plancher.

Mes bas et mon pantalon étaient trempés, et je ne pouvais pas me laver.

Disons que je n'avais pas été trop impressionné par Landon Wilson. Heureusement, je n'ai plus jamais partagé de chambre avec lui par la suite.

—

Avec Martin Biron, c'était une tout autre histoire. D'abord, il n'était pas un gardien comme les autres. À la blague, je dis souvent qu'il a été le gardien le plus « normal » avec lequel j'ai joué. Il ne vivait pas en marge du reste de l'équipe et il était un cochambreur exceptionnel.

Lorsqu'il était question de technologie, Martin était extrêmement ingénieux. Dès que nous arrivions à l'hôtel, il sortait son ordinateur portable. Parfois, il apportait même sa console Playstation. Sans trop qu'on sache comment, il avait réussi à faire brancher sa résidence de Buffalo par un câblodistributeur canadien. Il possédait aussi un appareil qui compressait les signaux de télévision qu'il recevait à la maison et qui les redirigeait vers son ordinateur. Aux quatre coins de l'Amérique du Nord, bien installés dans notre chambre d'hôtel, nous pouvions donc regarder tous les matchs de hockey imaginables et même toutes les émissions québécoises auxquelles participait notre ami comédien, Patrice Bélanger.

Durant nos voyages, Martin Biron était un véritable tourbillon ! Il pouvait faire trois ou quatre choses en même temps. Il parlait au téléphone en pitonnant sur son ordinateur tout en regardant un match de hockey à la télévision. Il nous commandait des desserts après le souper et préparait notre horaire du lendemain. Confortablement assis sur mon lit, je le regardais aller et il était vraiment impressionnant.

« Daniel était un cochambreur très tranquille, raconte Martin Biron. C'était facile de voyager avec lui. Si je lui suggérais que c'était le moment d'aller souper, nous allions souper. Si je lui proposais de

regarder la télé, il me répondait que j'étais en charge de la program-
mation. J'étais en contrôle de tout, y compris de fixer l'heure du
réveille-matin ! Je l'emmenais même visiter les sites historiques des
villes où nous séjournions. Daniel m'avait surnommé le "guide
touristique". »

En une occasion, alors que nous étions à Miami avant un match
contre les Panthers, Martin s'est toutefois rendu compte que les apparences sont parfois trompeuses et que je n'étais pas toujours un compagnon de chambre aussi paisible qu'il le croyait.

Ce soir-là, l'heure du couvre-feu approchait à grands pas et Martin
n'était toujours pas rentré à l'hôtel. Il s'agissait d'une situation très
inhabituelle, au point où je m'inquiétais même un peu de son absence.

Quelques coéquipiers, dont Jason Pominville, s'étaient arrêtés à
notre chambre pour discuter un peu. Et à force de l'attendre, nous
avons fini par décider qu'il fallait lui imposer une sanction pour cet
écart de conduite. Tout le monde s'est donc mis à l'ouvrage, et nous
avons déménagé son lit, sa table de chevet et le radio-réveil dans le
corridor ! Tout était impeccablement installé, et le message était clair :
tu rentres en retard, tu couches dehors.

Après le départ de mes complices, tout juste avant que sonne l'heure
du couvre-feu et que son carrosse se transforme en citrouille, Martin
est réapparu. Il a éclaté de rire en constatant qu'il avait été expulsé
sans même bénéficier de la présomption d'innocence.

Puisqu'il était sagement revenu à temps, je lui ai tout de même
donné un coup de main pour replacer les meubles à leur place...

Avant le début de la saison, Darcy Regier avait déclaré aux journalistes
que la saison 2006-2007 s'annonçait bien différente pour l'organisation
des Sabres, « parce que cette fois, nous nous attendons à gagner »,
avait-il souligné.

Et c'est exactement ce que nous avons fait.

Nous avons entrepris le calendrier régulier en remportant nos dix premiers matchs. Après 17 rencontres, soit presque le quart de la saison, nous affichions un dossier de 15-1-1. En décembre, nous avions déjà franchi la barre des 40 points au classement et nous occupions le deuxième rang de la LNH (derrière les Ducks d'Anaheim) en vertu d'une fiche de 19-3-2.

Durant cette période d'allégresse et de domination totale, Lindy Ruff m'a cependant fait vivre un événement que je n'oublierai jamais.

Dans la soirée du 4 novembre, à Toronto, nous avions disputé un mauvais match et subi notre première défaite en temps réglementaire de la saison, au compte de 4 à 1. Il s'agissait d'une séquence de deux rencontres en 24 heures et nous devions affronter les Rangers au Madison Square Garden le lendemain.

Le matin de ce match contre les « Blueshirts », Ruff a annoncé que l'entraînement sur glace prévu au MSG était annulé et qu'il allait plutôt tenir une séance de visionnement à notre hôtel. J'ignorais, par contre, que j'allais être la vedette du film présenté par notre entraîneur…

En mettant particulièrement l'accent sur les mauvais jeux que j'avais réalisés la veille, Ruff m'a alors savonné devant toute l'équipe. Il m'a ramassé solidement, sans faire de nuance et en répétant sans cesse à quel point la façon dont nous avions joué face aux Maple Leafs était inacceptable.

En serrant les dents, je ne cessais de me répéter que j'allais lui faire ravaler ses paroles. J'étais cocapitaine de cette équipe et j'étais profondément blessé dans mon orgueil. Il n'était pas question que cette affaire en reste là sans que je réponde !

D'un autre côté, même si j'étais furieux, je comprenais la démarche de notre entraîneur. En s'attaquant à l'un des leaders de l'équipe pour transmettre son message, Ruff établissait clairement que tout le monde était susceptible de recevoir un tel traitement. L'entraîneur savait aussi que son intervention aurait eu l'effet d'un coup d'épée dans l'eau s'il avait plutôt visé un joueur de quatrième trio.

Quand la rondelle est tombée au centre de la patinoire du mythique amphithéâtre newyorkais quelques heures plus tard, je n'avais qu'une idée en tête : régler mes comptes avec Lindy Ruff.

Nous traînions de l'arrière au compte de 1-3 dans la seconde portion du deuxième engagement quand je suis parvenu à tromper la vigilance d'Henrik Lundqvist en avantage numérique. Puis, en milieu de troisième, Jason Pominville a créé l'égalité sur une pièce de jeu orchestrée par Nathan Paetsch et moi. Jason connaissait un début de saison absolument extraordinaire. Il y avait à peine un mois d'écoulé au calendrier et il s'agissait déjà de son neuvième but. À Buffalo, le propriétaire d'un resto-bar sportif avait nommé une section de son établissement en son honneur et il vendait des t-shirts sur lesquels on pouvait lire *Welcome to Pominville*.

Nous nous sommes alors retrouvés en prolongation. Et juste avant que s'amorce la dernière minute de jeu, j'ai inscrit le but de la victoire avec l'aide de Toni Lydman et de Drew Stafford.

Lindy Ruff avait obtenu sa réponse. Nous avions renoué avec la victoire et j'avais au passage récolté deux buts, une passe et conclu la soirée avec un différentiel de +2. Le souvenir de l'un de ces deux buts est d'ailleurs encore très clair dans ma tête. J'ai reçu une passe alors que j'étais posté sur le flanc gauche, dans la partie supérieure du cercle de mise au jeu, et j'ai décoché sur réception. Je ne possédais pas le tir le plus puissant de la LNH, mais j'ai mis toute la gomme sur celui-là. Disons qu'il y avait du « Lindy Ruff » dans mon bâton quand j'ai fait contact avec le disque, qui est passé juste au-dessus de l'épaule de Lundqvist sans qu'il ait même le temps de penser à réagir.

J'étais content d'avoir cloué le bec de l'entraîneur et d'avoir démontré à mes coéquipiers de quel bois j'étais fait. Mais je savais que Lindy Ruff était tout aussi heureux de la tournure des événements. J'ai d'ailleurs récolté 14 points dans les 10 matchs suivant cette séance de visionnement à New York. Son intervention a sonné chez moi une sorte de réveil.

Lindy et moi nous sommes rencontrés seul à seul quelques jours après sa blessante sortie. Il m'a confié qu'il avait agi ainsi parce qu'il savait que j'étais un athlète orgueilleux et que, au lieu de me mettre à bouder, j'allais tout mettre en œuvre pour le faire mentir.

Il m'a réservé ce genre de «traitement de faveur» deux ou trois fois durant mon séjour chez les Sabres. Être reconnu comme un joueur répondant systématiquement à ce genre de tactique peut devenir une sorte de couteau à deux tranchants. Parce que lorsqu'il cherche une cible, l'entraîneur peut être tenté de vous viser plus souvent que les autres. À tout prendre, je préférais être reconnu comme celui qui répondait par la bouche de son bâton au lieu de faire partie de ceux qui faisaient la baboune et qui se recroquevillaient dans leur coin. C'était l'une des précieuses leçons que Gary Mack m'avait apprises.

Certains entraîneurs de la LNH utilisent constamment ce genre de tactique et finissent par se mettre tous leurs joueurs à dos. Ce n'était pas le cas avec Lindy Ruff, qui était un excellent communicateur et qui ne craignait pas les rencontres en tête en tête pour s'expliquer. Par ailleurs, il ne blâmait jamais l'un de ses joueurs durant ses rencontres avec les journalistes. Ses interventions n'étaient jamais gratuites. Elles visaient plutôt à améliorer l'équipe.

———

À Buffalo, notre phénoménal début de saison et nos succès en séries éliminatoires du printemps 2006 faisaient en sorte que les Sabres étaient rois et maîtres des lieux. Tout le monde ne parlait que de notre équipe de hockey.

Dans la plupart des grandes villes américaines, on trouve une sorte de *star system* (composé de personnalités du monde du spectacle et de vedettes des équipes de baseball, de football, de basketball et de hockey) qui attire l'attention des gens et des médias. Mais cette diversité n'était pas aussi grande à Buffalo, où il n'y en avait que pour les joueurs des Sabres et des Bills, de la NFL. Étant donné les succès que connaissait notre équipe, nous occupions donc une place encore plus prépondérante dans l'actualité et il nous était à peu près impossible de sortir en ville et d'espérer passer inaperçus.

Les partisans n'étaient pas désagréables ou mal intentionnés, loin de là. Ils étaient tout simplement passionnés, et certains étaient prêts à aller loin pour nous le faire savoir. Quand nous allions manger au restaurant, il n'était d'ailleurs pas rare que des gens insistent pour payer notre repas. Ce qui était plus inquiétant, toutefois, c'est qu'après ou à la veille de matchs importants, particulièrement en séries éliminatoires, des partisans passaient régulièrement devant la maison en klaxonnant ou en criant des encouragements, souvent jusqu'aux petites heures du matin.

Avant chaque match local, la plupart des joueurs de l'équipe se retrouvaient dans un sympathique restaurant familial. Nous aimions bien prendre le repas d'avant-match en équipe. Les clients de cet établissement savaient que nous étions des habitués et que ce n'était pas le moment idéal pour prendre des photos ou obtenir des autographes. Mais pour le reste, à Buffalo plus que dans n'importe quelle autre ville où j'ai joué, j'ai dû avoir recours à divers stratagèmes afin de pouvoir sortir en famille tout en préservant un certain degré d'intimité.

Les gérants de certains restaurants étaient particulièrement coopératifs. Ils nous faisaient entrer par la porte arrière et nous installaient dans des coins isolés. Pour cette raison, j'allais souvent chez Falletta's, un resto italien d'East Amherst, et chez Hutch's, un steakhouse de la rue Delaware.

Les Sabres et leurs partisans vivaient donc une relation particulièrement intense à cette époque. Il y avait beaucoup de vrai dans cette boutade voulant que Buffalo soit en réalité la « huitième ville cana-dienne de la LNH ».

Lindy Ruff pouvait devenir un entraîneur extrêmement rigide quand l'équipe perdait. Mais comme nous remportions presque tous nos matchs cette saison-là, Lindy était souvent très détendu. Quand nous étions à l'étranger, il lui arrivait d'annuler les entraînements matinaux afin de gérer le niveau d'énergie des joueurs. Et il profitait de ces moments libres pour organiser toutes sortes d'activités.

Par exemple, nous allions visiter des mémoriaux quand nous pas-sions par Washington. Nous allions à la plage quand nous étions en Californie, et nous marchions le long du canal Rideau à Ottawa. Au fil d'une longue saison, ces sorties permettent aux joueurs de briser leur routine et elles sont souvent plus bénéfiques qu'une énième séance d'entraînement.

Le 1er janvier 2007, nous avons vaincu les Islanders de New York au compte de 3-1 à Buffalo, couronnant ainsi une poussée de quatre vic-toires consécutives et concrétisant une récolte de 11 points en six matchs. Après 39 parties, nous présentions un dossier de 29-7-3 (61 points) et accusions seulement un point de retard sur les Ducks d'Anaheim, qui détenaient toujours le premier rang du classement général. Nous avions toutefois deux matchs en main sur Anaheim.

À travers la LNH, c'était surtout notre force de frappe offensive qui retenait l'attention. Nous maintenions jusque-là le rythme d'une cam-pagne de 325 buts, un exploit qui n'avait été réalisé que trois fois au cours des dix saisons précédentes.

Pour la direction des Sabres, le 1er janvier était une date significative. C'est à ce moment que s'ouvrait la fenêtre permettant aux équipes de négocier des prolongations de contrats avec leurs joueurs dont les ententes venaient à échéance à la fin de la saison.

Dès le début de janvier, Darcy Regier a entrepris des pourparlers avec l'agent de Chris Drury. Et peu de temps après, Chris est venu me voir pour me demander mon avis.

Ma relation avec Chris Drury différait beaucoup de celle que j'entretenais avec Jean-Pierre Dumont et Martin Biron. Chris était plus discret et plus introverti. De ce fait, lorsqu'il quittait l'aréna, il faisait une nette séparation entre sa vie de hockeyeur et sa vie familiale. Il préférait passer le plus de temps possible seul avec sa famille, et tous les membres de l'équipe respectaient son choix.

Mais même si nous ne nous fréquentions pas et que nos vies privées ne se mêlaient pratiquement jamais, le lien qui nous unissait était aussi fort que celui qui me liait à Jean-Pierre ou à Martin.

En plus d'être un leader exceptionnel, Chris Drury était un coéquipier à la fois intense et fascinant. À ses yeux, la seule option existant dans la vie était la victoire. Et tout ce qu'il faisait était orienté vers l'atteinte de cet objectif. Ensemble, nous avons discuté pendant des heures et des heures autour de thèmes comme : Qu'est-ce qui démarque les gagnants des autres ? Et comment faut-il s'y prendre pour faire la différence ?

Partout où il était passé auparavant, Chris était parvenu à faire la différence entre la victoire et la défaite. Au baseball, lorsqu'il était enfant, il avait lancé lors de la grande finale de la Série mondiale des petites ligues. Devant des dizaines de milliers de spectateurs et des millions de téléspectateurs, il avait limité l'équipe de Taïwan à cinq coups sûrs en plus de produire deux points dans la victoire des États-Unis. La même année, son équipe de hockey pee-wee avait remporté le championnat national américain !

Plus tard, dans les rangs universitaires, il avait remporté dès son année recrue le championnat de la NCAA avec Boston University. Les Terriers de Boston University avaient d'ailleurs remporté le prestigieux tournoi du Beanpot (une très populaire classique hivernale) les quatre années où Drury avait porté leur uniforme. Au passage, Chris avait aussi remporté le trophée Hobey Baker à titre de joueur par excellence de la NCAA, après avoir été finaliste pour l'obtention de ce trophée l'année précédente.

Depuis que Drury avait accédé à la LNH, la victoire et le succès continuaient de lui coller à la peau. Il revendiquait notamment un trophée Calder et une coupe Stanley. Et il était désormais cocapitaine de la formation de l'heure dans la ligue! À cette époque, Chris avait aussi à son actif trois buts gagnants en prolongation en séries éliminatoires, et cette statistique très significative avait particulièrement capté mon attention.

— Comment parviens-tu à accomplir tout ça? lui ai-je un jour demandé.

— Il y a beaucoup de gars qui se retrouvent dans des situations décisives et qui ont peur de commettre une erreur. Pour moi, c'est exactement le contraire. Quand je me retrouve dans ces moments importants, je veux avoir la chance de faire le gros jeu. Ça ne fonctionnera peut-être pas à tous les coups. Mais même si ça ne fonctionne pas, c'est positif. Parce que si je ne parviens pas à inscrire le but gagnant aujourd'hui, ça signifie que mes chances de réussir la prochaine fois viennent d'augmenter.

Chris Drury ne laissait jamais rien au hasard. En ce sens, nous partagions la même vision de la jungle de la LNH. À nos yeux, le niveau de préparation constituait l'élément principal démarquant les vrais athlètes professionnels des autres.

Je m'étais beaucoup réjoui de l'arrivée de Chris Drury dans l'organisation des Sabres en 2005. Mais depuis que lui et moi étions devenus coleaders de l'équipe, je l'appréciais encore davantage. Nous étions toujours sur la même longueur d'ondes et un immense respect existait entre nous. Il ne cherchait jamais à prendre le plancher ou à devenir celui des deux cocapitaines qui allait le mieux paraître aux yeux de l'entraîneur ou des joueurs.

Par exemple, si Chris ressentait le besoin d'aller rencontrer Lindy Ruff pour soulever un problème survenu durant la dernière séance d'entraînement, il prenait le temps de venir en discuter avec moi.

— Danny, je n'ai pas aimé ce que Lindy a fait durant la pratique et j'estime important d'aller lui en parler. Veux-tu m'accompagner ou préfères-tu que j'y aille seul ?

Cet esprit de concertation faisait en sorte qu'aucun d'entre nous n'apprenait deux ou trois jours plus tard une initiative ou une décision que l'autre cocapitaine aurait pu prendre. Chris plaçait toujours les intérêts de l'équipe au-dessus de tout, ce qui est un trait de caractère assez rare chez les joueurs de son calibre. Il était en quelque sorte le professionnel ultime. C'est pourquoi il avait gagné aussi souvent à tous les niveaux, et dans différents sports.

Chris m'a donc mis au fait de l'état des négociations qui se déroulaient entre son agent et la direction des Sabres ; l'offre soumise par l'organisation (un contrat de quatre ans d'une valeur de 20 millions) m'apparaissait intéressante. Toutefois, avant de s'avancer plus loin, Chris voulait s'assurer que la direction était disposée à investir suffisamment d'argent pour maintenir intact le noyau de l'équipe. Il ne voulait pas signer ce contrat pour ensuite voir les autres piliers de l'équipe s'éparpiller aux quatre coins de la ligue.

Mon point de vue sur la situation était on ne peut plus clair :

— Chris, j'espère que tu réussiras à t'entendre avec eux, parce qu'il n'est pas question que je reste à Buffalo si tu t'en vas ailleurs, lui ai-je confié.

— Je pense exactement la même chose ! Si les Sabres ne te gardent pas, je m'en irai aussi, a-t-il rétorqué.

À ce moment-là, il nous semblait carrément impensable de ne pas être tous deux de retour chez les Sabres pour la saison 2007-2008.

Nous étions les cocapitaines de la meilleure équipe de la ligue et le meilleur était à venir.

Convaincu que j'allais aussi recevoir une offre de la part de la direction, Chris Drury a répliqué avec une contre-proposition en demandant 23 millions pour quatre ans. Selon le vétéran journaliste Bucky Gleason, du *Buffalo News*, Darcy Regier et l'agent de Chris Drury se sont ensuite entendus pour couper la poire en deux : 21,5 millions pour quatre ans.

Regier est reparti avec cette entente verbale, et il n'est jamais revenu avec la version papier par la suite. En juillet 2017, Gleason a écrit que l'entente conclue par le directeur général des Sabres avait été répudiée par le propriétaire Tom Golisano. C'était une partie de l'histoire que j'ignorais.

Quoi qu'il en soit, le reste de la saison s'est ensuite écoulé sans que Chris ou moi réentendions parler de quoi que ce soit de la part de la direction des Sabres.

Cette façon de faire m'a beaucoup étonné. Puisque nous étions cocapitaines de l'équipe, je m'étais attendu à ce que l'organisation nous soumette une sorte d'offre conjointe. On aurait pu nous dire : « Écoutez, voici le montant qu'on pourrait dépenser pour vous garder tous les deux et maintenir en place une équipe gagnante. Est-ce qu'on peut travailler autour de ces paramètres ? »

Chris Drury et moi étions tout à fait prêts à accepter moins d'argent pour continuer à jouer ensemble et nous assurer que les Sabres puissent aspirer aux grands honneurs pendant encore plusieurs années. Mais cette discussion tripartite n'a jamais eu lieu. La direction des Sabres s'est concentrée sur Chris en premier, et je suis resté dans le noir.

Le 27 février 2007, peu avant la date limite des transactions, les Sabres ont échangé Martin Biron aux Flyers de Philadelphie en retour d'un choix de deuxième ronde. Sélectionné par Buffalo en première ronde au repêchage de 1995, Martin était à ce moment le joueur comptant le plus d'ancienneté au sein de l'organisation.

Pour combler le poste de Martin, Darcy Regier a immédiatement acquis le réserviste Ty Conklin des Blue Jackets de Columbus, en retour d'un choix de cinquième ronde.

Cette transaction n'était pas du tout surprenante. À Buffalo, Martin avait perdu son poste de gardien numéro un aux mains du jeune Ryan Miller et il écoulait la dernière année d'un contrat lui rapportant 2,1 millions, comparativement à quelque 525 000 dollars pour Conklin.

« J'étais déçu de quitter les Sabres parce que nous avions une excellente équipe, se souvient Martin Biron. Par contre, je savais très bien que mon avenir se trouvait ailleurs. Ryan Miller et moi formions un excellent duo mais, quand la transaction a été faite, on retrouvait pas moins de huit blessés chez les Sabres. La direction cherchait à se créer une marge de manœuvre financière pour acquérir du renfort en vue du dernier droit de la saison et des séries. »

Après le départ de Martin pour Philadelphie, Darcy Regier a cédé le jeune attaquant Jiri Novotny et un choix de première ronde aux Capitals de Washington pour faire l'acquisition de l'attaquant Dainius Zubrus, qui comptait déjà 20 buts à sa fiche chez les Capitals.

Une récolte de 19 points à nos 13 derniers matchs (fiche de 9-3-1) nous a permis de boucler le calendrier régulier avec 113 points en banque et de remporter le trophée du Président. Au classement général de la LNH, les échelons 2 à 4 étaient détenus par trois équipes de la conférence de l'Ouest : les Red Wings de Detroit (qui avaient aussi amassé 113 points, mais en remportant trois victoires de moins que nous en temps réglementaire), les Predators de Nashville (110 points) et les Ducks d'Anaheim (110 points).

Collectivement, l'attaque des Sabres a bouclé la saison 2006-2007 avec 308 buts au compteur (filets gagnants en tirs de barrage inclus), ce qui était loin d'être banal. Au cours des dix saisons suivantes, seuls les Capitals de Washington (en 2009-2010) sont parvenus à rééditer cette marque.

Pour ma part, cette quatrième saison dans l'uniforme des Sabres s'était avérée celle de la grande éclosion. Mes 95 points (32 buts et 63 passes) constituaient un sommet en carrière et me valaient le dixième rang des marqueurs de la LNH.

J'étais aussi extrêmement fier du rendement de notre trio. Jason Pominville s'était littéralement moqué de la guigne de la deuxième année en inscrivant 34 buts et 34 mentions d'aide, tandis que le «joueur défensif» de notre unité, Jochen Hecht, avait fermé les livres avec 19 buts et 37 passes. Jason, Jochen et moi sommes donc parvenus à connaître la meilleure saison de notre carrière en même temps. Chris Drury a fait de même, marquant pas moins de 37 buts.

Quand les séries éliminatoires se sont mises en branle, nous étions donc confiants et gonflés à bloc.

Le premier tour nous opposait aux Islanders de New York, qui faisaient figure de miraculés au tableau du grand tournoi printanier. Avec seulement quatre matchs à disputer en saison régulière, les Isles occupaient le 11e rang dans l'Est et semblaient hors de la course. Ils étaient toutefois parvenus à remporter quatre victoires de suite, dont deux en tirs de barrage, pour coiffer au poteau les Hurricanes de la Caroline, les Canadiens de Montréal et les Maple Leafs de Toronto.

Notre duel avec les Islanders s'est toutefois révélé inégal : nous les avons liquidés en cinq matchs pour ensuite nous retrouver face aux Rangers de New York.

Les deux premiers affrontements avaient lieu à Buffalo, où nous avons entrepris ce deuxième tour par une victoire relativement facile de 5 à 2. Dans le match suivant, les Rangers nous ont totalement dominés. Leur gardien Henrik Lundqvist nous a cependant accordé trois buts sur seulement 18 tirs, et nous nous en sommes tirés avec un gain chanceux de 3 à 2.

Nous avions beau détenir une avance de 2-0, les Rangers n'en avaient pas fini avec nous. Et la série a pris une tout autre allure lorsqu'elle s'est transportée au Madison Square Garden et que Lundqvist s'est littéralement mis à stopper tout ce que nous tirions vers lui. Lors des matchs 3 et 4, le gardien suédois n'a cédé que deux fois sur 69 tirs, et les Rangers en ont profité pour nous vaincre deux fois de suite au compte de 2 à 1. Soudainement, notre redoutable attaque n'était plus capable de s'exprimer. Les chances de marquer se faisaient de plus en plus rares et Lundqvist fermait la porte chaque fois que nous en obtenions une.

Quand nous sommes revenus à Buffalo pour la cinquième rencontre, nous avons sérieusement malmené les Rangers. Bombardé de tous les côtés, Lundqvist ne voulait toutefois rien savoir. Alors que nous n'avions jamais été blanchis au cours du calendrier régulier, le King Henrik était sur le point de nous infliger un revers de 1 à 0 quand, à 7,7 secondes de la fin du troisième engagement, Chris Drury est parvenu à le déjouer en complétant une manœuvre orchestrée par Tim Connolly et moi.

Maxim Afinogenov nous a ensuite procuré la victoire (et une avance de 3-2 dans la série) en marquant au début de la première période de prolongation. Ce revers crève-cœur a semblé souffler la flamme des joueurs des Rangers. « C'est ma défaite la plus dure à avaler depuis que je joue dans la LNH », a confié Lundqvist après cette rencontre. Ce soir-là, les Blueshirts auraient aussi bien pu célébrer notre élimination en cinq parties. Mais en lieu et place, ils se retrouvaient acculés au pied du mur.

Lors du sixième match, les deux équipes se sont échangé neuf buts. Notre trio a récolté six points et marqué trois fois. Jochen Hecht a choisi le moment parfait pour inscrire ses deux premiers filets des séries (dont le but gagnant), nous permettant d'envoyer les Rangers en vacances. J'ai eu le bonheur de contribuer à cette victoire en récoltant trois mentions d'aide. Mais au-delà des points, ce match est à jamais resté gravé dans ma mémoire comme l'un des meilleurs – dans toutes les facettes du jeu – de ma vie entière.

Tout ce que nous avions imaginé depuis le camp d'entraînement s'était jusque-là matérialisé. Il ne nous restait plus qu'à écarter les Sénateurs d'Ottawa de notre chemin pour accéder, enfin, à la finale de la coupe Stanley.

La difficile série que nous avaient livrée les Rangers avait toutefois laissé des traces. Arrivés au troisième tour, nous étions moins explosifs, moins dynamiques et notre attaque avait perdu de sa superbe.

De leur côté, les Sénateurs nous avaient vaincus cinq fois en huit matchs durant la saison régulière. Aucune autre formation n'avait remporté la majorité de ses affrontements contre nous. Les Sens étaient de plus farouchement déterminés à venger l'élimination que nous leur avions fait subir la saison précédente.

Dès le premier match, Ottawa nous a limités à 20 tirs et nous a infligé un décisif revers de 5-2 devant nos partisans. Quand nous sommes arrivés dans la capitale canadienne pour le troisième match, nous tirions de l'arrière 0-2 dans la série. Les Sénateurs en ont remis en nous infligeant finalement notre premier blanchissage de la saison, une amère défaite de 1 à 0 durant laquelle nous avons été limités à 15 maigres tirs en direction de Ray Emery.

Nous sommes parvenus à sauver les meubles et à éviter le balayage lors du quatrième match en l'emportant 3-2. Nous avons ensuite tout donné à notre retour à Buffalo, où le cinquième match s'est rendu en prolongation sur une impasse de 2-2.

Après dix minutes de surtemps, Daniel Alfredsson a attaqué notre défenseur Brian Campbell par l'extérieur en pénétrant dans notre zone, puis il a décoché un tir bas qui a surpris Ryan Miller du côté de la mitaine.

C'était fini.

Le HSBC Arena a semblé se vider de son air. Et les Sénateurs se sont rués vers leur capitaine pour célébrer leur toute première participation à la grande finale.

Bien des minutes plus tard, de retour au vestiaire, il était encore difficile de réaliser ce qui venait de se passer. « C'est très difficile à avaler. Je pensais vraiment que c'était notre année. Nous avons juste été incapables de maintenir le rythme », ai-je murmuré au groupe de journalistes rassemblés devant mon casier.

Tout près de moi, les yeux pleins d'eau, Jason Pominville discutait avec des journalistes québécois. Dorénavant, l'avenir de notre équipe apparaissait beaucoup plus incertain.

Nous avons été éliminés le 19 mai. À quelque 40 jours de l'ouverture du marché des joueurs autonomes, les dossiers urgents s'accumulaient sur le bureau de Darcy Regier. Mais il n'avait plus vraiment le pouvoir de les régler parce que son propre contrat venait à échéance. Celui de Lindy Ruff aussi d'ailleurs.

Ce n'est que le 14 juin, deux semaines avant l'ouverture du marché, que l'actionnaire responsable de la gestion de l'organisation, Larry Quinn, a annoncé le renouvellement des contrats de Regier (pour deux ans) et de Ruff (pour trois ans plus une année d'option). Quinn a alors remercié son directeur général et son entraîneur d'avoir accepté des ententes « substantiellement plus basses que celles qu'ils auraient obtenues n'importe où ailleurs dans la LNH ».

« Ceux qui cherchent à encaisser jusqu'au dernier dollar ne sont probablement pas des gens que vous souhaitez avoir au sein de votre organisation », a ajouté Quinn.

Les journalistes ont estimé que ces déclarations nous visaient, Chris Drury et moi. Ils n'avaient aucune idée du silence radio total qui régnait entre nos agents et l'organisation.

Une fois sous contrat, Darcy Regier a recontacté l'agent de Drury pour tenter de conclure l'entente qui avait été laissée en suspens six mois auparavant. Nul besoin d'une longue enquête pour conclure que les circonstances avaient changé. Après avoir été ignoré durant tout ce temps, Chris n'était plus dans les mêmes dispositions, d'autant plus que le marché de l'autonomie allait lui être accessible dans quelques jours.

Les règles du marché avaient aussi considérablement évolué. Dans la LNH, les joueurs de centre de qualité constituent une denrée particulièrement difficile à dénicher. Mais durant la saison 2006-2007, quatre joueurs correspondant à ce profil étaient susceptibles de tenter leur chance sur le marché des joueurs autonomes : Chris Drury, moi, Scott Gomez et Pavel Datsyuk.

Mais au début d'avril, tout juste avant la fin du calendrier régulier, Datsyuk avait accepté une prolongation de contrat de sept ans totalisant 46,9 millions de la part des Red Wings. Cette décision de Datsyuk a eu pour effet de fixer une base de négociation et de rendre le marché encore plus favorable pour les trois centres restants.

Mais, très rapidement, les pourparlers entre Regier et l'agent de Chris Drury ont abouti dans une impasse. Sans compter le fait que Chris insistait pour obtenir l'assurance que les Sabres allaient aussi me garder.

« Si vous n'êtes pas capables de nous mettre sous contrat, Brière et moi, je ne suis pas intéressé à rester à Buffalo », a-t-il tranché.

J'étais tellement fier d'être membre des Sabres de Buffalo ! Jusqu'à la toute dernière minute, j'ai cru que j'allais y passer le reste de ma carrière. Comme tous les gens de mon entourage, je voyais bien que le temps filait et que personne au sein de l'organisation ne me donnait signe de vie. Mais j'étais tellement convaincu qu'un dénouement positif allait survenir que j'inventais des excuses aux dirigeants des Sabres pour justifier leur silence.

Après avoir constaté qu'aucune entente n'était possible avec Chris Drury, les Sabres se sont finalement tournés dans ma direction pour me demander si j'étais intéressé à rester à Buffalo. Il ne restait qu'une semaine à écouler avant l'ouverture du marché. J'ai alors dû me rendre à l'évidence : je n'avais jamais fait partie de leurs plans et on voulait me soumettre une offre pour ne pas mal paraître.

La réponse de mon agent Pat Brisson a été la suivante :

— Faites-nous une offre. Mais nous allons aussi attendre les propositions des autres organisations, et on verra à ce moment-là.

Soixante-douze heures avant l'ouverture du marché, les Sabres ont alors déposé une proposition de cinq ans d'une valeur totale de 25 millions. Six mois auparavant, j'aurais signé ce contrat les yeux fermés pour m'assurer de rester à Buffalo. En fait, au début de l'année 2007, les Sabres auraient pu s'assurer des services de leurs deux cocapitaines pour une somme totalisant quelque 46,5 millions. Mais nous étions rendus à la fin de juin. Les circonstances avaient changé.

À mes yeux, ce n'était vraiment pas une question d'argent, mais plutôt une question de fierté et de respect. Durant les six mois précédents, le silence obstiné de l'organisation s'était avéré très éloquent.

« Daniel et moi nous entraînions ensemble cet été-là, raconte Martin Biron. Il venait chez moi trois fois par semaine et nous avions un préparateur physique qui nous supervisait dans ma cour. Au fil de ces séances, j'essayais de le questionner le plus subtilement possible. D'abord pour savoir comment les choses avançaient avec les Sabres, et ensuite, quand les ponts ont été coupés avec eux, pour tenter de déterminer avec quelle autre équipe il avait l'intention de s'engager.

« Je savais que les Flyers étaient intéressés à ses services. Ils avaient prolongé mon contrat peu après mon arrivée chez eux et, avant de signer, ma question avait été très claire : "Nous sommes au dernier rang de la ligue. Elle s'en va où, cette équipe-là ?" Paul Holmgren m'avait expliqué son plan en déclarant : "On va faire d'autres acquisitions cet été, et on veut aller chercher un ou deux gros joueurs de centre sur le marché des joueurs autonomes." Holmgren n'avait pas eu besoin de me donner des noms. J'avais tout de suite compris qu'il parlait de Daniel et de Chris Drury. »

Même s'il était désormais clair que nous n'allions plus porter l'uniforme des Sabres, Chris Drury et moi n'avions pas abandonné l'idée
de continuer à jouer ensemble. Nous avons donc imaginé un scénario
qui n'était encore jamais survenu dans la ligue et qui consistait à offrir
conjointement nos services à certaines équipes. Nous voulions nous
présenter comme une sorte de *package deal*, une occasion pour une
organisation de mettre la main sur deux centres de qualité d'un seul
coup.

« Daniel faisait minutieusement ses devoirs, précise Martin Biron.
Il demandait à telle personne comment les choses se passaient au sein
de l'organisation des Kings de Los Angeles. Il parlait avec un autre
pour glaner des informations sur les Rangers de New York. Et il me
demandait à quoi ressemblait mon expérience à Philadelphie.

« Je lui répondais que les dirigeants des Flyers ne s'assoyaient pas
sur leurs mains et qu'ils déployaient énormément d'efforts pour rede-
venir très compétitifs dès la saison 2007-2008. Et je lui vantais l'organisation en général, qui était dirigée par des gagnants et qui était de
première classe. Je lui parlais de la qualité du groupe de joueurs et des
bons jeunes qui étaient sur le point d'émerger au sein de l'organisation.
Je lui faisais mon *pitch* de vente comme je le faisais avec d'autres
joueurs. Par contre, je me doutais que Philadelphie ne figurait pas au
sommet de sa liste. »

Il est vrai que j'explorais d'autres options. Après tout, les Flyers
venaient de terminer au dernier rang de la LNH avec une maigre
récolte de 56 points. Et pour ajouter à leur malchance, les Flyers avaient
été défavorisés lors du tirage au sort précédant le repêchage amateur,
ce qui leur avait fait perdre l'occasion de sélectionner Patrick Kane au
tout premier rang.

Néanmoins, il était clair que cette organisation allait émerger rapidement. Les Flyers comptaient dans leurs rangs des jeunes joueurs
prometteurs comme Jeff Carter, Mike Richards et Scottie Upshall. Par
voie de transaction, ils avaient mis la main sur Brayden Coburn, qui

était perçu comme un jeune défenseur d'avenir. Et le 18 juin, quelques jours avant l'ouverture du marché des joueurs autonomes, ils avaient effectué un important échange avec les Predators de Nashville pour acquérir les services du défenseur étoile Kimmo Timonen et de l'attaquant de puissance Scott Hartnell. Tout cela sans compter le fait qu'on retrouvait déjà à Philadelphie des attaquants de grande qualité comme Simon Gagné et Mike Knuble.

Je gardais donc l'esprit ouvert en ce qui concernait les Flyers.

«Même après avoir réalisé toutes ces transactions, il nous restait encore une bonne marge de manœuvre sous le plafond salarial et nous avions la ferme intention de nous améliorer via le marché des joueurs autonomes», confie Paul Holmgren, qui était alors le directeur général des Flyers.

«Quand le marché s'est ouvert à midi le 1er juillet 2007, nous avions trois noms sur notre liste: Daniel Brière, Scott Gomez et Chris Drury. En raison de la haute considération que nous avions pour ces trois centres, chacun d'eux avait été épié très minutieusement par nos recruteurs au cours de la saison. Nous avions fait toutes les vérifications possibles et nous étions prêts à embaucher un des trois. Je dois préciser que Danny était le premier sur notre liste», d'ajouter Holmgren.

Les bureaux de mon agent Pat Brisson étant situés à Los Angeles, c'est à cet endroit que je me trouvais quand le grand jour est finalement arrivé. Lorsque les appels et les offres surgissent simultanément, il faut être en mesure de recevoir l'information en temps réel et d'évaluer rapidement toutes les options en compagnie de son agent pour prendre des décisions éclairées.

«Nous savions que Danny allait être à Los Angeles cette journée-là, rappelle Paul Holmgren. Et comme nous savions que les Kings étaient dans la course, nous nous disions que cette proximité leur procurait sans doute un avantage. Ça rendait alors la situation encore plus intéressante.»

Dès l'ouverture du marché, pas moins de 16 dirigeants d'équipes ont communiqué avec Pat pour lui faire savoir qu'ils étaient intéressés à mes services. Un représentant du Canadien de Montréal, le secrétaire de route Alain Gagnon, a d'ailleurs rapidement et clairement annoncé les intentions de ses patrons en frappant à la porte du bureau à midi et une seconde.

Le Tricolore n'avait pas eu la chance de miser sur une vedette offensive francophone depuis Vincent Damphousse et Pierre Turgeon, au milieu des années 1990. Et la direction de Tricolore prenait visiblement cette opportunité très au sérieux.

Gagnon s'est présenté les bras remplis de cadeaux ; le Canadien avait préparé une impressionnante présentation pour me convaincre de rentrer au bercail.

Après avoir remis des chandails bleu-blanc-rouge à chaque membre de la famille, le représentant du Canadien nous a invités à regarder une vidéo que l'organisation avait spécialement fait préparer à mon intention.

Le document commençait par une intervention de Kiefer Sutherland, qui s'adressait à moi en français et qui disait souhaiter me voir porter l'uniforme du Canadien. Déjà, cette introduction faisait grande impression. Sutherland était à l'époque la vedette de la série américaine 24, qui était la plus regardée à travers le monde et dont j'étais un grand fan.

L'intervention de Sutherland était suivie par une présentation de la ville de Montréal et de ses attraits ainsi que par un survol de l'histoire de l'équipe, que je connaissais déjà par cœur depuis mon enfance. La présentation du CH se terminait par une image, cadrée assez serrée, de mon chandail numéro 48 accroché dans le vestiaire de l'équipe. Puis, lentement, un zoom arrière faisait apparaître trois petits chandails identifiés au nom de Brière, représentant mes trois fils, accrochés à côté du mien.

Cette présentation m'a atteint droit au cœur. J'avais passé mon enfance à suivre et à encourager le Canadien. Il était extrêmement difficile de rester insensible à leur démarche.

⌐

Pendant que nous regardions la vidéo du Canadien, c'était la frénésie dans le reste du bureau. Le téléphone ne cessait de sonner et les équipes ayant soumis des offres ou démontré leur intérêt pour négocier avaient besoin d'obtenir rapidement des réponses.

Pat et moi avons donc passé en revue les 16 organisations qui nous avaient contactés et nous en avons éliminé 11 afin de pouvoir nous concentrer sur les 5 qui m'intéressaient le plus : les Blues de Saint Louis, les Kings de Los Angeles, les Rangers de New York, les Flyers de Philadelphie et, bien sûr, le Canadien.

Peu après avoir dressé cette courte liste, le nom des Blues de Saint Louis a été écarté des discussions : parmi les cinq équipes, cette organisation était celle qui répondait au plus petit nombre de priorités que j'avais établies pour faciliter ma décision.

Par contre, les Kings de Los Angeles avaient fortement attiré notre attention en déposant dès le départ une offre visant à nous embaucher simultanément, Chris Drury et moi. Étant donné le pacte que nous avions fait à Buffalo, c'est sur cette offre que nous nous sommes penchés en premier.

Pendant ce temps, à Philadelphie, les Flyers colligeaient de l'information et leur cible se précisait davantage.

« Nous avons rapidement établi le contact avec les agents de Danny, Gomez et Drury, se souvient Paul Holmgren. Mais dès le départ, Drury nous a fait savoir que les Flyers ne figuraient pas sur sa liste. Il ne nous restait alors que Danny et Scott Gomez à pourchasser. »

Chris et moi étions très intéressés par l'offre des Kings. Ils tentaient le grand coup et leur démarche était on ne peut plus sérieuse. Malgré le fait que nous n'étions pas représentés par le même agent, Chris et moi restions constamment en contact dans l'espoir de faire avancer le dossier. Mais plus cette négociation tripartite progressait, plus il était clair que des détails accrochaient d'un côté comme de l'autre, qu'il s'agisse du nombre d'années pour lesquelles les Kings étaient prêts à s'engager ou tout simplement des salaires proposés.

Après avoir exploré toutes les possibilités avec les Kings, nous avons constaté qu'il allait être impossible de satisfaire tout le monde. L'idée de nous réunir à Los Angeles est donc tombée à l'eau.

— Danny, si ça ne fonctionne pas pour nous deux à Los Angeles, m'a alors annoncé Chris, j'aimerais bien aller jouer à New York. J'ai grandi tout près de là et j'ai passé toute mon enfance à regarder jouer les Rangers.

Je comprenais parfaitement ce qu'il ressentait. Je lui ai donc souhaité bonne chance. Les Rangers figuraient aussi sur la courte liste d'équipes pour lesquelles j'étais intéressé à jouer. Mais pour accroître les chances de Chris de réaliser son rêve, j'ai décidé de faire un pas de côté.

— Pat, j'aimerais que tu appelles les Rangers pour leur dire que nous ne sommes plus dans le portrait et que je laisse ma place à Chris Drury.

Cette réaction a eu pour effet de restreindre ma liste finale à deux équipes : le Canadien et les Flyers. Le temps était venu de prendre la décision la plus importante de ma vie.

Alors que nous passions en revue tous les facteurs susceptibles d'influencer mon choix, les Rangers ont annoncé qu'ils venaient de s'entendre avec Chris (35,25 millions pour cinq ans) et Scott Gomez (51,5 millions sur sept ans). J'étais extrêmement heureux pour Chris. En même temps, cette nouvelle constituait pour moi une énorme surprise. Durant nos discussions préliminaires, les dirigeants des Rangers n'avaient jamais mentionné qu'ils étaient à la recherche de deux centres. Si nous avions eu cette information, ma carrière aurait pu prendre une tout autre trajectoire. Mais bon, qui sait, Scott Gomez était peut-être mieux placé que moi sur leur liste.

Durant toutes ces tractations, Montréal est une fois de plus intervenu pour faire pencher la balance en sa faveur. Mon téléphone a sonné. Et quand j'ai entendu la voix de l'interlocuteur, je suis presque tombé à la renverse.

— Bonjour Daniel, c'est Jean Béliveau...

Sur le ton posé et assuré qu'on lui connaissait, le légendaire ex-capitaine du Canadien m'a fait savoir à quel point il était enthousiaste à l'idée de s'asseoir derrière le banc des joueurs (où il détenait des billets de saison) et de me regarder défendre les couleurs de son équipe. Et il a souligné que c'était une opportunité à saisir.

— On aimerait vraiment ça t'avoir à Montréal, a-t-il renchéri, avant que nous raccrochions.

Après cet appel, j'étais encore plus ébranlé. Le Canadien déployait vraiment l'artillerie lourde. Le propriétaire du club, George Gillett, et le directeur général, Bob Gainey, mettaient tout en œuvre pour me rapatrier au Québec. Aucun détail n'était laissé au hasard.

Même d'un point de vue financier, la manière dont les dirigeants du Canadien avaient présenté leur offre contractuelle les assurait de surpasser celles de tous leurs concurrents.

— Faites-nous savoir ce que ça prend pour venir à Montréal. Nous allons battre n'importe quelle autre offre, avait assuré la direction du Canadien.

⟶

Ce qui s'est produit ce jour-là m'a fait réaliser à quel point il est important de se préparer avant de se présenter sur le marché des joueurs autonomes. D'heure en heure, de très cruels dilemmes surgissaient et la journée était fertile en émotions fortes.

En revenant à la base et en passant mes priorités en revue, le portrait final m'est toutefois apparu plus clair.

Je comptais neuf saisons d'expérience dans la LNH et je venais de quitter une organisation ayant participé à deux finales de conférence consécutives. Très clairement – il n'y avait aucun doute là-dessus –, ma priorité ultime consistait à trouver un environnement qui allait me donner une chance de franchir un pas de plus et de participer à la finale de la coupe Stanley.

Par ailleurs, étant donné les sommes en jeu, il était extrêmement important pour moi d'être entouré d'un groupe de joueurs qui allait me permettre de produire à la hauteur des attentes.

À Montréal, cette journée d'ouverture du marché de l'autonomie était très attentivement suivie par les partisans du Canadien. Le Tricolore avait été exclu des éliminatoires cinq fois au cours des huit printemps précédents et l'équipe n'avait remporté que deux séries durant cette longue période. Aux yeux d'un très grand nombre de partisans, et j'en étais parfaitement conscient, ma présence sur le marché constituait une occasion rêvée de rapatrier au Québec une vedette locale et de perpétuer l'une des plus belles traditions de tout le sport professionnel.

Au fil des ans, et à force de voir des vedettes québécoises tourner le dos au Canadien, énormément de gens en étaient venus à croire que l'attention exceptionnelle dont jouissait cette organisation était devenue un facteur négatif. « Les joueurs francophones ne veulent pas être étouffés par toute cette pression ! Ils ne veulent pas que leurs enfants grandissent dans le zoo de Montréal », arguait-on souvent.

Je m'étais préparé très sérieusement pour cette journée déterminante et, pour chacune des équipes en lice, j'avais établi des listes de facteurs favorables et défavorables.

En ce qui concernait le marché de Montréal, la pression ne constituait certainement pas un obstacle pour moi. Au contraire ! Le hockey était toute ma vie et je n'avais absolument aucun problème à jouer dans un environnement aussi passionné. La pression était à mes yeux un puissant stimulant, une sorte de carburant. Mes statistiques en séries éliminatoires peuvent d'ailleurs en témoigner.

Par rapport à ma famille, toutefois, toute l'attention générée par l'équipe constituait certainement un point d'interrogation. Je ne voulais pas que nos trois fils grandissent avec une sorte de statut de «mini-vedettes» à l'école ou au sein de leurs équipes de sport. Cette face de la médaille me faisait un peu peur, je l'avoue.

Par contre, dans la colonne des facteurs positifs, signer un contrat à Montréal constituait une excellente occasion de replonger nos enfants dans un environnement francophone et de leur permettre de passer davantage de temps avec leurs grands-parents, la famille et tous nos proches. Pour ma femme et moi, la chance de revenir à la maison et de voir nos enfants grandir près de leur monde s'avérait un solide argument en faveur d'une éventuelle signature à Montréal.

Au bout du compte, quand on faisait l'inventaire de tous ces facteurs secondaires en faveur ou en défaveur de Philadelphie et de Montréal, ils finissaient par s'annuler. Sans compter le fait que les offres monétaires du Canadien et des Flyers s'équivalaient. Après avoir tout soupesé, j'en suis revenu à ce qui me définissait comme athlète professionnel : la soif de gagner. J'ai donc choisi l'organisation qui, selon mon évaluation, m'offrait le plus de chances de remporter la coupe Stanley et de performer à la mesure du contrat qu'on m'offrait.

J'ai pris une décision sportive. C'est aussi simple que cela.

Durant notre dernière conversation avec les Flyers, Paul Holmgren nous a annoncé qu'il travaillait sur «une autre excellente nouvelle». Nous avons ensuite appris qu'il venait de transiger avec les Oilers d'Edmonton pour mettre la main sur le défenseur Jason Smith (qui allait ensuite devenir le capitaine des Flyers) et le jeune attaquant Joffrey Lupul. Ces deux acquisitions, sans compter mon arrivée, s'ajoutaient aux six noms (Carter, Richards, Timonen, Hartnell, Upshall et Coburn) qui allaient se greffer à l'alignement la saison suivante. Les Flyers formaient désormais l'une des équipes les plus prometteuses de la LNH.

« Nous étions convaincus que Daniel Brière était le meilleur joueur à greffer à notre équipe compte tenu de son caractère et de ses habiletés de marqueur, explique Paul Holmgren. Et nous savions quel genre de somme allait être nécessaire pour l'obtenir.

« J'ai probablement parlé deux fois à Pat Brisson cette journée-là. Les choses se sont passées très rapidement quand nous avons établi le montant total du contrat : 52 millions de dollars pour huit ans. Nous avons fixé le montant, et nous avons confirmé que nous avions une entente. C'était un excellent *deal* pour les deux parties. Quand j'ai raccroché le téléphone, le président des Flyers, Peter Lukko, était présent dans le bureau avec moi. Nous étions incroyablement excités d'avoir mis la main sur un joueur comme Danny. Comme des kids, nous nous sommes fait un *high five* et nous nous sommes sautés dans les bras. Pendant plusieurs saisons, nous avions vu Daniel Brière marquer des buts contre les Flyers. Et là, nous savions qu'il allait en marquer pour nous, et c'était pas mal cool », raconte Holmgren.

De toute ma vie, même dans mes rêves les plus fous, jamais je n'avais imaginé pouvoir toucher autant d'argent en jouant au hockey.

La vie vous réserve parfois de drôles de surprises. Moins de sept ans auparavant, toutes les équipes de la LNH m'avaient ignoré lorsque les Coyotes de Phoenix avaient inscrit mon nom au ballotage. Et voilà que, du jour au lendemain, les Flyers de Philadelphie venaient de faire de moi le plus haut salarié de la ligue.

Lorsque je repense aux circonstances qui m'ont mené chez les Flyers de Philadelphie, il m'est difficile de ne pas avoir une pensée pour les partisans des Sabres de Buffalo.

Le 6 juillet 2007, quelques jours après mon embauche chez les Flyers, les Oilers ont soumis une offre hostile de 50 millions pour sept ans à l'attaquant Tomas Vanek. Âgé de 23 ans, Vanek était alors joueur autonome avec restriction et il venait d'inscrire 43 buts dans l'uniforme des Sabres de Buffalo.

La direction des Sabres, qui venait de nous laisser partir, Chris Drury et moi, s'est alors retrouvée dans une très fâcheuse position. Ou bien les Sabres égalaient l'offre des Oilers pour garder Vanek, ou bien ils le laissaient partir pour Edmonton. Cette dernière option permettait toutefois aux Sabres d'empocher les choix de première ronde des Oilers pour les années 2008, 2009, 2010, 2011 et 2012 à titre de compensation.

Les Sabres ont choisi de verser 50 millions à Vanek.

Refaisons un peu l'histoire.

S'ils avaient bien géré la situation, les dirigeants des Sabres auraient pu renouveler le contrat de Drury et le mien pour une somme totale inférieure à 47 millions. Et quand l'offre hostile des Oilers d'Edmonton est survenue, ils auraient ensuite pu laisser partir Vanek et empocher les cinq choix de première ronde en guise de compensation.

Les choix de première ronde des Oilers auraient ainsi permis aux Sabres d'avoir accès à de jeunes talents comme Jordan Eberle ou John Carlson (2008), Ryan Ellis ou Kris Kreider (2009) ainsi qu'au tout premier choix (au total) lors des séances de sélection de 2010, 2011 et 2012.

Au lieu de se retrouver avec un seul joueur (Vanek) et une facture de 50 millions, les Sabres auraient donc eu la possibilité de garder leurs deux cocapitaines à moindre prix et d'ajouter cinq espoirs de premier plan à leur organisation.

Depuis ce fameux mois de juillet 2007 (cette biographie a été rédigée avant le début de la saison 2017-2018), les Sabres ont raté les éliminatoires huit fois sur dix et ils n'ont remporté aucune série. Il est immensément triste de constater à quel point des mauvaises décisions peuvent démolir une excellente équipe et faire disparaître tout espoir de succès.

Le 3 juillet 2017, le vétéran journaliste Bucky Gleason écrivait ce qui suit dans les pages du *Buffalo News* :

Après toutes ces années, laissez-moi vous dire ceci au sujet du fiasco ayant mené aux départs de Drury et Brière : je m'étais trompé quant à l'impact que ces événements allaient avoir sur l'organisation. À l'époque, j'écrivais que les Sabres allaient mettre cinq ans à s'en remettre. Or dix ans se sont écoulés depuis. Et durant cette longue période, en aucun moment Buffalo ne s'est même approché d'une telle grandeur.

CHAPITRE 6

« Il est trop petit...
Il ne réussira jamais... »

Les plus importantes décisions que l'on prend dans la vie sont souvent le résultat des valeurs transmises par nos parents.

Durant l'été 2007, j'ai amplement eu le temps de réfléchir au long parcours séparant notre petite maison familiale de la rue Clermont, à Gatineau, et la célèbre Broad Street de Philadelphie. Même si mon choix de passer dans le camp des Flyers suscitait la controverse à Montréal, j'avais l'esprit en paix. Je savais que je l'avais fait pour les bonnes raisons.

Ma petite sœur Guylaine et moi avons grandi au sein d'une famille de la classe moyenne tissée extrêmement serrée, dont le modèle était tout ce qu'il y avait de plus traditionnel. Notre père, Robert, travaillait dans le milieu de l'assurance. Notre mère, Constance, restait à la maison, où elle prenait soin de nous.

Quand nos parents se sont rencontrés au début des années 1970, notre mère travaillait elle aussi dans le domaine de l'assurance. Elle était adjointe administrative dans un cabinet d'Ottawa. C'est un ami commun qui leur a permis de se rencontrer.

« Lorsqu'ils se sont mariés, rappelle Guylaine Brière, notre mère a clairement fait savoir à notre père quelles étaient ses aspirations. Elle lui a dit: "Je travaille en ce moment mais, quand nous aurons des enfants, je souhaite rester à la maison pour m'occuper d'eux. Je ne veux pas les envoyer dans une garderie." »

La planification familiale des nouveaux mariés ne s'est toutefois pas déroulée comme prévu. Il a fallu plusieurs années avant que notre mère finisse par tomber enceinte. À un certain moment, alors qu'ils arrivaient au début de la trentaine, nos parents ont même cru qu'ils n'allaient pas être en mesure d'avoir des enfants. Ils ont alors sérieusement étudié la possibilité d'avoir recours à l'adoption pour fonder leur famille.

Mais peu après le début de cette réflexion, notre mère est devenue enceinte une première fois. Et c'est ainsi que j'ai vu le jour à Gatineau, le 6 octobre 1977. Guylaine est née exactement à la même date, mais trois ans plus tard.

Dès la naissance de ma sœur, notre mère a quitté son emploi et elle n'est jamais retournée sur le marché du travail. Sa présence à la maison et son incroyable dévouement nous ont permis de vivre une enfance dorée.

« Daniel et moi avons tellement été dorlotés que nous avons tous les deux ressenti une sorte de choc quand, à l'âge adulte, est venu le temps de quitter la maison de nos parents, confie Guylaine Brière. Nous nous sommes alors rendu compte de l'ampleur des tâches que notre mère accomplissait. Par exemple, les soirs de semaine, bien des familles mangent des repas préparés rapidement et pas nécessairement complets. Chez nous, la plupart du temps, nous avions droit à des soupers qu'on pourrait presque qualifier de gastronomiques, nécessitant une longue préparation.

« Tout était toujours à portée de la main. Notre linge était toujours repassé, soigneusement plié et parfaitement rangé dans un tiroir. Daniel a quitté la maison familiale assez jeune et, pour ma part, je suis partie à 23 ans. Je n'avais jamais touché à une guenille ou nettoyé une salle de bain quand j'ai véritablement entrepris ma vie d'adulte. »

Disons les choses comme elles sont : Guylaine et moi avons été gâtés pourris par notre mère ! Elle n'arrêtait jamais deux secondes. Enfant, je n'ai jamais eu à faire mon lit. Notre mère allait jusqu'à pelleter la neige et tondre la pelouse quand notre père était absent. Nos deux parents travaillaient extrêmement fort.

« Maman était une personne très appréciée, travaillante et allumée, d'ajouter Guylaine. Même si elle n'avait pas fait d'études supérieures, elle avait une vaste culture générale et une belle curiosité intellectuelle. On pouvait parler de tout avec elle. »

Papa travaillait pour une petite compagnie d'assurance commerciale basée au centre-ville de Hull. Au fil des ans, le domaine des assurances a subi une importante phase de consolidation et la compagnie a fini par être revendue à quelques reprises à des plus gros joueurs. Mais on peut dire que notre père a travaillé pour le même employeur et servi la même clientèle durant toute sa carrière.

Encore aujourd'hui, Guylaine et moi rencontrons à l'occasion des anciens clients de notre père qui ont fait affaire avec lui pendant trois ou quatre décennies. On voit qu'ils l'adoraient et qu'il avait réussi à tisser des liens très forts dans son milieu de travail.

Notre père avait d'ailleurs une vie sociale extrêmement riche. Il jouait au hockey et à la balle molle. Il m'est arrivé plusieurs fois de croiser des gens qui avaient eu la chance de voir mon père jouer au hockey dans sa jeunesse. Ils avaient tous le même discours :

— Daniel, tu es un excellent joueur de hockey. Mais tu aurais dû voir jouer ton père dans ses belles années ! Il était vraiment un joueur incroyable.

Papa s'impliquait aussi au sein du hockey mineur, parfois comme gérant de mon équipe ou comme organisateur du party de fin de saison. Il avait un vaste cercle d'amis. Il était toujours actif, sans toutefois être un *workaholic*. La famille était sa priorité. Quand sa journée de travail prenait fin, il n'emportait pas de travail à la maison. Quand il rentrait du boulot à la fin de l'après-midi, il sortait aussitôt pour jouer dehors avec nous, pour s'occuper de la patinoire, de la piscine ou pour couper du bois. Il n'arrêtait jamais.

À travers mes yeux d'enfant, mon père était comme une idole. C'était aussi un homme intègre et vif d'esprit. Personne ne pouvait lui en passer une « p'tite vite » ! Il était hyper organisé et vérifiait tout. Je crois d'ailleurs avoir hérité de ce trait de caractère. Financièrement, il nous a aussi enseigné à toujours agir de manière responsable avec l'argent. J'admirais cette grande droiture qui le caractérisait.

Peut-être était-ce parce que nos parents nous avaient eu sur le tard et qu'ils avaient amplement eu le temps de vivre leur jeunesse et leur vie à deux, mais il est clair que toute leur attention était concentrée sur Guylaine et moi.

« Nos parents étaient constamment avec nous, témoigne Guylaine. Ils jouaient avec nous et ne partaient jamais en vacances à deux en nous laissant derrière. Daniel et moi nous sommes très rarement faits garder durant notre enfance. Nous avons vraiment été choyés. »

Pour arrondir les fins de mois, papa agissait aussi comme arbitre de hockey dans des ligues de garage de l'Outaouais. Il arbitrait une bonne dizaine de parties par semaine. Il passait ses soirées en famille puis, après nous avoir bordés, Guylaine et moi, il partait arbitrer ses matchs et rentrait après minuit. Il ne dépensait jamais un sou de ses revenus d'arbitrage. Il demandait à son superviseur de le payer une seule fois à la fin de la saison, et il utilisait cet argent pour payer les vacances familiales durant l'été. Peut-être aussi pour assumer une partie des dépenses reliées à ma pratique du hockey.

Ainsi, grâce à ses nombreuses heures passées à arbitrer des matchs, nous allions chaque année deux ou trois semaines à Wildwood ou en Floride. Nous avons vraiment vécu une belle enfance. Guylaine et moi n'avons jamais manqué de quoi que ce soit. Même au hockey, j'avais toujours le meilleur équipement disponible. J'ai été très privilégié.

Nous avons grandi dans un quartier paisible où à peu près tout le monde se connaissait. Notre vie était une sorte de long fleuve tranquille. En fait, les seuls conflits qui survenaient chez nous étaient ceux qui m'opposaient à ma petite sœur !

Guylaine et moi avons trois ans de différence, ce qui est tout de même un écart important chez de jeunes enfants. Elle aimait évidemment passer le plus de temps possible avec moi et mes amis, et nous tentions souvent de nous débarrasser d'elle parce que nous la considérions trop petite et trop jeune pour participer à nos activités.

Durant notre enfance, je n'ai donc pas toujours été le grand frère idéal pour Guylaine. Au point où j'ai même essayé de la vendre ! À un certain moment, alors que des amis de nos parents racontaient qu'ils tentaient d'avoir un autre enfant, j'avais interrompu la discussion en leur offrant d'acheter ma petite sœur ! Mon idée avait toutefois été rapidement écartée par le conseil de famille…

« Premièrement, je suis une fille, raconte Guylaine. Et deuxièmement, je suis plus jeune que Daniel. Lorsque nous étions enfants, il a exploité cette situation au maximum pour satisfaire son ego. J'ai perdu en masse dans ma vie ! Je ne me souviens pas d'une seule fois où j'aurais pu réussir à le battre à quelque jeu ou sport que ce soit. Nous avions une table d'*air hockey* au sous-sol. On y jouait souvent et il gagnait tout le temps. Pour mon frère, perdre n'a jamais été envisageable. Ça n'a jamais fait partie des options qui s'offraient à lui.

« C'est vrai que notre relation frère-sœur était animée, surtout sur la banquette arrière de la voiture quand nous partions en vacances durant l'été ! On était un petit peu à couteaux tirés mais, dans l'ensemble, même si je n'étais pas admise dans son cercle d'amis, Daniel et moi nous entendions bien. Il y avait quand même une belle complicité entre nous. »

Au fil des ans, notre différence d'âge a fini par s'atténuer. Maturité aidant, j'ai pleinement réalisé à quel point la petite sœur que je me plaisais à taquiner était devenue une femme solide et une bonne personne, et combien j'étais privilégié de l'avoir dans ma vie. Après l'adolescence, nous nous sommes énormément rapprochés l'un de l'autre. Aujourd'hui, nos deux familles sont très unies et attachées l'une à l'autre.

━━━

À l'extérieur de la cellule familiale, mon enfance se résumait à fréquenter l'école durant la journée et à me précipiter pour aller jouer au hockey en rentrant à la maison. C'est la première image qui surgit dans mon esprit quand je repense à ces années-là.

Quand je revenais à la maison après l'école, je tentais de me débarrasser le plus rapidement possible de mes devoirs afin d'aller rejoindre mes amis. Nos parties étaient interrompues quand nos mères nous appelaient pour souper. J'avalais mon repas à toute vitesse afin de pouvoir retourner jouer le plus longtemps possible. Je mangeais littéralement du hockey ! C'était tout ce qui m'intéressait dans la vie.

L'école, c'était facile pour moi. Je n'avais pas besoin d'étudier outre mesure pour obtenir de bons résultats. Mais cela ne changeait rien au fait que je détestais royalement les devoirs. Je les faisais parce qu'ils étaient obligatoires, sans plus.

« Lors des premières années de nos études secondaires, se souvient Guylaine, Daniel et moi avons fréquenté le collège Saint-Alexandre, une école privée renommée dont l'histoire remonte à 1905. Même si le programme d'enseignement y était enrichi, mon frère y obtenait des notes qui tournaient autour de 95 % ou 98 %. En plus, ce collège était très axé sur les sports. Daniel y était donc dans son élément. Qu'il s'agisse de volleyball, de basketball ou de soccer, il se situait toujours parmi les meilleurs, sinon le meilleur. »

Il y avait cependant une faille dans mon armure d'élève studieux : j'étais extrêmement timide. Le seul cours que j'ai coulé dans ma vie était un cours de… danse. L'examen final était pourtant assez simple. Il suffisait de faire devant toute la classe une démonstration des mouvements que nous avions appris durant le semestre. Gêné au possible, j'avais alors tout simplement décidé qu'il n'était pas question que je me soumette à cet exercice…

Mon problème de timidité était tel que, lorsque nous devions faire des présentations orales en classe, je pouvais faire de l'insomnie durant les trois ou quatre nuits précédentes. C'était vraiment un problème majeur pour moi. Je détestais les oraux plus que tout !

À ma première année de secondaire au collège Saint-Alexandre, j'ai fait une rencontre assez extraordinaire. Lors du tout premier cours d'écologie, je me suis retrouvé assis à la même table qu'un garçon qui s'appelait Patrice Bélanger (visiblement, le professeur nous avait assigné nos places par ordre alphabétique) et qui rêvait, contrairement à moi, de briller devant des foules.

Patrice et moi avons fait connaissance lorsqu'il s'est tourné vers moi pour me demander, avec sa petite voix :

— C'est quoi ton nom ?

— Moi c'est Daniel. Et toi ?

— Je m'appelle Patrice. Et qu'est-ce que tu veux faire dans la vie, Daniel ?

— Je veux jouer dans la Ligue nationale de hockey. Pis toi ?

— Je veux devenir acteur.

— Ah, c'est cool, lui ai-je répondu, juste avant que le professeur prenne la parole.

Toutes ces années plus tard, je suis encore abasourdi que Patrice et moi soyons tous deux parvenus à réaliser nos rêves, qui semblaient alors complètement fous et inaccessibles ! Quelles étaient les probabilités que ça se produise ?

Depuis cette drôle de rentrée scolaire en secondaire 1, Patrice et moi avons développé une solide amitié qui a traversé le temps. En plus de sa passion pour les arts de la scène, Patrice Bélanger a toujours été un véritable maniaque de hockey. Il a donc toujours suivi ma carrière de très près (j'ai fait de même avec la sienne) et il est venu assister à mes matchs aux quatre coins du continent, du hockey mineur jusqu'à la LNH.

Lorsque je portais les couleurs des Sabres de Buffalo, Patrice était d'ailleurs reconnu comme le plus grand partisan québécois de notre équipe. Qu'ils aient été canadiens, américains ou russes, tous les joueurs de l'organisation le connaissaient.

Durant la saison 2005-2006, Patrice nous a d'ailleurs fait vivre un épisode totalement hilarant. Nous disputions deux matchs en 24 heures : le premier avait lieu un vendredi à Buffalo et le second était disputé le samedi soir au Centre Bell.

Après le match du vendredi, nous prenons rapidement le chemin de l'aéroport et notre avion se pose à Montréal un peu après minuit. Patrice vient de donner un spectacle et il monte à bord de sa voiture à peu près au même moment où nous atterrissons. Dès que notre appareil touche le sol, je lui envoie un texto.

— Où êtes-vous ? Je vais traverser la ville en même temps que vous, alors il se pourrait que nos routes se croisent, me répond-il.

Je lui téléphone un peu plus tard alors que le bus des Sabres se rapproche de l'hôtel, et Patrice me raconte qu'il roule justement devant un autobus et qu'il croit qu'il s'agit du nôtre !

— Ah oui ? Pèse donc sur les freins pour voir...

Même si je suis assis à l'arrière du bus, je vois tout de suite les feux arrière de sa voiture s'illuminer.

— Ben oui, c'est toi ! T'es juste devant nous autres !

Je suis entouré de Jean-Pierre Dumont, de Martin Biron et de Jason Pominville. Et c'est alors que, totalement machiavéliques, nous commençons à lui passer des commandes farfelues pour compliquer la vie de notre chauffeur.

À un certain moment, Patrice immobilise complètement sa voiture devant l'autobus ! Nous sommes complètement arrêtés au beau milieu de l'autoroute ! Il est 1 heure du matin et il n'y a pas un chat sur la route. Le chauffeur et les entraîneurs n'ont aucune idée de ce qui se passe et ils ne la trouvent pas drôle.

À l'arrière, nous sommes pliés en deux ! Nous demandons ensuite à Patrice de redémarrer. Quand nous reprenons notre vitesse de croisière, il s'amuse à accélérer et à décélérer de manière à faire un tour complet du bus, pour ensuite retourner à l'avant et s'immobiliser de nouveau. C'est incroyablement drôle ! Notre chauffeur est visiblement déstabilisé.

Au moment où les entraîneurs commençaient à craindre pour notre sécurité, nous avons calmé le jeu en demandant à Patrice d'abaisser sa fenêtre et de brandir son fanion des Sabres. Les entraîneurs ont alors constaté que ses manœuvres n'étaient pas hostiles et ils se sont aussi mis à rire. Patrice nous a finalement suivis jusqu'à l'hôtel. Bon sang que nous avons rigolé ce soir-là !

Patrice était presque considéré comme un membre des Sabres. Il était tellement apprécié que, un peu plus tôt durant cette même saison, sept ou huit joueurs avaient acheté des billets pour assister au spectacle *Revu et corrigé* dont il tenait la vedette en compagnie de Véronic DiCaire. Certains de nos coéquipiers ne parlaient pas un mot de français, mais ils tenaient absolument à le voir sur scène.

Ouf ! Quel personnage !

———

J'ai vraiment eu un destin extraordinaire. J'étais un enfant totalement passionné par le hockey et j'ai eu la chance de naître de parents qui se faisaient une joie de cultiver cette passion.

Mon père était un véritable maniaque de sport en général et de hockey en particulier ; même chose pour ma mère. Mon père lui a transmis cette passion lorsqu'ils se sont rencontrés.

À compter du moment où j'ai été capable de tenir debout sur des patins, alors que je n'étais âgé que de 25 ou 26 mois, mon père a commencé à me faire patiner sur la surface glacée qui s'était formée dans notre piscine. Au cours des années suivantes, il a aménagé dans notre cour arrière la plus belle patinoire de toute la région. Il était à ce point minutieux qu'il avait fait couler une dalle de béton afin de pouvoir produire la glace la plus parfaite possible.

Dès que nous revenions de l'école, les garçons du quartier se rassemblaient chez nous pour jouer au hockey. Au sein du groupe, on retrouvait toujours mes deux plus grands amis d'enfance, Patrick Tellier et Jean-Guy Gouin. L'installation était tellement bien faite qu'elle nous permettait d'y pratiquer le hockey-balle trois saisons par année. Et dès que l'hiver se pointait le nez, mon père arrosait la patinoire tous les matins avant d'aller travailler, puis ma mère procédait systématiquement à un deuxième arrosage vers midi.

Après l'école, les conditions de jeu étaient parfaites. Les gars passaient rapidement chez eux pour récupérer leurs patins et leur bâton et (outre le souper et les devoirs) nous jouions jusqu'à 21, 22 heures, et parfois même 23 heures. Dès que la glace se libérait, mon père sortait une pelle pour en retirer la moindre parcelle de neige, puis il fabriquait une nouvelle couche de glace avant d'aller au lit. Cette routine quotidienne se répétait jusqu'à ce que le printemps nous force à recommencer à jouer en espadrilles.

Dire que j'ai grandi dans une atmosphère de hockey serait donc un énorme euphémisme.

À 17 heures, quand mes parents, ma sœur et moi nous rassemblions à table pour souper, nous ne discutions pas de politique, d'actualité ou des derniers potins du quartier. Mon père allumait la radio posée sur le buffet, juste à côté de la table, et nous écoutions religieusement *Les Amateurs de sport*, une émission où l'on passait systématiquement en revue tout ce qui concernait le Canadien de Montréal et la LNH. En famille, nous commentions et analysions tout ce qui se disait à propos de la Sainte-Flanelle.

« Je vois déjà des gens écarquiller les yeux en lisant cela, souligne Guylaine Brière. Je n'ai jamais senti que Daniel était soumis à quelque forme de pression que ce soit pour exceller au hockey. En fait, nos parents ne nous ont jamais fixé d'exigences en termes de performance quand nous faisions du sport ou quand nous leur présentions nos bulletins scolaires. Ils nous supportaient et nous encourageaient à donner notre pleine mesure dans tout ce que nous entreprenions. Pour eux, c'était une question de valeurs et non de résultats. »

Chaque année, lorsque venait le moment de s'inscrire pour la prochaine saison de hockey, mon père me demandait si j'avais envie de continuer à jouer. Juste pour que je sache que l'option de faire autre chose existait, si jamais l'idée me traversait l'esprit. Le hockey était simplement un jeu aux yeux de mes parents. Personne n'imaginait que j'allais un jour en faire une carrière.

Durant toutes mes années passées au sein du hockey mineur, mon père m'a réprimandé une seule fois.

J'avais 12 ans. Nous venions de disputer un match au cours duquel je n'avais fourni aucun effort. Aucun comme dans zéro. J'avais fait acte de présence, mais je m'étais comporté comme un enfant qui n'avait pas envie d'être là. Je ne me donnais même pas la peine de revenir dans notre zone défensive quand l'équipe adverse attaquait. En rentrant à la maison, mon père m'a calmement demandé de m'asseoir en ajoutant : « Il faut qu'on parle. »

— Fiston, ce qui vient de se produire dans ce match-là, c'est la dernière fois que je te vois faire ça. T'es pas obligé de jouer au hockey, on te l'a toujours dit. Par contre, si tu joues, tu dois le faire de la bonne façon. On dépensera pas des milliers de dollars pour te supporter et on ne passera pas tous nos temps libres à te transporter à travers le Québec si t'es pour agir de cette manière.

Cette première – et dernière – remontrance m'a fait réfléchir. Le message de mon père était on ne peut plus clair : dans la vie, lorsqu'on choisit de faire quelque chose, on ne peut se contenter de le faire à moitié.

Ces anecdotes illustrent à quel point le hockey était valorisé dans la famille Brière, mais qu'en même temps, nos parents gardaient une juste perspective.

Lorsqu'est venu le temps pour moi de passer dans les rangs bantam, à l'âge de 13 ans, j'ai toutefois commencé à ressentir des vibrations différentes au sein de notre famille. Et je ne comprenais pas pourquoi.

Par exemple, mon père, qui ne m'avait jamais imposé la moindre forme de pression, insistait désormais pour que je me soumette à un rigoureux programme d'entraînement hors glace au cours de l'été. Il tenait absolument à ce que je devienne plus fort. Et son insistance produisait exactement le contraire de l'effet recherché. Elle me refroidissait au point de me faire détester l'entraînement. J'avais envie de jouer au hockey, pas de m'entraîner !

Cette situation a culminé au mois d'août 1991. Les images de ce qui s'est produit sont encore très nettes dans ma tête.

Je suis bien installé dans le siège du passager de la voiture de mon père, une Buick LeSabre rouge vin, et je suis particulièrement fébrile. Nous nous engageons sur le boulevard Greber, à Gatineau. Nous sommes en route vers l'aréna où, dans une heure et demie, débutera le camp d'entraînement de l'équipe bantam AA des Ambassadeurs de Gatineau.

Au hockey mineur québécois, les mises en échec sont permises à compter de la catégorie bantam. Pour la première fois depuis mes débuts au hockey, je devrai donc composer avec l'aspect physique du hockey. Et il y a énormément de sceptiques dans la salle, comme dirait l'autre.

Jusqu'à présent, des rangs novice à la catégorie pee-wee, j'ai toujours été un joueur dominant et j'ai toujours terminé au premier rang des marqueurs de mon équipe… et de la ligue. Mais au cours des dernières saisons, une sorte de prédiction s'est mise à circuler dans les arénas de la région. Et ceux qui l'ont faite se comptent par centaines : « Y est bon, le p'tit Brière, mais y est bien trop p'tit. Ce sera plus pantoute la même affaire quand y vont se mettre à le frapper. »

Chemin faisant, mon père et moi parlons de tout et de rien. Puis à un certain moment, il quitte brièvement la route des yeux et se tourne vers moi. Il prend un ton plus sérieux.

— Écoute, Daniel, tu vas commencer à jouer contact. Es-tu prêt à ça ? T'es pas obligé de le faire. T'es pas obligé de jouer bantam AA. Tu sais, à ta grosseur, si t'as peur, il n'y a pas de problème. C'est important que tu saches que ce n'est pas nécessaire d'aller jouer avec des gars qui sont plus vieux et plus gros que toi.

J'écoute mon père, qui est un véritable connaisseur en matière de hockey, et je suis à moitié estomaqué, à moitié insulté. Je ne sais pas quoi lui répondre. Pour seule réaction, je lui renvoie un regard d'adolescent exaspéré, l'air de dire : « Hein ? Peur de quoi ? Mais de quoi tu parles ? »

Ce n'est que beaucoup plus tard que j'ai fini par saisir ce qui s'était produit au sein de notre famille durant la période précédant ce premier camp d'entraînement bantam.

Je faisais littéralement la moitié de la taille des autres joueurs et mes parents craignaient que je me fasse blesser. Au cours des saisons précédentes, ils avaient entendu à maintes reprises ce que les « sceptiques » racontaient à mon sujet. Et mes parents n'étaient pas du tout à l'aise à l'idée de me voir me faire écraser contre la bande match après match.

« Notre mère, particulièrement, appréhendait beaucoup ce saut dans la catégorie bantam, raconte en riant Guylaine Brière. Elle ne voulait pas que son petit Daniel reçoive des mises en échec ! »

Bien des années plus tard, c'est en allant voir jouer mes propres fils que j'ai vraiment compris ce que mes parents avaient ressenti en me voyant franchir cette étape cruciale dans le cheminement d'un hockeyeur. Lorsqu'on regarde les matchs de l'extérieur, on se sent impuissant et on craint parfois le pire pour nos enfants. Mais quand j'avais 13 ans, je ne ressentais aucune peur et je ne percevais pas ma différence de taille comme un obstacle. Je me trouvais des espaces libres pour esquiver les coups et je me disais qu'il n'y avait pas de danger... tant que je ne me faisais pas frapper.

Lorsqu'on est sur la patinoire, on finit par trouver une façon de survivre. J'ai appris très tôt à éviter les situations de vulnérabilité. Il est certain que tous les joueurs finissent par se faire frapper solidement de temps en temps. J'estime cependant que c'est une sorte de talent, ou de sixième sens, de percevoir tout ce qui se passe sur la surface de jeu et d'être capable de différencier l'adversaire qui s'apprête simplement à vous servir une mise en échec de celui qui se présente avec l'intention de vous blesser. J'avais développé ce sixième sens sur la patinoire et, pour cette raison, je m'y suis toujours senti en sécurité.

« Daniel avait en lui une incroyable force intérieure, estime Guylaine. Prédire qu'il allait échouer au prochain niveau était l'équivalent de le mettre au défi et de le forcer à se défoncer pour gagner. L'échec n'était pas envisageable à ses yeux, alors il redoublait d'effort pour faire mentir ceux qui doutaient de lui. Les gens n'ont pas idée à quel point il était concentré et motivé. Il était comme une sorte de machine. Je ne sais pas comment l'expliquer, mais c'était en lui. Il est né avec cette détermination. »

Le camp d'entraînement de l'équipe bantam AA s'est finalement très bien déroulé. Les Ambassadeurs étaient alors dirigés par Mario Carrière, qui était un entraîneur reconnu dans la région. Même si beaucoup de gens me croyaient incapable de jouer à ce niveau, Carrière a eu le mérite de me faire confiance et de me sélectionner. Pendant la majeure partie de la saison, il a même eu l'audace de me faire pivoter un trio au sein duquel j'étais flanqué de Mario Dumais et Charles Dubois. Nous étions les trois seuls attaquants de l'équipe qui en étaient à leur première année chez les bantam.

Fort bien encadré, je suis parvenu à terminer troisième au classement des meilleurs marqueurs de la ligue, tout juste derrière mon coéquipier Martin Ménard.

La saison s'est avérée tellement fructueuse que, l'été suivant, j'ai été invité à participer au camp d'entraînement des Forestiers d'Abitibi-Témiscamingue, de la Ligue de hockey midget AAA. Depuis quelques années, nous n'avions plus d'équipe midget AAA dans l'Outaouais. Je ne connaissais à peu près rien de cette ligue et les Forestiers étaient basés à Amos, où je n'avais jamais mis les pieds.

— As-tu envie d'y aller ? m'a demandé mon père.

— Ouais !

— OK.

Dans mon esprit, il n'y avait aucune chance qu'on me fasse une place au sein de cette formation. J'y allais pour vivre une expérience. La Ligue midget AAA était une ligue composée majoritairement de joueurs de 16 ans et de quelques joueurs exceptionnels de 15 ans. J'allais me présenter au camp du haut de mes 14 ans (je n'allais avoir 15 ans que le 6 octobre 1992) et de mes 128 livres, alors que des joueurs de l'équipe faisaient osciller l'aiguille du pèse-personne à 210 ou 215 livres.

Quand est venu le temps de partir pour le camp au début du mois d'août, ma mère m'a serré contre elle. Clairement, elle ne voulait pas que je parte. La douceur de son visage s'effaçait lorsqu'elle était contrariée. Elle se raidissait et affichait un air plus sévère.

— Qu'est-ce qu'il y a, Mom ?

Elle ne répondait pas.

— T'es comme ça parce que je m'en vais au camp ?

— Non, non, c'est correct !

— Voyons, Mom ! Je m'en vais juste au camp d'entraînement. C'est juste pour l'expérience ! Je ne vais pas faire l'équipe, j'ai 14 ans…

Mon père est alors intervenu.

— Voyons donc, Constance ! Il fera pas l'équipe. Regarde-lui la grosseur…

Mon père et moi partons donc pour l'Abitibi. La phase préliminaire du camp se met en branle et, après trois jours, les entraîneurs procèdent à une grosse vague de coupures afin de réduire le groupe à 27 ou 28 joueurs.

À la grande surprise de mon père – et à la mienne –, je survis à ces premiers retranchements. Je me dis que je vais passer quelques jours de plus en Abitibi et que j'aurai peut-être la chance de disputer un ou deux matchs préparatoires.

Les entraîneurs m'ont effectivement permis de participer à quelques matchs. Après la première rencontre, j'ai quitté l'aréna plié en deux. Je souffrais d'un énorme mal de ventre. La douleur était tellement aiguë que mon père s'est dirigé tout droit vers l'hôpital.

Arrivés sur place, un jeune médecin m'examine. En quelques minutes, le verdict tombe :

– C'est une appendicite. Il faut l'opérer sur-le-champ.

Mon père affiche un air sceptique.

— C'est pas un peu rapide comme décision ? Vous n'avez pas fait de tests…

— Non, non. On peut le déterminer clairement au toucher. Je suis certain que c'est une appendicite.

— Je veux une deuxième opinion, a répondu mon père.

Un changement de quart est survenu peu après, et un médecin plus âgé est venu m'examiner à son tour. Il semblait perplexe.

— Je ne crois pas que ce soit une appendicite. Qu'est-ce que tu as mangé avant ton match? m'a-t-il demandé.

— Un Big Mac...

— Voilà le problème!

Grâce à l'intervention de mon père, mon camp d'entraînement s'est poursuivi. Puis, à un certain moment, il a fallu que papa rentre à Gatineau. Il était attendu au travail et je n'avais toujours pas été retranché. Les dirigeants de l'organisation lui ont alors demandé si je pouvais rester une semaine de plus. Avant de statuer sur mon cas, ils souhaitaient me faire disputer d'autres matchs le week-end suivant.

Mon père est donc rentré à la maison et on m'a installé en pension chez une famille d'Amos en compagnie de Mario Dumais et de Daniel Payette, deux bons amis aussi originaires de Gatineau.

Au bout du compte, les Forestiers nous ont gardés tous les trois au sein de leur équipe. J'étais vraiment fier et heureux de la tournure des événements! Je me suis alors précipité au téléphone pour annoncer la grande nouvelle à ma mère.

— Mom! J'ai fait l'équipe! Est-ce que je peux rester? J'aimerais vraiment ça jouer ici!

« Quand notre mère a raccroché, elle s'est mise à pleurer à chaudes larmes, se rappelle Guylaine. Elle répétait sans cesse "Voyons donc!". Elle s'était mise dans la tête que Daniel était trop jeune, trop petit, et qu'il n'avait aucune chance de jouer à Amos. Ce n'était vraiment pas drôle. Elle a trouvé cette annonce difficile.

« Notre vie familiale a dès lors considérablement changé. Nous nous rendions à Amos presque toutes les semaines. Et quand l'équipe ne jouait pas en Abitibi, nous allions la voir jouer dans la région de Montréal. Il n'y a qu'aux matchs disputés dans les régions les plus éloignées de l'Outaouais que nous n'assistions pas. J'avais 11-12 ans, j'aimais voyager et ça me permettait de voir mon frère toutes les semaines. Ce n'était pas désagréable. »

Dans la Ligue midget AAA, les équipes des régions éloignées étaient souvent désavantagées par le fait que leur bassin de joueurs était nettement inférieur à celui des organisations implantées dans les régions les plus populeuses de la province.

La saison 1992-1993 des Forestiers d'Abitibi-Témiscamingue s'est donc avérée assez difficile d'un point de vue collectif. Nous avons terminé au dernier rang de la ligue, ne remportant que 6 de nos 42 matchs du calendrier régulier (6-33-3) et bouclant la saison avec un différentiel de buts de moins 127.

D'un point de vue personnel, à titre de joueur de 15 ans, j'estimais toutefois que ma première saison au sein de ce circuit d'excellence ne s'était pas trop mal déroulée. Ainsi, j'avais marqué 24 buts et récolté 30 mentions d'aide, ce qui signifiait que j'avais directement participé à environ 39 % des buts inscrits par mon équipe.

Une fois la saison complétée, les recruteurs de quelques équipes de la Ligue de hockey junior majeur du Québec m'ont rencontré alors qu'ils finalisaient leurs listes en vue du repêchage. La séance de sélection de la LHJMQ avait lieu à l'aréna Maurice-Richard, à Montréal. Lorsque le grand jour est arrivé, je m'y suis présenté en compagnie de mes parents. J'étais confiant d'être sélectionné, même si les joueurs de 15 ans ne pouvaient être choisis que lors des cinq premières rondes.

Les Olympiques de Hull, qui étaient l'équipe de mon patelin, disposaient de deux sélections consécutives au troisième tour, d'une sélection au quatrième tour ainsi que du tout dernier choix de la cinquième ronde.

Quand le recruteur en chef des Olympiques s'est emparé du micro au milieu de la troisième ronde, j'ai bien cru que ça y était. Il a débuté son intervention en disant : « De Gatineau, nous sélectionnons… » Mais le joueur choisi était plutôt le gardien Éric Patry, l'un de mes bons amis. Sincèrement, j'étais extrêmement heureux pour lui. Et puis, les Olympiques possédaient aussi le choix suivant. Tout n'était donc pas perdu.

Après avoir accueilli Éric Patry sur le parterre de l'aréna, le recruteur en chef des Olympiques s'est à nouveau emparé du micro :

— De Gatineau, nous sélectionnons…

J'étais tellement certain qu'il allait prononcer mon nom que j'ai commencé à me lever de mon siège. Alors que je m'apprêtais à faire un premier pas pour me diriger vers la table des Olympiques, j'ai cependant entendu le nom de Carl Prud'homme retentir dans l'amphithéâtre. Mine de rien, je me suis rassis. J'étais vraiment très déçu. Carl Prud'homme était un joueur de l'équipe bantam AA de Gatineau que je connaissais plus ou moins.

J'ai ensuite été ignoré par toutes les formations de la LHJMQ jusqu'à la fin de la cinquième ronde. Les Olympiques, qui disposaient du tout dernier choix permettant de sélectionner un joueur de 15 ans, s'en sont servis pour miser sur François Cloutier, un attaquant de Sherbrooke qui faisait 6 pieds 2 pouces.

Cette journée passée à attendre un appel qui n'est jamais venu m'a profondément blessé. Peu importe le sport, il est normal que les athlètes évoluant dans un milieu compétitif se comparent les uns aux autres. Or en me livrant à cet inévitable jeu des comparaisons, le coup était encore plus difficile à encaisser. Je ne comprenais pas ce qui venait de se produire.

Les deux heures du trajet de retour vers Gatineau m'ont paru durer deux jours. Une fois revenu à la maison, une conclusion s'imposait : je n'étais pas fait pour la LHJMQ et mon rêve de faire un jour carrière au hockey était irréaliste. Les équipes du junior majeur ne croyaient pas en moi à cause de mon petit gabarit. Pour continuer à pratiquer mon sport dans un environnement compétitif, il ne me restait qu'à franchir la frontière et à aller étudier aux États-Unis.

CHAPITRE 7

Harvard ou Drummondville ?

J'ai passé l'été 1993 à me jurer que j'allais un jour faire mentir les recruteurs. Et j'ai eu de la chance : les astres se sont alignés pour me faciliter la tâche.

En vue de la saison 1993-1994, le nombre d'équipes composant la Ligue midget AAA a été porté de huit à dix. À mon grand bonheur, les deux villes désignées pour accueillir les nouvelles formations étaient Trois-Rivières et... Gatineau.

Pour sa première année d'existence, l'Intrépide de Gatineau a été confié à Mario Carrière, le même entraîneur qui avait eu l'audace de me sélectionner au niveau bantam AA. Derrière le banc, Mario était secondé par Guy Lalonde, qui a ensuite été entraîneur pendant de longues années dans la LHJMQ. Cette équipe était superbement dirigée.

Dès que je me suis présenté au camp, il m'est apparu clairement que notre équipe d'expansion n'allait pas se contenter de faire de la figuration. Nous étions notamment sept Gatinois à avoir vécu la difficile saison de six victoires des Forestiers d'Abitibi-Témiscamingue l'année précédente : Daniel Payette, Martin Lacaille, Mario Dumais, Yan Coulombe, Martin Dicaire, le gardien Éric Patry et moi. La Ligue midget AAA étant à cette époque surtout composée de joueurs de 16 ans, notre équipe démarrait donc avec un intéressant noyau de vétérans. En plus, nous étions tous sincèrement fiers de pouvoir enfin représenter notre région dans ce prestigieux circuit provincial.

La cohorte de joueurs de l'Outaouais nés en 1977 et en 1978 était particulièrement talentueuse. Parmi les 50 meilleurs espoirs québécois, une bonne dizaine portaient les couleurs de notre nouvelle formation. Nous avions donc de la profondeur à toutes les positions.

Cette situation faisait mon affaire. Je m'intéressais désormais au hockey universitaire américain et je me disais qu'une bonne saison de mon équipe allait sans doute accroître mes chances de me faire remarquer.

Avant le début de la saison, Mario Carrière m'a par ailleurs fait l'honneur de me nommer capitaine de l'équipe. Ses enseignements et la confiance qu'il m'a toujours témoignée ont été des facteurs déterminants de mon ascension au sein du système de hockey mineur québécois. Vingt-cinq ans plus tard, l'Intrépide existe toujours et je demeure fier d'avoir été le tout premier joueur à arborer le «C» sur son chandail.

—

L'engouement des gens de l'Outaouais était palpable quand nous avons entrepris la saison. Le quotidien *Le Droit* suivait attentivement nos activités et les amateurs étaient heureusement surpris de découvrir le calibre de jeu de la ligue. Ils étaient aussi heureux que les meilleurs espoirs de la région n'aient plus à quitter leur famille et leur milieu de vie pour continuer à cheminer au sein du hockey mineur.

Au mois d'août 1993, je me rappelle avoir marqué sept buts durant un week-end du calendrier préparatoire, alors que nous rendions visite aux Canadiens de Montréal-Bourassa et aux Régents de Laval-Laurentides-Lanaudière. Je me suis alors dit que cette saison allait probablement me fournir l'occasion de remettre les pendules à l'heure.

Après les 16 premiers matchs du calendrier régulier, j'avais déjà 25 buts et 13 mentions d'aide au compteur, et l'Intrépide de Gatineau figurait parmi les deux ou trois meilleures équipes de la ligue. Vers la mi-novembre, quand les entraîneurs des programmes universitaires américains ont commencé leurs tournées de recrutement, les offres se sont mises à pleuvoir.

« Daniel Brière a rapidement donné de la crédibilité à notre programme. Les gens sont venus en grand nombre pour le voir jouer et ils ont en même temps découvert que nous avons une bonne équipe », avait déclaré Mario Carrière à un journaliste du *Droit*, alors que bon nombre d'observateurs s'étonnaient de nos succès.

Quelques mois après le début de la saison, mes parents et moi avons ainsi été contactés par des représentants de l'Université du Vermont, l'Université Clarkson, l'Université du Michigan, l'Université Michigan State, l'Université Northeastern, l'Université Brown, Boston College, l'Université de Boston, l'Université Ohio State, l'Université Saint Lawrence, l'Institut Polytechnique Rensselaer (RPI), l'Université Cornell et nulle autre que… Harvard.

Après avoir été ignoré par toutes les équipes de la LHJMQ, cette attention était extrêmement flatteuse. Mes parents n'étant pas familiers avec le système de sports-études universitaire américain, chacune de ces offres ou de ces marques d'intérêt provoquait son lot de questions et nécessitait des recherches. Nous avons alors commencé à aller visiter certaines de ces universités, et j'ai eu le coup de foudre pour Harvard.

« Je me souviens très bien de cette période, raconte Guylaine Brière. À la maison, lorsqu'ils discutaient entre eux, nos parents soupesaient constamment l'option des universités américaines par rapport à celle de la LHJMQ. Ils tentaient aussi de départager les différents avantages (encadrement, bourse d'études, etc.) et inconvénients (distance de Gatineau, etc.) que présentait chaque université. Tous ces enjeux étaient très importants pour la famille.

« Le discours de nos parents était toutefois très constant. Après ce qui s'était passé lors du repêchage de l'été 1993, il était clair pour eux que mon frère n'allait pas faire carrière dans la LNH. Et ils lui répétaient constamment : "Daniel, tes études, c'est ça qui est le plus important. C'est correct de jouer au hockey, tu es bon, mais ce sont tes études qui sont la priorité." »

C'est dans cet esprit que nos discussions avec la prestigieuse Université Harvard se sont approfondies. Par contre, je ne parlais pas anglais et cette barrière me faisait peur. En plus, je n'étais qu'en secondaire 4 durant la saison 1993-1994. Pour faciliter mon adaptation et me laisser suffisamment de temps pour compléter mes études secondaires, les représentants de Harvard proposaient de me faire fréquenter une école préparatoire (*prep school*) pendant 12 mois avant d'entrer à l'université.

L'idée de poursuivre des études supérieures tout en jouant au hockey me plaisait de plus en plus.

Parallèlement à ces démarches, les recruteurs de la LHJMQ changeaient leur fusil d'épaule à mon égard. Dans l'uniforme de l'Intrépide, j'ai notamment marqué 7 buts gagnants, réussi 5 tours du chapeau ainsi qu'un match de 7 buts et 1 passe, en plus de connaître une séquence de 13 matchs consécutifs avec au moins un but. Plus le temps passait, plus les observateurs se demandaient comment les 13 équipes de la LHJMQ avaient pu m'ignorer au repêchage la saison précédente.

Par ailleurs, à compter de la saison 1994-1995, une nouvelle expansion allait permettre à une quatorzième organisation, celle des Mooseheads de Halifax, de se greffer à la LHJMQ. C'était la première fois qu'une équipe des Provinces maritimes était admise au sein du circuit junior majeur québécois. En raison des distances à parcourir et des frais à encourir pour aller jouer dans cette région, l'arrivée des Mooseheads ne faisait pas l'unanimité au sein du bureau des gouverneurs de la ligue. Et elle a suscité de vives réactions au sein de ma famille.

Quand les recruteurs d'Halifax ont commencé à déclarer publiquement leur intention de me sélectionner au tout premier rang du repêchage de 1994, mes parents ont fait une croix sur la LHJMQ. Ils avaient jusque-là entretenu de vagues espoirs que je puisse être repêché par les Olympiques de Gatineau ou le Titan de Laval, ce qui m'aurait permis de rester à distance raisonnable de la maison. Mais comme Halifax détenait le premier choix au repêchage, ces scénarios ne tenaient plus.

« Quand notre mère a appris qu'Halifax s'intéressait à Daniel, se souvient Guylaine, son côté mère poule a pris le dessus. Elle a tout de suite statué qu'il n'était pas question qu'il reparte vivre au loin. S'il devait absolument partir, elle voulait que ce soit pour étudier. »

La vie est toutefois pleine de surprises. En décembre 1993, un événement inattendu a forcé notre famille à remettre en question les démarches entreprises auprès de Harvard et de quelques autres universités.

Mon père a reçu un coup de fil des dirigeants du Titan de Laval, qui souhaitaient nous rencontrer pour discuter d'avenir. Un rendez-vous a alors été fixé dans un chic restaurant du centre-ville d'Ottawa. Quand nous nous sommes présentés à ce rendez-vous, le directeur général et copropriétaire du Titan, Jean-Claude Morissette, était présent avec son recruteur en chef, Richard Lafrenière.

« Nous convoitions énormément Daniel Brière, raconte Lafrenière. Nous étions passés à un cheveu de le réclamer au repêchage de 1993 mais, comme les autres, nous avions finalement passé notre tour. Le style de jeu de Daniel s'apparentait à celui de notre attaquant Yanick Dubé, qui en était à sa dernière saison dans les rangs junior et qui dominait le classement des marqueurs de la LHJMQ.

« Outre Yanick Dubé, l'histoire du hockey junior à Laval avait été marquée par plusieurs talentueux centres de petit gabarit comme Michel Mongeau (chez les Voisins de Laval) et Denis Chalifoux (avec le Titan), qui s'étaient nettement démarqués grâce à leur vitesse et leurs grandes habiletés. Brière correspondait parfaitement à cette description. »

Le Titan de Laval était à cette époque une puissance de la LHJMQ. Sous la gouverne des légendaires frères Morrissette, cette organisation avait remporté trois des cinq derniers championnats de la ligue. Leur équipe évoluait dans le vieux Colisée de Laval, qui avait été baptisé *The House of Pain*. Les joueurs talentueux de cette équipe pouvaient s'exprimer à loisir parce qu'ils étaient constamment protégés par quelques-uns des joueurs les plus durs du hockey junior majeur canadien, notamment Gino Odjick et Sandy McCarthy.

Lorsque nous avons rencontré les dirigeants du Titan en décembre 1993, leur club était encore dans le haut du classement. Jean-Claude Morrissette et Richard Lafrenière étaient parfaitement conscients que leur rang de repêchage n'allait pas leur permettre de me sélectionner au repêchage. Ils nous ont donc fait part de leur plan…

«Nous leur avons expliqué que nous allions peut-être parvenir à choisir Daniel, raconte Lafrenière. Mais pour qu'il reste disponible jusqu'à notre rang de sélection, il fallait que la famille dissuade les autres équipes de s'intéresser à lui en claironnant haut et fort qu'il allait poursuivre ses études aux États-Unis. Aucune équipe ne souhaitait gaspiller un choix de première ronde en misant sur un joueur susceptible de s'expatrier.

«C'était une pratique courante à l'époque, et d'ailleurs, elle l'est encore de nos jours. Nous avions déjà utilisé cette tactique pour obtenir plusieurs autres joueurs de talent. Pour que la démarche soit crédible, il fallait aussi que le joueur convoité affiche son désintérêt envers la LHJMQ jusqu'à la toute dernière minute, en évitant même de se présenter à la séance de repêchage.»

Après m'avoir sélectionné au repêchage (advenant que leur audacieux plan se réalise), les représentants du Titan s'engageaient à me verser une bourse d'études au terme de mon stage junior. Cette bourse allait m'être versée dans l'éventualité où je ne parviendrais pas à jouer dans les rangs professionnels.

Il était difficile de ne pas être tenté par une telle offre ! Mes parents n'étaient pas du genre à mentir pour arriver à leurs fins. Mais justement, l'offre du Titan de Laval ne les obligeait pas à le faire puisque nous avions déjà entrepris des démarches sérieuses du côté américain. Rien ne garantissait que le plan de Jean-Claude Morrissette et Richard Lafrenière allait se réaliser. Mais si jamais c'était le cas, j'allais simplement disposer d'une autre très intéressante option pour poursuivre mon cheminement dans le monde du hockey.

La saison de l'Intrépide a suivi son cours et elle s'est avérée magique à tous les points de vue.

En février 1994, à la surprise générale, nous avons bouclé le calendrier au premier rang de la division Ouest avec une fiche de 30 victoires, 11 défaites et 3 revers en prolongation. Au point de vue individuel, j'ai complété ma dernière saison dans les rangs midget AAA avec 56 buts et 103 points, participant ainsi à presque la moitié des 207 buts de notre équipe.

L'expérience de notre groupe de vétérans s'est avérée très précieuse au cours des séries éliminatoires. Après nous être débarrassés de tous les rivaux de notre division, nous nous sommes retrouvés en grande finale contre les Cantonniers de Magog. Il s'agissait d'une série extrêmement relevée. Les Cantonniers possédaient une attaque aussi dévastatrice que la nôtre, et la défensive des deux formations s'équivalait.

Nous avons finalement remporté le titre, qui s'est d'ailleurs avéré être le seul championnat de l'histoire de l'Intrépide. Cette conquête nous a directement propulsés sur la scène nationale puisqu'elle nous donnait le privilège de représenter le Québec au tournoi de la Coupe Air Canada (le Championnat canadien). Cette prestigieuse compétition était disputée à Brandon, au Manitoba.

Nous y avons fait bonne figure, compte tenu du fait que les équipes des autres régions canadiennes alignaient des joueurs de 17 ans alors que nous n'en comptions aucun. Nous nous sommes finalement inclinés en demi-finale (au compte de 3 à 1) contre les éventuels champions nationaux, les Pats Canadians de Regina. Tous les gars de l'équipe étaient profondément déçus de n'avoir pu rapporter le titre national à Gatineau. Nous y avions tellement cru ! Mais tout de même, nous avons fait preuve de caractère et nous nous sommes ressaisis à temps pour le match de la « petite finale » : une victoire de 5 à 1 contre Sudbury nous a valu la médaille de bronze.

À l'occasion des cérémonies de clôture de la Coupe Air Canada, on a souligné que j'avais décroché le titre de meilleur marqueur du tournoi. Ce haut fait d'arme rivait une fois pour toutes le dernier clou à ceux qui m'avaient ignoré au repêchage quelque onze mois auparavant.

La saison de rêve de l'Intrépide de Gatineau m'a enseigné à quel point les choses peuvent rapidement changer dans le monde du hockey. En l'espace de douze mois, j'étais passé d'une équipe ayant remporté seulement six victoires à une formation aspirant au titre national. Et au lieu de me demander si j'allais être choisi au repêchage, j'étais désormais en contrôle (ou presque) de mon destin.

Le temps était enfin venu de me concentrer sur l'avenir.

Durant les derniers mois de la saison, mes parents et moi nous en étions prudemment tenus à notre plan initial. Je me préparais à faire le saut du côté américain et nous étions en train de finaliser nos démarches avec Harvard. C'est d'ailleurs le message que nous avions systématiquement transmis aux équipes de la LHJMQ. En plus, j'avais été honoré à titre de joueur-étudiant par excellence de la Ligue midget AAA lors du gala de fin d'année. Ce titre avait probablement refroidi certaines équipes de la LHJMQ, qui avaient cru à un bluff lorsque nous avions insisté sur l'importance des études.

Cela dit, même si la décision d'aller étudier aux États-Unis était prise, je dois avouer que cette perspective m'angoissait de plus en plus.

Ne maîtrisant pas l'anglais, je ne voyais pas comment j'allais éventuellement parvenir à maintenir les standards d'excellence de l'une des universités les plus réputées au monde. Lorsque je regarde en arrière, je me dis que je serais sans doute parvenu à passer au travers. Mais dans ma tête d'adolescent francophone de 16 ans, c'était un peu comme si l'Everest se dressait devant moi.

Secrètement, la peur de l'inconnu me faisait souhaiter que le plan échafaudé par le Titan de Laval se réalise. Et puis un beau jour, j'ai appris que le directeur général et recruteur en chef des Voltigeurs de Drummondville, Charles Marier, remuait ciel et terre pour s'assurer de ne jamais me voir porter le chandail de Laval.

« Quand nous avons su qu'une délégation des Voltigeurs s'était rendue à Gatineau pour rencontrer la famille Brière, se souvient Richard Lafrenière, nous nous sommes dit que notre plan allait probablement tomber à l'eau. »

Originaire de Québec, Charles Marier venait à peine d'être nommé directeur général des Voltigeurs, mais il avait une vaste expérience en matière de recrutement. Il avait vu neiger et il se doutait fortement des démarches entreprises par le Titan. Comme Drummondville détenait le sixième rang au repêchage (alors que Laval possédait le treizième), Marier trouvait inconcevable de se tasser pour laisser le Titan me cueillir à la toute fin de la première ronde. Contrairement aux autres directeurs généraux de la ligue, il était prêt à risquer son premier choix pour me sélectionner.

« Dans les semaines précédant le repêchage, se souvient Charles Marier, nous nous sommes rendus à Gatineau trois ou quatre fois pour rencontrer Daniel et son père.

« Nous discutions surtout avec le père, tandis que Daniel écoutait attentivement. On voyait tout de suite que monsieur Brière était quelqu'un de bien. Nos échanges étaient cordiaux, mais ils se terminaient toujours de la même façon. Il nous disait : "Si vous repêchez mon fils, soyez conscients que ce n'est pas certain qu'il ira jouer chez vous." Et lorsqu'on questionnait Daniel, il répondait exactement la même chose. Mais au lieu d'être découragé, je me disais que les Brière ne fermaient pas complètement la porte. »

Le repêchage de 1994 avait lieu le samedi 4 juin à Chicoutimi. Quarante-huit heures avant la séance, les Voltigeurs ne savaient toujours pas sur quel joueur miser.

Blair Mackasey, un anglophone de l'ouest de Montréal, venait tout juste d'être nommé entraîneur en chef des Voltigeurs. Il assistait aux dernières réunions préparatoires du groupe de dépisteurs et il se souvient des vifs échanges me concernant.

« Je n'avais pas vu jouer les espoirs midget durant la saison et je ne pouvais me prononcer, raconte-t-il. Mais autour de la table, ça parlait sans cesse de Daniel Brière. Certains recruteurs disaient : "Brière est talentueux mais il n'est pas bien gros... En plus, on va perdre notre premier choix s'il décide de partir aux États-Unis." De son côté, Charles ne cessait de pousser pour qu'on le sélectionne. Il disait : "Brière est un joueur de concession. On va le prendre et on négociera après." »

Charles Marier a fini par convaincre les propriétaires des Voltigeurs que le risque en valait la chandelle. Le jeudi 2 juin, ils ont décidé que j'allais être leur choix. Le président du conseil d'administration de l'équipe, Roland Janelle, a alors été mandaté pour négocier avec mes parents.

Le 4 juin, quand le moment de vérité est arrivé, Charles Marier s'est emparé du micro et a confirmé ma sélection.

« Je n'étais pas nerveux parce que j'étais appuyé par les propriétaires des Voltigeurs, raconte l'ancien DG drummondvillois. En même temps, c'était bizarre. Les Voltigeurs dévoilaient un tout nouveau chandail cette journée-là, et nous n'avions personne pour le porter. »

Par souci de cohérence, notre famille n'était pas à Chicoutimi le jour du repêchage. Nous avons plutôt passé la fin de semaine au Château Montebello. Et ce n'est qu'en fin de journée, après avoir disputé une ronde de golf, que j'ai appris que les Voltigeurs m'avaient réclamé. Mais ça ne changeait pas grand-chose pour mes parents, qui semblaient tenir pour acquis que j'allais poursuivre mes études aux États-Unis. Les discussions avec Harvard se sont d'ailleurs poursuivies dans la semaine suivant le repêchage de la LHJMQ.

Pressé de négocier, le président Janelle a tenté de contacter mes parents durant le week-end. Mais comme nous nous trouvions à Montebello, il lui a fallu attendre au début de la semaine avant qu'on réponde à l'un de ses coups de fil. Monsieur Janelle et Charles Marier sont ensuite revenus nous rencontrer à Gatineau, et c'est à ce moment que les discussions sérieuses ont commencé.

Les études constituaient toujours ma priorité, et les Voltigeurs présentaient des arguments intéressants à cet égard. La situation géographique de Drummondville faisait en sorte que les voyages de cette équipe étaient la plupart du temps très courts et favorisaient l'assiduité en classe. Charles Marier étant lui-même un enseignant, il a clairement expliqué les moyens qu'allait prendre l'organisation pour m'aider à exceller en classe. Je le trouvais convaincant.

« Lorsqu'on repense à cette saga, explique Guylaine Brière, on se dit que les gens ne peuvent imaginer à quel point les jeux de coulisses influencent le monde du hockey junior. Alors que des équipes comme Laval et Drummondville faisaient des pieds et des mains pour acquérir Daniel, les préoccupations de notre famille se résumaient à l'importance de ses études et à ce qu'il ne soit pas à plus de deux heures de route de la maison !

« Après leur première visite, les dirigeants des Voltigeurs nous ont invités à Drummondville. Et quand notre mère a constaté que le trajet se faisait bien, sa position s'est adoucie. »

Plus les discussions progressaient, plus je me revoyais, enfant, assis dans les gradins du vieil aréna Robert-Guertin en train de regarder des matchs des Olympiques de Hull. J'avais assisté à de nombreux matchs de la LHJMQ et j'avais toujours rêvé d'y jouer. Maintenant qu'on m'offrait enfin la chance d'y faire mes preuves, ça me semblait de plus en plus incohérent de partir à l'étranger.

« Il a fallu trois semaines de négociations avant de conclure l'affaire. Ça s'est réglé autour de la Saint-Jean-Baptiste. La décision de sélectionner Daniel a probablement été la meilleure de toute ma carrière ! », déclare fièrement Charles Marier.

À la mi-août, toute la famille m'a accompagné à Drummondville à l'occasion de la première journée du camp d'entraînement. Dès notre arrivée sur place, quelques centaines de mètres après avoir quitté l'autoroute 20, nous nous sommes arrêtés dans un petit restaurant familial. Pendant que nous nous dirigions vers notre table, mon père s'est emparé d'une copie du journal local. La une de la première page se lisait comme suit : *BRIÈRE AURA DE GRANDS SOULIERS À CHAUSSER*.

Bienvenue dans la LHJMQ ! En lisant l'article je me suis rendu compte que, sans le savoir, j'avais commis une sorte d'impair au cours de l'été.

Peu après la conclusion de notre entente avec les Voltigeurs, un employé de l'équipe avait téléphoné à la maison pour me demander quel numéro j'avais l'intention de porter.

— J'aimerais avoir le 14.

Il y avait alors eu un silence au bout du fil.

— Donne-moi quelques heures pour vérifier et je te rappelle, avait finalement répondu mon interlocuteur.

Je n'avais pas compris ce qui venait de se passer. Mais toujours est-il qu'on m'avait rappelé un peu plus tard pour confirmer que j'allais effectivement pouvoir arborer le numéro 14.

À la lecture du journal, j'ai compris que le numéro 14 avait appartenu à nul autre que Ian Laperrière, qui venait tout juste de compléter un époustouflant stage de quatre ans à Drummondville. Auteur de 132 buts et 378 points en 257 matchs, Laperrière avait en plus amassé 615 minutes de punition durant cette période... Bref, il était une légende aux yeux des partisans de l'équipe. L'auteur de l'article me trouvait donc un peu effronté d'avoir demandé à porter ce numéro quelques semaines après son départ !

Je me sentais mal. Je n'avais voulu manquer de respect à personne. Et je me demandais s'il n'était pas préférable de demander aux dirigeants de l'équipe de me donner n'importe quel autre numéro.

D'autant plus que je n'étais pas particulièrement attaché au numéro 14. Je l'avais demandé aux Voltigeurs pour faire un clin d'œil à l'un de mes amis, Robert Frenette, qui venait de terminer sa carrière junior. Sinon, le seul attachement que je pouvais avoir pour ce numéro, c'est que j'avais toujours été un fervent admirateur de Mario Tremblay.

Toujours est-il que je me suis présenté au Centre Marcel-Dionne une heure plus tard. Le camp s'est mis en branle, et cette soi-disant controverse concernant mon numéro s'est aussitôt évaporée.

Le temps a finalement bien fait les choses. Les numéros des joueurs qui ont le plus marqué l'histoire des Voltigeurs de Drummondville ont été retirés et sont à jamais accrochés dans les hauteurs du Centre Marcel-Dionne. Et au sein de ce groupe sélect, les amateurs s'étonnent souvent de constater qu'on retrouve deux numéros 14.

Quand Blair Mackasey m'a croisé pour la première fois dans le vestiaire, il est presque tombé à la renverse.

« Daniel ne faisait pas tout à fait 5 pieds 7 pouces et il pesait 141 livres. Il avait l'air d'un enfant d'âge bantam. Étant donné tous les efforts qui avaient été faits pour l'obtenir, nous l'avons placé dans des situations favorables durant tout le camp d'entraînement. Et quand les matchs préparatoires ont pris fin, je me suis dit : "Brière va être correct. Il sera un bon joueur à 19 ans et il sera peut-être même l'un des très bons joueurs de la ligue lorsqu'il aura 20 ans." Honnêtement, il était très ordinaire. Je ne le voyais pas comme un joueur dominant à 17 ans. Il essayait de trouver son rythme et il avait de la difficulté à composer avec l'aspect physique du hockey junior.

« Quelques jours plus tard, la saison a commencé et la *switch* s'est mise à *on* tout d'un coup ! Daniel a récolté au moins un point (24 buts et 21 aides) lors des 24 premiers matchs de la saison et il a bouclé le calendrier avec 51 buts et 123 points. Je n'avais jamais vu une chose pareille de toute ma vie ! »

Franchement, je ne me souviens pas du genre de camp que j'avais connu, mais je n'avais pas ressenti de « choc culturel » en arrivant au sein de ma nouvelle équipe. Par contre, je me rappelle que les choses avaient tout de suite « cliqué » entre les vétérans et moi, et que je m'étais senti à l'aise dès mon arrivée. Plusieurs de ces vétérans m'ont pris sous leur aile, dont le capitaine Paolo Derubertis et ses assistants, Martin Latulippe et Denis Gauthier.

Dès le début, Blair Mackasey a aussi inséré un attaquant de 20 ans, Stéphane St-Amour, au sein de mon trio. Nous avons passé toute la saison ensemble. Stéphane traînait une réputation de joueur un peu rebelle. Pourtant, il s'est montré très généreux à mon endroit. Il est en quelque sorte devenu mon grand frère. Une belle chimie existait entre nous sur la patinoire et il a tout fait pour faciliter mon adaptation au niveau junior majeur. Il s'assurait aussi que personne ne prenne avantage de mon statut de recrue, tant sur la patinoire que dans notre propre vestiaire.

Le sentiment d'inclusion que je ressentais chez les Voltigeurs s'est confirmé dès l'un des premiers matchs de la saison 1994-1995. J'étais en train de célébrer après avoir inscrit un but lorsqu'un joueur adverse est sournoisement venu me frapper. En une fraction de seconde, le banc de mon équipe s'est pratiquement vidé et un grand nombre de mes coéquipiers se sont battus ! Je regardais cette scène et je n'en revenais pas ! Dès le départ, j'ai clairement su que les gars allaient toujours être là pour me soutenir.

« Lorsqu'ils analysaient le jeu de Daniel, la plupart des gens parlaient de ses habiletés et de sa vitesse, explique Blair Mackasey, qui est aujourd'hui directeur du personnel des joueurs du Wild du Minnesota. À mes yeux, c'était sa grande compétitivité qui faisait la différence. Il n'était pas un adolescent comme les autres. Il possédait une force intérieure difficile à expliquer. Il avait toujours vécu entouré de gens qui lui prédisaient l'échec, et c'était comme si sa carapace s'était forgée en termes de fierté et de compétitivité.

« Je me souviens que durant le calendrier préparatoire, je le faisais jouer avec Paolo Derubertis, qui n'était pas un poids lourd mais qui était un dur. Derubertis n'avait pas les habiletés pour jouer avec Daniel, mais je voulais qu'il le protège. Daniel est ensuite venu me voir, très poliment, pour me demander s'il était possible d'oublier la protection et de l'entourer de joueurs offensifs. Il avait raison ! J'ai ensuite modifié son trio et il a connu énormément de succès. »

De ma saison recrue à Drummondville, je me souviens d'un match particulièrement déterminant.

On se rappellera que les activités de la LNH étaient paralysées par un lock-out à l'automne 1994. Pour garder la forme, les joueurs de la LNH âgés de 18 ou 19 ans étaient donc forcés de retourner jouer pour leur équipe junior majeur puisqu'ils étaient trop jeunes pour être admis dans la Ligue américaine. Au Québec, cette situation faisait le délice des amateurs puisque, après avoir passé une saison complète dans la LNH, Alexandre Daigle (Victoriaville) et Jocelyn Thibault (Sherbrooke) réintégraient les rangs de la LHJMQ.

Daigle avait été sélectionné par les Sénateurs d'Ottawa au tout premier rang du repêchage de 1993. Les Nordiques de Québec avaient quant à eux choisi le gardien Jocelyn Thibault au 10e rang lors de ce même repêchage.

Le 1er novembre, les Tigres de Victoriaville étaient de passage au Centre Marcel-Dionne. Et le réseau TSN a décidé de télédiffuser cette rencontre d'un océan à l'autre. Daigle s'apprêtait à disputer son quatrième match avec les Tigres, et les dirigeants de TSN trouvaient intéressant de présenter cet affrontement entre un tout premier choix de la LNH et une recrue connaissant un départ canon au hockey junior majeur (en l'occurrence, moi).

C'était une grosse affaire !

Quand je me suis présenté à l'aréna pour cette rencontre hautement médiatisée, j'étais plutôt anxieux. Et je le suis devenu encore plus lorsqu'on m'a annoncé que j'allais être interviewé à la télévision après la première période. Moi qui étais incapable de supporter la pression d'une présentation orale à l'école, on me demandait de parler en anglais à la télé !

Je ne pensais qu'à cette damnée entrevue. Incapable de me concentrer pour le match, j'ai demandé à ce qu'on me soumette au moins les questions par écrit pour limiter les cafouillages. Ça n'a toutefois rien donné. Chaque fois que je rentrais au banc durant la première période, je regardais le temps s'écouler au tableau indicateur et je redoutais le moment où j'allais me retrouver devant la caméra. J'avais bien plus peur de TSN que d'Alexandre Daigle !

Heureusement, le match s'est très bien déroulé. L'entrevue aussi.

Nous avons vaincu les Tigres au compte de 6 à 3. Daigle a participé aux trois buts de son équipe, récoltant deux buts et une aide. Sa performance lui a valu la troisième étoile de la rencontre.

Notre trio s'est particulièrement bien comporté ce soir-là. J'ai ouvert la marque après seulement 67 secondes de jeu, ce qui a eu pour effet de me mettre en confiance. Et avec la complicité de Stéphane

St-Amour, j'ai bouclé la soirée avec le premier tour du chapeau de ma carrière junior. Stéphane a pour sa part récolté un but et deux passes, ce qui nous a valu les deux premières étoiles.

Pour moi, ce match s'est avéré un important jalon. Il m'a clairement fait réaliser que je pouvais rivaliser avec les meilleurs et que, désormais, je ne devais avoir peur de personne.

Mon passage dans l'uniforme des Voltigeurs s'est avéré extrêmement enrichissant sur le plan sportif, et encore davantage au niveau des relations humaines. Mes trois saisons passées dans cette ville m'ont permis de connaître des personnes extraordinaires qui font, depuis, partie de ma vie.

Lorsque je suis arrivé chez les Voltigeurs, j'ai été accueilli en pension par Jean et Manon Voyer, qui m'ont immédiatement traité comme l'un de leurs propres enfants.

Jean et Manon avaient un fils d'une dizaine d'années, Serge, ainsi que deux filles, Caroline et Sophie, qui avaient à peine trois ou quatre ans. Ils formaient une très belle famille.

Serge traversait une espèce de crise de pré-adolescence. Il donnait un peu de fil à retordre à ses parents quand je suis arrivé dans la famille. Mais lui et moi entretenions tout de même une relation empreinte de respect. Quant à Caroline et Sophie, elles m'ont rapidement adopté. En fait, nous nous sommes rapidement adoptés, et elles sont devenues mes deuxième et troisième petites sœurs.

Manon était à l'emploi d'une banque, tandis que Jean occupait un poste de cadre chez Hydro-Québec. Il semblait avoir des responsabilités assez importantes. À ma deuxième saison, il avait quitté la maison pendant trois ou quatre mois pour participer à l'installation d'un réseau électrique en Afrique.

La famille Voyer vivait tout près de la polyvalente Marie-Rivier, ce qui était très pratique durant mon année recrue puisque je n'étais encore qu'en secondaire 5.

Je n'ai pas tardé à me rendre compte que j'étais privilégié de vivre sous leur toit. Manon et Jean étaient des bons vivants, et tous les gars de mon équipe adoraient venir chez eux pour jouer une partie de cartes. La porte de leur maison était toujours ouverte et, à leurs yeux, il n'y avait jamais de mauvais moment pour célébrer. Pour eux, il n'y avait aucune différence entre un lundi, un mardi ou un samedi soir! Moi qui provenais d'une famille beaucoup plus tranquille, je les regardais mordre dans la vie avec fascination… et je suivais parfois la parade.

Toutes ces années plus tard, les Voyer occupent toujours une place privilégiée dans mon cœur. Et nous restons toujours en contact. Quand j'ai été admis au panthéon de la LHJMQ en avril 2016, les Voyer faisaient partie de mes invités au même titre que les membres de ma véritable famille. Étant donné le rôle important qu'ils ont joué lors de mon passage chez les Voltigeurs, il était important pour moi qu'ils soient présents.

Le soir de mon entrée au Temple de la renommée du hockey junior majeur québécois, je tenais aussi à ce qu'André Ruel et sa femme, France, soient à mes côtés.

Ma deuxième saison chez les Voltigeurs (1995-1996) a été celle où je suis devenu éligible au repêchage de la LNH. Elle coïncidait avec l'embauche d'André Ruel à titre d'entraîneur adjoint. Rapidement, j'ai été en mesure de constater qu'André n'était pas issu du même moule que la plupart des autres entraîneurs. Il est l'un des cerveaux les plus innovateurs qu'il m'ait été donné de rencontrer dans le monde du hockey. Il m'a conseillé, soutenu et encouragé jusqu'à mon dernier match dans la LNH.

Dans la confrérie des entraîneurs de hockey du milieu des années 1990, les techniciens/tacticiens n'avaient pas vraiment la cote. Les dirigeants d'équipes préféraient embaucher des préfets de discipline ou des motivateurs dont les plans de match se dessinaient à gros traits. André Ruel, lui, s'intéressait surtout aux mille petits détails qui, lorsqu'on les additionne, finissent par complètement transformer l'allure d'un match.

Professeur d'éducation physique de formation, André Ruel avait à peu près tout fait dans le petit univers du hockey québécois. Il avait été le premier entraîneur-chef de l'histoire des Voltigeurs et avait fortement contribué aux succès des Bisons de Granby (dans un rôle d'adjoint) à la fin des années 1980. Il avait aussi, notamment, passé pas mal de temps en Russie afin de corédiger un livre sur le système de hockey de ce pays. Avec des hommes de hockey visionnaires comme Clément Jodoin, il avait aussi participé à la naissance de la Ligue de hockey collégiale AAA dans les années 1980.

« J'ai connu Daniel à sa saison recrue chez les Voltigeurs parce que j'enseignais l'éducation physique à l'école Marie-Rivier, raconte André Ruel. Tous les jeunes joueurs de l'équipe allaient compléter leur secondaire à cette école. Daniel était un adolescent assez tranquille. Il faisait sa petite affaire et il prenait ses études au sérieux. Sa vivacité d'esprit ne faisait aucun doute : il a remporté le titre de joueur-étudiant par excellence dans deux ligues. Tout le monde à Marie-Rivier était très fier lorsqu'il a remporté le titre de joueur-étudiant par excellence de la LHJMQ. »

Blair Mackasey était un entraîneur humain et sympathique. Je m'estimais chanceux d'être dirigé par lui. Il savait communiquer avec ses joueurs et il gérait son banc de main de maître durant les matchs. Blair, et c'est tout à son honneur, avait aussi l'ouverture d'esprit nécessaire pour exploiter les forces de son nouvel adjoint.

André Ruel s'occupait notamment de l'avantage numérique des Voltigeurs et de différents aspects stratégiques. Et il me faisait constamment travailler sur mes habiletés individuelles afin de maximiser mon rendement et faire en sorte que je sois repêché le plus tôt possible par une équipe de la LNH.

Notre unité d'avantage numérique a inscrit pas moins de 132 buts à sa première saison, soit plus que toutes les autres équipes de la ligue. Notre attaque à cinq produisait à un excellent rythme de 24,2 %. André s'arrangeait pour que je passe les deux minutes complètes sur la patinoire, me faisant constamment alterner entre la pointe et une position d'attaquant pour me laisser reprendre mon souffle.

« Lorsqu'il n'y avait pas suffisamment d'espace pour lui, nous nous arrangions pour que Daniel en crée pour notre défenseur Denis Gauthier, qui possédait un tir-canon, souligne André Ruel. Gauthier avait inscrit 10 buts en trois ans avant la campagne 1995-1996. Il en a marqué 25 cette année-là ! »

Je me souviens qu'en cette saison de repêchage, sans trop qu'on sache pourquoi, les recruteurs de plusieurs équipes de la LNH s'étaient mis à exprimer des doutes sur ma vitesse. Je n'en revenais pas.

« Je le sais que tu es rapide, m'avait dit André, je te vois aller dans les séances d'entraînement. Il y a sans doute des dépisteurs qui ne se rendent pas compte que ta force durant les matchs, c'est justement ta décélération. Tu accélères, tu décélères et tu crées de l'espace pour tes coéquipiers. Tu sèmes le doute chez les défenseurs et tu évites de nombreuses mises en échec. Ça ne te donnerait rien de patiner sans cesse à plein régime. »

Pour régler la question, il m'avait bien fait comprendre l'importance de mettre toute la gomme au concours de vitesse organisé à l'occasion d'un match regroupant les meilleurs espoirs du hockey junior majeur canadien, à Toronto.

« La veille du match des espoirs, se souvient André, Daniel a clairement terminé au premier rang lors des tests de vitesse. Bien des recruteurs se demandaient comment il avait pu réussir un tel chrono. Personne n'a remis en question son coup de patin par la suite. »

À ma deuxième saison dans la LHJMQ, les équipes adverses m'attendaient avec une brique et un fanal à chaque match. La plupart du temps, un trio défensif était spécifiquement chargé de surveiller le mien... ou de l'intimider.

J'avais marqué 15 buts au mois de septembre. Mais en octobre, l'étau s'était considérablement resserré. Je ne revendiquais qu'un but après huit matchs. Dès que je m'approchais de l'enclave, les défenseurs se jetaient sur moi avant même que j'aie eu le temps de maîtriser la rondelle et de repérer le filet. Avec un ou deux joueurs constamment sur le dos, j'avais moins de temps et d'espace pour agir. André, qui avait vu venir la tempête, avait déjà commencé à me préparer à faire face à cette nouvelle adversité.

Au milieu des années 1990, l'influence de Patrick Roy s'était répandue partout dans le monde du hockey et tous les gardiens étaient devenus des adeptes du style papillon. Pour les battre, il fallait être capable d'atteindre les coins supérieurs du filet à volonté.

«Tu n'as pas besoin de regarder le filet et de viser l'ouverture. Tu n'as qu'à savoir où se trouve le filet», me répétait sans cesse André.

Dans mon for intérieur, je me disais que c'était pas mal plus facile à dire qu'à faire! Mais André m'a enseigné à exploiter la géométrie de la zone offensive. Nous allions sur la patinoire tous les deux et il m'apprenait à m'orienter en identifiant des points de repère sur la surface glacée. Rapidement, les lectures de jeu sont devenues beaucoup plus faciles et mon jeu en a été transformé.

Dans certaines situations, je savais très précisément où se trouvait le filet sans même avoir à y jeter un coup d'œil. Par exemple, j'étais conscient que lorsque je me situais un pied à l'intérieur des «oreilles» (les petites lignes à l'extérieur des cercles de mise au jeu), il y avait une ligne de tir perpendiculaire me permettant, sans regarder, d'atteindre l'intérieur du poteau. Comme je détenais déjà cette précieuse information, je pouvais me concentrer sur le développement du jeu en périphérie. Je voyais d'avance les défenseurs adverses qui se précipitaient sur moi, et je repérais facilement mes coéquipiers qui se faufilaient dans l'angle mort du gardien. J'avais plus d'options et je contrôlais davantage le jeu.

André m'a aussi beaucoup aidé à améliorer la qualité de mes tirs. Il ne cherchait pas à me faire tirer plus fort ; il voulait simplement que je m'exécute plus rapidement, une chose primordiale à ses yeux. Il installait donc des poches minuscules dans les coins d'un filet, et il me servait ensuite des passes que je devais tirer sur réception tout en atteignant les cibles.

« À un certain moment, raconte André Ruel, je me suis mis à accroître le niveau de difficulté. Nous nous rendions à l'aréna très tôt le matin quand il n'y avait presque personne. Daniel se postait dans sa zone de tir et je lui plaçais un bandeau sur les yeux. Je lui servais des passes sur la palette et je lui disais en même temps quelle cible il devait atteindre. »

Chaque fois que je tirais, André me disait si j'avais visé juste ou non. Et incroyablement, de fil en aiguille, je me suis mis à pouvoir atteindre chacune des poches, presque à volonté, sans rien voir ! Je suis convaincu que ces exercices m'ont permis de raffiner mon instinct de marqueur, de devenir plus rapide et de développer davantage mes quatre autres sens.

Le 25 octobre, ma disette a pris fin avec un tour du chapeau contre Granby. Et j'ai inscrit cinq buts lors du match suivant face à Sherbrooke. Il n'y a pas eu d'autre période creuse par la suite.

Au bout du compte, les faits ont parlé d'eux-mêmes : en étant nettement plus surveillé que la saison précédente, j'ai tout de même amassé 163 points (dont 67 buts) en 67 matchs.

Il m'est arrivé souvent de faire les manchettes durant cette saison 1995-1996. Pour moi, le refrain était connu, et même usé à la corde :

un peu tout le monde se prononçait sur mes chances d'être sélectionné en première ronde au repêchage de la LNH malgré ma petite taille.

Il m'est cependant arrivé de craindre de voir apparaître mon nom dans les journaux de Drummondville pour de mauvaises raisons.

Manon et Jean Voyer, le couple qui m'accueillait en pension, avaient des amis, Sophie et Normand, qui étaient eux aussi de très bons vivants. Les deux familles habitaient le même quartier et elles se fréquentaient assidûment.

Normand était un indomptable joueur de tours. Rien ne l'arrêtait ! Quand Manon et Jean s'étaient mariés à l'été 1995, Normand était parvenu à s'emparer d'une clé de la chambre nuptiale de l'hôtel et, pendant que les mariés et leurs invités festoyaient dans une salle de réception, il avait rendu la pièce totalement inhabitable. J'étais présent durant son méfait, mais je préfère ne pas élaborer sur mon rôle dans cette affaire...

Normand s'en était donné à cœur joie ! Il avait tendu une pellicule plastique invisible au-dessus de la cuvette des toilettes et retiré toutes les ampoules censées éclairer la chambre. Il avait aussi versé un plein seau de glaçons au milieu du lit et il avait répandu le contenu d'une grosse boîte de Rice Krispies par-dessus avant de replacer soigneusement les draps, sans que rien n'y paraisse. Et puisque les mariés étaient censés partir en voyage de noces à la première heure le lendemain matin, Normand était sorti dans le stationnement et avait démonté les quatre pneus de leur voiture... avant de verser une bonne quantité de poudre d'ail dans les conduits de ventilation !

Manon et Jean, qui connaissaient bien le moineau, l'avaient trouvé bien bonne. Et je suis certain qu'ils ont éventuellement remis à Normand la monnaie de sa pièce, et avec intérêts...

C'est dans cet esprit que, par un bel après-midi de l'automne 1995, mon coéquipier Mario Dumais et moi avons décidé de faire une farce à Sophie et Normand. Mario et moi avions déjà été coéquipiers à Gatineau. Il venait d'arriver chez les Voltigeurs après avoir amorcé sa carrière junior à Victoriaville.

Nous tournions un peu en rond cette journée-là. Il n'y avait rien à faire. Alors que nous passions près de la maison de Sophie et Normand, Mario a suggéré que l'on enrubanne les poignées de porte de leur maison, histoire de leur donner un peu de fil à retordre à leur retour du travail. Nous avions dans la voiture quatre ou cinq grosses rondelles de ruban gommé, dont nous nous servions normalement pour enrubanner nos bâtons et nos jambières. Nous nous sommes dit : « Pourquoi pas ? » Et comme deux beaux innocents, nous sommes passés de la parole aux actes.

Nous nous sommes tellement dévoués à la tâche que, lorsque nous sommes repartis, la maison semblait presque emprisonnée au milieu d'une toile d'araignée ! La scène était vraiment comique. Et pour laisser savoir à Sophie et Normand que nous étions les artisans de leur malheur, nous avons signé en grosses lettres sur la porte d'entrée, avec du ruban noir : *Boomer and Doomer*. Nous nous disions qu'ils allaient tout de suite faire le lien avec Brière et Dumais.

Mario et moi nous sommes ensuite séparés, rentrant chacun chez notre famille de pension respective.

Sophie et Normand travaillaient comme distributeurs dans l'industrie de la viande. Professionnellement, ils traversaient à ce moment-là une période pénible, éprouvant des difficultés avec certains de leurs fournisseurs. Il semble que ça jouait vraiment dur, à un point tel que quelques-uns d'entre eux les avaient clairement menacés.

Au début de la soirée, j'avais presque oublié ce que Mario Dumais et moi avions fait durant l'après-midi. Je me reposais au sous-sol chez les Voyer et, quand je suis monté à la cuisine, j'y ai trouvé Manon et Sophie. Cette dernière tremblait comme une feuille et ne cessait de sangloter. Manon essayait tant bien que mal de la réconforter.

— Qu'est-ce qui se passe ? leur ai-je demandé.

— Des gens sont venus attaquer notre maison ! a répondu Sophie, les yeux rougis. Je ne sais pas s'ils ont placé une bombe. Je ne comprends pas ! Il y a du *tape* partout ! J'ai peur d'ouvrir la porte !

— Ah.

Pris de panique, j'ai aussitôt tourné les talons et je suis allé m'asseoir dans l'escalier menant au sous-sol pour réfléchir.

Comment allais-je faire pour me sortir de ce pétrin ? Je me disais : .« Si je ne dis rien, ils vont finir par découvrir que c'était nous autres et on aura l'air de deux épais. » Penaud, je suis donc remonté à la cuisine.

— Sophie, il faut que je t'avoue : c'est Mario et moi qui avons fait ça aujourd'hui. On voulait vous faire une blague...

— Quoi ?

— La maison recouverte de *tape,* les mots *Boomer and Doomer* sur la porte, c'était nous...

À ma grande surprise, Sophie ne s'est pas fâchée. Au contraire, j'avais l'impression de lui avoir enlevé une tonne de briques des épaules.

— T'es pas sérieux ! Merci de me l'avoir dit ! a-t-elle lancé.

Croyant l'affaire réglée, je m'apprêtais à retourner au sous-sol lorsque Sophie m'a fait réaliser que mon cauchemar ne faisait que commencer.

— Daniel, il faut prévenir Normand et Jean ! Ils sont à la maison avec les policiers. Je pense qu'ils viennent d'appeler les artificiers de la Sûreté du Québec pour faire une inspection. Prends ta voiture et va leur dire !

Là, j'étais vraiment dans le trouble. Comment la situation avait-elle pu dégénérer de la sorte ? Comment allais-je pouvoir expliquer ça à la police ?

La mort dans l'âme, je me suis dirigé vers les lieux du crime. Quand je suis arrivé à proximité de leur maison, la rue était bloquée. Il y avait huit ou neuf auto-patrouilles, tous gyrophares allumés. Des curieux s'étaient rassemblés pour voir ce qui se passait. Quand j'ai tenté de franchir le périmètre de sécurité, un policier m'en a empêché.

— J'ai quelque chose d'important... J'ai de l'information que je dois partager avec le propriétaire de la maison, ai-je plaidé.

Le policier m'a escorté jusqu'à Normand. Il était en train de discuter avec Jean Voyer et ils affichaient tous deux une mine déconfite. J'aurais voulu rentrer sous terre.

— Norm, je m'excuse. C'est Mario et moi... On est venus vous jouer un tour aujourd'hui. On n'est pas entrés dans la maison. On a juste mis du *tape* à l'extérieur...

— C'est vous autres qui avez fait ça ?

— Oui, je m'excuse, je me sens tellement mal, t'as pas idée...

Comme si je lui avais annoncé qu'il venait de remporter un million à la loterie, Normand s'est alors mis à sauter, à danser et à gesticuler dans la rue en criant aux policiers : « Arrêtez, c'est correct ! Tout est beau ! Allez-vous-en ! » Pour lui, la situation s'était instantanément transformée en une occasion de célébrer. Parce qu'il était lui-même un as des tours pendables, je me demandais même s'il n'appréciait pas le côté surréaliste de la situation.

Sa réaction m'a considérablement soulagé. Mais je restais quand même ébranlé. Je venais de commettre la plus grosse gaffe de ma vie. Et dire que pendant tout ce temps, Mario Dumais était chez lui et n'avait aucune idée de ce qui se passait ! Je lui en voulais un peu de ne pas avoir vécu ces longues minutes d'angoisse avec moi. Quelle histoire...

Quelques semaines plus tard, la direction des Voltigeurs a libéré Mario. Ça n'avait rien à voir avec les remous que nous avions causés en ville. Il s'agissait d'une simple décision sportive.

J'étais vraiment triste de la tournure des événements. Mario était mon meilleur chum au sein de l'équipe, et j'avais joué avec lui depuis mes débuts au hockey mineur dans l'Outaouais.

C'était un mardi soir gris et morose. J'avais l'impression que notre histoire prenait fin en queue de poisson. Mario devait quitter Drummondville dès le lendemain matin pour se rapporter à une équipe junior AAA.

Mes « parents adoptifs » sont alors intervenus.

— C'est notre dernière soirée avec Mario, alors on va en profiter et on va fêter ça! ont décrété Manon et Jean.

Jean est allé acheter une caisse de bière. Quelques joueurs de l'équipe sont venus nous rejoindre et nous avons finalement passé une superbe soirée.

On ne s'ennuyait jamais chez la famille Voyer.

Quand le mois de décembre 1995 a pris fin, j'avais 46 buts et 110 points à ma fiche. Pourtant, les recruteurs de la LNH semblaient encore divisés à mon sujet.

Peut-être avaient-ils raison de se poser des questions. La LNH vivait alors une période que les historiens du hockey ont baptisée «l'ère de la rondelle morte». L'accrochage faisait littéralement partie du jeu, il se marquait de moins en moins de buts et le style qu'on y pratiquait était beaucoup plus favorable aux joueurs dotés d'un gros gabarit.

Dans son bureau situé près du vestiaire des Voltigeurs, Blair Mackasey recevait toutefois de plus en plus souvent la visite des recruteurs des Jets de Winnipeg, dont la franchise était sur le point d'être transférée à Phoenix, en Arizona.

«Plusieurs équipes de la LNH faisaient leurs devoirs au sujet de Daniel, raconte Mackasey. Mais les recruteurs de Winnipeg/Phoenix déployaient plus d'efforts que les autres. Ils assistaient à presque tous nos matchs et descendaient ensuite à mon bureau pour poser des questions.

«L'un des deux recruteurs de Winnipeg qui assistait le plus souvent à nos matchs était Vaughn Karpan, un gars qui connaissait bien son affaire. C'était visiblement lui qui appréciait le plus les qualités de Daniel et qui poussait la note afin de pouvoir le sélectionner.»

Blair jouissait, et c'est toujours le cas, d'une réputation enviable dans le monde du hockey. Cette saison-là, il avait d'ailleurs été choisi comme entraîneur adjoint d'Équipe Canada Junior. Souvent, les entraîneurs dans le junior en beurrent plus que nécessaire lorsque les recruteurs de la LNH les questionnent sur leurs joueurs. Mais Blair ne jouait pas cette carte. Son avis était donc pris au sérieux.

« Je disais aux recruteurs que je croyais Brière capable de jouer dans la LNH. Mais il y avait quand même un risque. Dans ce temps-là, il était difficile de prédire comment un joueur de petite taille allait parvenir à se démarquer. Or la concession de Winnipeg/Phoenix pouvait plus que d'autres se permettre de parier sur lui parce qu'elle détenait deux choix de première ronde. C'était un pari moins risqué…

« J'aimais beaucoup Daniel en tant que hockeyeur et je disais aux recruteurs que j'aimais encore plus l'individu. Souvent, les joueurs qui discutent avec leur entraîneur cherchent surtout à améliorer leur propre sort. Les interventions de Daniel étaient toujours orientées vers le bien de l'équipe. Il me demandait, par exemple : "Qu'est-ce qu'on va faire pour améliorer tel aspect de notre jeu ?" Il ne parlait jamais contre un coéquipier. Je n'ai jamais eu le moindre problème avec lui. »

Collectivement, notre équipe n'a pas connu les succès escomptés en 1995-1996. Nous avons bouclé le calendrier régulier au huitième rang du classement général en vertu d'une récolte de 69 points en 70 rencontres.

Le premier tour des séries éliminatoires prenait la forme d'un tournoi à la ronde au cours duquel les équipes de chaque division s'affrontaient. Nous avions six matchs à disputer dans ce tournoi. Et après les quatre premiers, nous étions dans les câbles en vertu d'une fiche de 1-3. Avant la cinquième rencontre, face aux Olympiques de Hull, André Ruel est venu me voir en insistant sur le fait qu'il s'agissait peut-être d'une de mes dernières chances d'impressionner les recruteurs.

— Il n'y a qu'un seul match dans toute la LHJMQ ce soir, et c'est le nôtre. Tous les dépisteurs vont être à Drummondville. Il faudrait que tu connaisses une grosse partie, m'a-t-il suggéré.

Cet affrontement contre les Olympiques s'est avéré un véritable festival offensif. Le genre de match qu'on voit seulement dans les rangs junior. Nous nous dirigions vers un gain de 9 à 8 quand nos adversaires sont parvenus à créer l'égalité à seulement six secondes de la fin.

Le match s'est finalement réglé en deuxième période de prolongation, sur le 101e tir de la soirée. Martin Ménard, un ami de Gatineau avec lequel j'entretenais une belle rivalité, a alors complété un tour du chapeau pour procurer une victoire de 10 à 9 aux Olympiques. Pour ma part, j'ai récolté deux buts et six mentions d'aide dans cette folle rencontre. Malgré la défaite, j'espérais au moins être parvenu à convaincre quelqu'un en vue du repêchage.

Les Voltigeurs ont bouclé cette étape avec une fiche de 1-5, et c'est sur cette note décevante que notre saison a pris fin.

Après notre élimination, les Voltigeurs ont procédé à des changements au sein du personnel d'entraîneurs, et Blair Mackasey a quitté ses fonctions. Peu de temps après, nous avons appris avec stupéfaction qu'il se joignait à l'équipe de recruteurs des... Coyotes de Phoenix ! Le déménagement des Jets de Winnipeg avait été officialisé quelques mois auparavant.

« J'étais un employé des Coyotes quand le repêchage a eu lieu, mais je n'ai pas participé aux décisions concernant les choix de la séance de 1996. Je n'avais pas fait de dépistage durant la saison », explique Blair Mackasey.

Le 22 juin 1996, le repêchage de la LNH avait lieu à Saint Louis.

Ce fut une belle journée pour le hockey québécois. Jean-Pierre Dumont (Val-d'Or) a été sélectionné troisième au total. Détenteur du 17e choix, le Lightning de Tampa Bay a misé sur le défenseur Mario Larocque des Olympiques de Gatineau. Puis au 19e rang, le défenseur

Matthieu Descoteaux (Cataractes de Shawinigan) a été appelé par les Oilers d'Edmonton.

Et à la fin du premier tour, au 24ᵉ rang, alors qu'il ne restait plus que trois joueurs à sélectionner, les Coyotes se sont servis de leur second choix pour me réclamer.

« Ce qui est ironique dans cette histoire, rappelle Blair Mackasey, c'est que les Coyotes détenaient le 11ᵉ choix dans ce repêchage et qu'ils s'en sont servis pour repêcher un défenseur de 6 pieds 6 pouces du nom de Dan Focht, qui n'a finalement joué que quelques matchs dans la LNH. Et c'est le gars qui mesurait à peu près un pied de moins qui est devenu un joueur étoile. »

CHAPITRE 8

Sanglante soirée de télé avec Lappy...

Wachovia Center, Philadelphie, le 27 novembre 2009

Ce soir, les Sabres de Buffalo sont en ville. Je regarde le match sur la passerelle en raison d'une suspension de deux matchs que m'a décernée le Département de la sécurité des joueurs de la LNH. La raison : quelques jours auparavant, j'ai servi une mise en échec tardive à Scott Hannan, de l'Avalanche du Colorado, alors qu'il venait d'inscrire un but.

Il reste un peu plus de deux minutes à écouler à la première période. Les Sabres, qui mènent 1 à 0, profitent d'un avantage numérique et tentent de doubler leur avance.

Posté à la pointe, mon ancien compagnon de trio Jason Pominville, des Sabres, reçoit une passe et tire immédiatement sur réception. Sous la force du tir frappé, la rondelle s'élève anormalement et heurte mon coéquipier Ian Laperrière en plein visage. L'impact est retentissant. Lappy s'écroule et le sang gicle sur la patinoire. Notre thérapeute athlétique, Jim McCrossin, se précipite à son secours, lui recouvre rapidement le visage d'une serviette et le dirige illico vers la clinique.

Ce n'est pas beau à voir. Il s'agit clairement d'une blessure sérieuse. Je descends alors au vestiaire pour voir de quoi il en retourne et, surtout, pour tenter de réconforter Ian et l'aider à passer à travers ce mauvais moment.

C'est la première saison de Ian Laperrière dans l'organisation des Flyers de Philadelphie. Âgé de 35 ans, il est reconnu comme l'un des joueurs les plus combatifs de la LNH.

Après un séjour de quatre ans au Colorado, Ian s'est retrouvé sur le marché des joueurs autonomes et, durant l'été, je suis personnellement intervenu auprès de lui dans l'espoir de le convaincre de se joindre à notre équipe. Quand il a accepté le contrat de trois ans que lui proposait notre directeur général Paul Holmgren, je l'ai aidé à s'installer dans la région de Philadelphie avec sa famille.

Ian et moi sommes tous les deux issus de la même équipe de la LHJMQ, les Voltigeurs de Drummondville. Je n'ai toutefois jamais eu la chance de jouer à ses côtés : quand je suis arrivé à Drummondville à l'automne 1994, il venait de faire le saut chez les professionnels, mais sa réputation le précédait. Les membres de l'organisation et tous les amateurs du Centre-du-Québec le considéraient comme l'un des meilleurs joueurs à avoir défendu les couleurs des Voltigeurs.

—

Quand j'ouvre la porte de la clinique, la scène me donne instantanément des haut-le-cœur. Mon regard croise celui de Lappy. Ses yeux et la partie supérieure de son visage sont intacts, mais le reste ressemble à une pièce de steak haché ou à une sorte de ragoût sanguinolent. À l'avant de sa bouche, la plupart de ses dents sont cassées et sa lèvre supérieure a littéralement explosé. Il y a du sang partout. Il est impossible de discerner si toutes les pièces de son visage se trouvent encore au bon endroit.

C'est horrible.

Je m'installe à ses côtés et Ian me serre spontanément la main pour tenter de chasser la terrible douleur qui le tenaille. Puis, peu à peu, même si Lappy reste agité, la souffrance semble légèrement s'estomper.

Nous sommes assis devant un téléviseur et nous nous tenons toujours par la main. Nous nous mettons alors à discuter et à tenter de comprendre ce qui vient de se produire.

Il est littéralement défiguré et je suis incapable de le regarder. Je lui fais donc la conversation comme si de rien n'était, en détournant le regard et en faisant semblant de surtout m'intéresser à ce qui se déroule à la télé. C'est surréaliste. Parce qu'il a perdu tellement de dents et que sa lèvre supérieure est en lambeaux, j'ai énormément de difficulté à comprendre ce qu'il dit. Au lieu de prononcer les mots, il les siffle tout en crachant du sang. Ça sort de tous les côtés. C'est une vraie boucherie.

À l'arrière, les médecins de l'équipe préparent leurs instruments. Ils vont bientôt essayer de lui replacer le visage et de réparer les dégâts. Ils demandent sans cesse à Ian de se calmer et de cesser de parler parce qu'il perd constamment du sang. Mais il en est incapable.

Pour me rendre utile, j'essaie de contrôler la conversation et de lui laisser le moins d'occasions possible de répondre. Après quelques minutes de ce manège, Ian me serre la main pour attirer mon attention.

— Heille, au moins, regarde-moi quand tu me parles!

Il faut que je prenne mon courage à deux mains. Ce qu'il est en train de vivre est mille fois pire que d'avoir à le regarder. Je me tourne donc vers Ian et je le fixe dans le front en essayant de me convaincre que tout est normal et qu'il n'est pas horriblement blessé.

Avant de tenter de lui refaire le visage, les médecins de l'équipe finissent par dresser l'inventaire des dégâts. En plus de ses sept dents cassées, Ian a le nez, l'os de la gencive et une joue fracturés.

Pendant que Lappy regarde le match à la télé, Guy Lanzi, l'un des médecins des Flyers, s'installe pour essayer de le rapiécer. La séance de couture semble interminable et le sang ne cesse de pisser de partout. En tout, il faudra quelque 80 points externes et internes pour recoller tous les morceaux du puzzle.

Même si on dirait qu'un camion est passé sur le visage de Lappy, le résultat final est un véritable chef-d'œuvre. Le travail du docteur Lanzi est franchement impressionnant. Je croyais mon coéquipier dévisagé à jamais. Ce qu'il vient de vivre est complètement ahurissant.

Cependant, aussi incroyable que cela puisse paraître, je ne suis pas au bout de mes surprises ce soir.

Le temps file et nous sommes en troisième période quand le docteur Lanzi finit de recoudre le visage de mon équipier. L'aiguille du médecin n'est pas encore déposée que Lappy enfile un casque muni d'une grille complète puis retourne en découdre sur la patinoire avec les Sabres !

J'ai côtoyé des joueurs extrêmement durs et courageux au cours de ma carrière. Mais depuis ce jour, le nom de Ian Laperrière vient au sommet de cette liste.

CHAPITRE 9

La déprime... et l'apogée

Avec le recul, l'extraordinaire démonstration de ténacité offerte par Ian Laperrière dans ce match de novembre 2009 constitue un parfait exemple du type d'équipe que nous formions et du genre de saison que nous avons connue.

Les Flyers de 2009-2010 étaient à la fois pugnaces et expérimentés. Notre alignement comptait bon nombre de joueurs talentueux et, contrairement à d'autres équipes de la LNH, notre sort ne dépendait pas d'une ou deux supervedettes. Le caractère était la denrée la plus abondante dans notre vestiaire. Plus notre position était précaire – et elle l'a souvent été – plus nous devenions difficiles à vaincre. Nous nous serrions les coudes et n'abandonnions jamais.

Une dizaine de jours après la mésaventure de Lappy, le 4 décembre, Paul Holmgren a décidé de congédier notre entraîneur John Stevens et de le remplacer par Peter Laviolette.

Cette saison-là, les attentes étaient extrêmement élevées envers les Flyers, et notre DG jugeait que notre fiche de 13-11-1 après 25 matchs était inacceptable. Quand le changement de garde est survenu, nous venions de subir deux blanchissages consécutifs et nous figurions sur la liste des équipes exclues des séries.

Après le dernier match dirigé par John Stevens (le 3 décembre, un revers de 3-0 aux mains des Canucks de Vancouver), notre capitaine Mike Richards avait convoqué une réunion d'équipe afin de laver un peu de linge sale en famille. Peine perdue : aux yeux de Holmgren, le mal était déjà fait.

Stevens était un excellent entraîneur, et même un homme de hockey impressionnant, mais nous semblions pris dans une sorte de cercle vicieux. Ni les entraîneurs, ni les joueurs n'étaient capables de provoquer une étincelle et de nous remettre sur les rails. Nous étions à la fois perdus et tout croches.

Nommé directeur général des Flyers peu après le début de la saison 2006-2007 (une saison qu'ils avaient bouclée au dernier rang de la LNH en vertu d'une récolte de 56 points), Paul Holmgren avait totalement reconstruit la formation dès l'été suivant. C'est à ce moment qu'il m'avait convaincu de me joindre à son organisation.

En 2007-2008, nous avions enchaîné avec une campagne de 95 points (une amélioration de 49 points en l'espace d'un an, ce qui était exceptionnel) et nous nous étions inclinés en finale de la conférence de l'Est face aux Penguins de Pittsburgh. Puis, en 2008-2009, nous avions bouclé le calendrier régulier au cinquième rang dans l'Est en vertu d'une récolte de 99 points. Nous avions toutefois été évincés au premier tour éliminatoire, encore contre les Penguins, qui allaient finir par remporter la coupe Stanley.

C'est à ce moment que Holmgren avait décidé d'ajouter une pièce maîtresse à notre alignement. Le 26 juin 2009, il avait complété une méga transaction avec les Ducks d'Anaheim, cédant au passage l'attaquant Joffrey Lupul, le défenseur Luca Sbisa et deux choix de première ronde pour obtenir les services du défenseur Chris Pronger et de Ryan Dingle, un attaquant des ligues mineures.

Le lendemain de la transaction, Pronger avait paraphé avec les Flyers un contrat de sept ans d'une valeur de 34,9 millions.

Cette acquisition avait fait grand bruit dans le petit univers de la LNH. L'ajout d'un défenseur aussi dominant que Pronger était perçu, tant chez les joueurs que dans les médias, comme la pièce manquante au puzzle de notre équipe.

« J'étais joueur autonome cet été-là, se souvient Ian Laperrière. Daniel et moi étions tous deux représentés par Pat Brisson, et Daniel m'avait vanté l'organisation des Flyers pour m'inciter à me joindre à l'équipe. Mais je vais être très honnête. Il n'avait pas de grands efforts de persuasion à faire, compte tenu de la direction que les Flyers avaient prise. Quand ils sont allés chercher Pronger, il était clair qu'ils voulaient gagner. De mon côté, j'étais rendu à 35 ans. La décision était facile à prendre. En tant qu'athlète, tu veux gagner, un moment donné. »

Mais voilà : à l'approche des Fêtes, nous tardions encore à exploiter pleinement notre potentiel. Et les perspectives d'amélioration n'étaient certainement pas évidentes.

Et comme si la coupe n'était pas encore suffisamment pleine, au lieu de nous relancer sur une note positive, le premier match de Laviolette derrière notre banc s'est avéré catastrophique.

Pour les débuts de notre nouvel entraîneur, nous affrontions les Capitals de Washington à Philadelphie. Comme c'est toujours le cas dans ce genre de situation, tout le monde souhaitait faire bonne impression et profiter du vent de renouveau qui soufflait sur l'équipe.

Sauf qu'en première période, alors que le match était à égalité 1 à 1, notre coéquipier Dan Carcillo a frappé Matt Bradley par-derrière. Carcillo a ensuite asséné un coup de poing au visage de l'attaquant des Capitals, puis il a jeté les gants avant de lui sauter dessus !

Carcillo a donc raté sa chance de faire bonne impression, et de très loin. Les officiels lui ont décerné une inconduite de partie, dix minutes de mauvaise conduite, cinq pour s'être battu, deux pour avoir été l'agresseur et deux autres pour double-échec. Les Capitals se sont alors retrouvés avec un avantage numérique de neuf minutes ! De toute ma vie, c'était la première fois que je voyais une chose pareille.

La suite était écrite dans le ciel : nous tirions de l'arrière par 4 à 1 quand les neuf minutes de pénalité ont pris fin, et notre soirée s'est terminée par un cinglant revers de 8 à 2. Ce n'était définitivement pas le genre de départ dont Peter Laviolette avait rêvé…

Les semaines suivantes n'ont pas été faciles non plus. Notre nouvel entraîneur-chef est arrivé avec de nouvelles idées et de nouveaux plans d'entraînement et l'adaptation à son système de jeu ne s'est pas faite instantanément.

Deux semaines après la nomination de Laviolette, notre glissade au classement ne s'était pas encore arrêtée. Le 22 décembre, juste avant la pause de Noël, nous croupissions au 14e rang parmi les 15 équipes de l'Est.

Est-ce que ça pouvait aller plus mal ? Il semble que oui.

Au cours des premiers mois de cette saison 2009-2010, ma vie personnelle était encore plus troublée que celle de notre équipe. Et dans mon cas, la tourmente avait débuté dès le camp d'entraînement quand ma femme Sylvie m'avait annoncé une décision que je n'avais absolument pas vue venir :

— C'est terminé. Je veux divorcer.

Dire que cette annonce m'avait bouleversé serait un euphémisme.

Sylvie et moi avions trois petits garçons et nous avions commencé à nous fréquenter à l'école secondaire. Nous avions donc passé exactement la moitié de nos vies ensemble.

Par ailleurs, j'avais vécu toute mon enfance au sein d'une famille heureuse et unie. L'idée de voir un jour mes parents divorcer ne m'avait même jamais effleuré l'esprit. En tant que mari et père de famille, je concevais ma vie selon le modèle que j'avais connu. J'étais dévasté.

Comme n'importe quel autre couple, Sylvie et moi avions connu des périodes difficiles ici et là, et je croyais que nous étions simplement en train d'en vivre une autre. Dans mon esprit, il n'existait toutefois qu'une seule façon de corriger la situation et c'était d'affronter la tempête ensemble. Surtout après tout ce que nous avions vécu.

Nous venions tous les deux d'avoir 16 ans quand Sylvie était devenue ma blonde. Nous étions en secondaire 4.

Je portais les couleurs de l'Intrépide de Gatineau, dans la Ligue midget AAA, et nous fréquentions tous deux la polyvalente Nicolas-Gatineau. Pour des raisons logistiques, tous les joueurs de l'équipe étudiaient à cette école. À l'époque, nous nous entraînions et disputions nos matchs tout près de la polyvalente, juste en bas de la côte, à l'aréna Baribeau.

Sylvie était la sœur de Sébastien Lessard, un bon joueur de centre avec qui j'avais auparavant rivalisé pour l'obtention d'un poste dans le bantam AA.

Sylvie et moi avions formé un couple en novembre. À la fin de la saison, j'avais été repêché par les Voltigeurs de Drummondville. Et malgré la distance séparant l'Outaouais du Centre-du-Québec, nos fréquentations s'étaient poursuivies durant les trois années de mon stage junior.

Ma blonde accompagnait parfois mes parents à Drummondville pour assister aux matchs des Voltigeurs. En d'autres occasions, elle s'arrangeait pour faire le trajet avec des amis. Sylvie avait appris très tôt à se débrouiller dans la vie. Comme tous les ados et jeunes adultes, nous avions eu nos petites chicanes, mais nous étions quand même parvenus à passer au travers.

Puis, en 1997, une fois chez les professionnels, les Coyotes de Phoenix m'ont assigné à leur club-école de Springfield, au Massachusetts. Ces premiers pas dans la jungle du hockey professionnel et dans « la vraie vie » nécessitaient une adaptation et des ajustements importants. En fait, c'était la perspective de vivre seul qui me chicotait le plus.

Jusque-là, et je le reconnais sans gêne, j'avais toujours été extrêmement gâté. Je dirais même gâté-pourri, comme on dit par chez nous.

Je l'ai déjà dit : ma sœur Guylaine et moi avions grandi dans une sorte de bulle où notre lavage, nos lits, nos repas et nos lunchs pour l'école étaient toujours faits pour nous. En grandissant, mes deux seules occupations consistaient à étudier et à faire du sport. Je n'avais pour ainsi dire aucune responsabilité.

Ensuite, durant mon stage junior à Drummondville, j'avais été presque autant dorloté par Manon et Jean Voyer.

Imaginez alors le choc culturel quand je me suis retrouvé seul dans un appartement à Springfield ! Avec le recul, je me rends bien compte que j'aurais fini par m'adapter et par m'organiser. Mais à 20 ans, la perspective de devoir vivre seul et de ne plus être entouré et supporté par une famille m'insécurisait. Sylvie et moi nous fréquentions depuis plusieurs années. Elle était prête à faire le saut et à venir me rejoindre aux États-Unis.

Elle a donc emménagé à Springfield quelques semaines après le début de la saison et elle est presque aussitôt tombée enceinte.

Ce n'était absolument pas planifié. Je n'avais encore aucune stabilité professionnelle et je n'avais pas prévu ou envisagé l'avenir de cette façon. Avoir un enfant à 20 ans, ça fait peur. C'est l'inconnu. Et ce sont de lourdes responsabilités. Mais en même temps, Sylvie et moi nous fréquentions depuis quatre ans et c'était du sérieux. Nous avons donc décidé d'aller de l'avant et de devenir parents.

C'est ainsi que, le 27 juillet 1998, Caelan Brière est entré dans la vie de jeunes parents un peu surpris par la vie, mais enthousiastes et déterminés à lui offrir ce qu'il y avait de mieux.

Au sein de notre couple, la naissance de ce premier enfant a ensuite soulevé l'importante question de la planification familiale.

Dans le passé, Sylvie et moi avions tous deux clairement établi notre intention d'avoir nos enfants à des dates rapprochées. Et puisque nous nous adaptions bien à notre rôle de parents depuis la naissance de Caelan, nous avons décidé que nous étions prêts à avoir immédiatement un autre enfant.

Notre second fils, Carson, a donc vu le jour un peu plus d'une année après notre aîné, le 23 septembre 1999.

Malgré la distance qui nous séparait de la maison, nos parents nous venaient en aide le plus souvent possible, mais disons qu'il y avait beaucoup d'action à la maison! À l'unanimité, une pause a donc été décrétée dans notre plan de vie. Allait-on choisir d'avoir un troisième enfant? Nous voulions laisser retomber la poussière et nous donner un peu de temps pour y réfléchir.

Mais un imprévu est si vite arrivé! Sylvie est à nouveau devenue enceinte l'année suivante et notre troisième fils, Cameron, a vu le jour à Phoenix le 23 avril 2001.

Après la naissance de Cameron, nous nous retrouvions, à 23 ans, avec trois enfants aux couches.

Ces années folles nous ont sans doute fait vieillir prématurément, mais je n'ai jamais regretté notre choix. Nous devions trouver une façon de tout faire fonctionner et Sylvie était excellente pour s'assurer que nous restions en contrôle. En plus, durant cette période où les enfants étaient encore très jeunes, elle a eu à organiser et à superviser plusieurs déménagements entre Springfield et Phoenix, puis vers Buffalo quand j'ai été échangé, en plus de devoir rapailler la famille à la fin de chaque saison pour passer l'été au Québec. Ouf!

Le fait d'avoir des enfants aussi jeunes a fait en sorte que j'ai vécu un début de carrière différent de celui des joueurs de mon âge. À mes premières années, mon rôle de père faisait en sorte que j'étais plus souvent à la maison que sur le party... Ce qui m'a certainement aidé à rester concentré sur l'essentiel alors que des embûches se dressaient constamment sur mon chemin.

Mais par-dessus tout, Caelan, Carson et Cameron sont rapidement devenus pour moi une puissante source de motivation. Le jour où l'on devient père, que cela survienne à 20 ans ou à 27 ans, la réalité est la même : on ne se bat plus simplement pour soi-même, mais d'abord et avant tout pour offrir ce qu'il y a de mieux à nos enfants.

Je me rappelle de longs trajets d'avion survenus entre mes rappels et mes renvois dans la Ligue américaine. Ces moments de réflexion m'ont constamment forcé à me remettre en question et à combattre la frustration, le découragement et souvent la peine immense de laisser les miens derrière moi. Mais le désir de réussir pour le bien de mes fils était chaque fois plus fort.

Lorsque Sylvie et moi nous sommes séparés, j'en étais à ma treizième année dans les rangs professionnels. Et durant cette longue période, j'avais seulement vu deux de mes coéquipiers se retrouver en instance de divorce.

La saison 2009-2010 s'avérait toutefois assez particulière chez les Flyers, et pas seulement à cause de notre glissade au classement. Nous étions quatre joueurs de l'équipe à vivre une séparation en même temps : Scott Hartnell, Riley Cote, Aaron Asham et moi. Et, visiblement, nous ne traversions pas tous cette épreuve de la même manière.

Certains faisaient la fête presque tous les soirs et se faisaient voir dans toutes les boîtes à la mode de Philadelphie. Un autre se réfugiait dans son appartement, où il prenait un coup avec ses meilleurs amis sans causer de problème.

De mon côté, c'était le contraire. Je ne faisais que penser à ce divorce. J'étais complètement bloqué. Je n'avais le goût de rencontrer personne, ni d'aller où que ce soit. Je me terrais donc à la maison pour passer le plus de temps possible avec mes garçons.

Normalement, l'aréna et le vestiaire de l'équipe auraient dû être mes refuges et me permettre de me changer les idées. Mais durant les premiers mois, je ne pensais qu'à ce divorce – que je considérais comme un retentissant échec – et aux impacts qu'il allait avoir sur la vie de mes enfants et sur la mienne.

Je n'avais jamais vécu une chose pareille. J'étais ailleurs. Je traînais mes problèmes jusqu'aux séances d'entraînement, même en complétant des exercices avec mes compagnons de trio.

Et durant les matchs, les seuls moments où je me concentrais réellement sur le moment présent survenaient quand j'enjambais la rampe pour sauter sur la patinoire. À mon retour au banc, je replongeais dans mes pensées et la rencontre devenait une sorte de film qui jouait en arrière-plan. J'étais incapable de me concentrer!

Tout le monde dans l'organisation savait ce qui se passait. Cependant, peu de gens semblaient se rendre compte à quel point j'étais affecté.

« Danny n'est pas un gars qui jase beaucoup, se rappelle Ian Laperrière. Mais je me souviens d'une fois où l'équipe était à Tampa. Les trois "grenouilles" de l'équipe, Daniel, Simon Gagné et moi, avions décidé d'aller au cinéma. Daniel était tracassé par ses problèmes personnels et il avait fallu qu'il rentre seul à l'hôtel parce que ça le travaillait trop.

« Il était clair qu'il trouvait cette période difficile et c'était normal. Du jour au lendemain, celle qui était son amie, sa femme et la mère de ses enfants était sortie du décor. Mais de l'extérieur, je trouvais qu'il était très concentré sur la tâche à accomplir lorsqu'il sautait sur la patinoire. Il était capable de mettre tout ça de côté et de jouer au hockey. En le regardant jouer, personne ne se demandait ce qui pouvait bien se passer avec lui. »

Un bon après-midi, le téléphone sonne. C'est le propriétaire des Flyers, Ed Snider.

— Danny! Comment vas-tu?

— Ça va bien, monsieur Snider.

— Écoute, je voulais juste te dire que nous savons ce qui se passe dans ta vie. Ne t'en fais pas, le temps va arranger les choses. Crois-moi : j'ai divorcé trois fois au cours de ma vie et j'ai beaucoup d'expérience dans ce domaine ! Alors si tu as le goût d'aller en jaser, tu me fais signe et on ira luncher ensemble. Entre-temps, si tu as besoin d'aide pour n'importe quoi, si on peut t'aider de quelque manière que ce soit, n'hésite pas. Si tu as besoin de voir un psychologue, si tu as besoin de support avec les enfants ou de n'importe quoi d'autre à la maison, tu me fais signe. Nous sommes là pour toi.

J'étais impressionné que le propriétaire des Flyers prenne le temps de m'offrir son aide et de me témoigner sa solidarité. Ça démontrait à quel point le bien de ses joueurs était important pour lui. Ed Snider était une personne authentique. Il avait un grand cœur et ses valeurs étaient partagées par les autres membres de la direction.

Pour ma part, j'étais un peu de retour à la case départ. Comme cela avait été le cas lors de mes débuts professionnels à Springfield, la perspective de devoir vivre en solitaire une semaine sur deux (quand les enfants se trouvaient avec leur mère) ne m'enchantait pas vraiment. Chaque minute de ma vie familiale était précieuse et cette séparation venait d'en faire disparaître la moitié. Et d'un point de vue plus pratique, j'étais carrément démuni. Je ne savais même pas comment faire fonctionner le lave-vaisselle, ni comment faire une brassée de lavage.

Quand la séparation est survenue, j'ai solidement broyé du noir pendant près d'une année. Sylvie et moi tentions de trouver une façon de nous partager la garde des enfants et celle des chiens et de faire en sorte que nos trois fils ne subissent pas trop de contrecoups.

Et lorsque j'avais le bonheur de retrouver mes fils, je ne profitais pas de leur présence à 100 %. Le divorce amenait son lot de soucis et je ne me trouvais pas toujours assez compétent ou organisé pour

Une manœuvre que j'ai toujours adorée : tenter de surprendre la défense adverse en contournant le filet à toute allure.

Avant le début d'un match. À ma première saison avec les Flyers, en 2007-2008.

Toujours à ma première saison, lors de l'échauffement. J'ai connu du succès dès mes débuts à Philadelphie, avec une récolte de 31 buts en saison régulière et de 9 autres en séries.

Ici, en pleine montée contre les Rangers de New York. La rivalité a toujours été forte entre les Flyers et ces voisins de notre division.

Je récupère la rondelle alors que je suis posté tout près de mon bureau en zone adverse. C'était mon endroit favori pour contrôler l'attaque de mon équipe.

Grâce aux nombreux changements apportés par Paul Holmgren, les Flyers ont eu le vent dans les voiles en 2007-2008, faisant un gigantesque bond de 19 places au classement général de la LNH.

Célébrations après l'un des 124 buts que j'ai comptés dans l'uniforme des Flyers en saison régulière.

Voici la fameuse carte de vœux de Noël des Brioux, carte dont Claude a eu l'idée un peu farfelue à l'époque où nous vivions tous ensemble avec mes trois fils et nos deux chiens. Elle a connu un grand succès !

C'est en 2016 que Misha et moi avons finalement uni nos destinées. Pour mieux faire corps avec mes trois fils et moi, elle a même décidé de faire sien notre nom de famille.

répondre à tous leurs besoins. J'avais beaucoup à apprendre en même temps.

En décembre, alors que je broyais encore du noir dans mon coin, un ami de Philadelphie m'a demandé si j'accepterais de rencontrer une jeune femme qu'il qualifiait d'exceptionnelle. Elle s'appelait Misha Harrell et elle était en train de compléter sa quatrième année d'études en médecine à Philadelphie. Je me suis donné un coup de pied au derrière et j'ai accepté de la rencontrer, sans trop nourrir d'attentes.

Misha était alors âgée de 26 ans et elle traversait une période de déprime en tous points semblable à la mienne. Elle venait tout juste de sortir d'une relation sérieuse qui, avait-elle cru, était censée déboucher sur un mariage. Nous étions en quelque sorte dans le même bateau. Et c'était la première fois qu'elle et moi avions un rendez-vous galant depuis la fin de nos unions précédentes.

« Je vivais de mes prêts étudiants, raconte Misha. Je n'avais pas d'argent et j'habitais un modeste et minuscule appartement. Daniel est venu me chercher, puis il m'a emmenée souper au Ruth's Chris Steakhouse, l'un des meilleurs restaurants de Philadelphie. Le repas était merveilleux, mais nous avons passé la soirée à ressasser nos malheurs. C'était un peu comme une séance de thérapie. À la fin de la soirée, Daniel en savait plus sur mon ex, et moi sur la sienne, que sur n'importe quoi d'autre. »

Au début de la soirée, Misha m'a demandé ce que je faisais dans la vie.

— Je joue au hockey, ai-je répondu.

— Oui, mais ton emploi? Que fais-tu pour gagner ta vie?

« Il m'a expliqué qu'il était un hockeyeur professionnel. Comme je venais d'une famille où personne ne s'intéressait au sport professionnel, je n'avais jamais entendu parler de lui. Intérieurement, je me disais : "Je vais être médecin, et ce gars-là est un loser!" », ajoute Misha en riant.

Même si ce n'était pas le moment idéal, de part et d'autre, pour rencontrer quelqu'un, il est devenu clair au fil de la conversation que le courant passait vraiment bien entre Misha et moi. L'ami commun ayant provoqué notre rencontre n'avait pas exagéré : elle était effectivement exceptionnelle et il était facile d'échanger avec elle.

« Après le repas, Daniel m'a raccompagnée chez moi. Il m'a fait une accolade et il m'a dit au revoir. Le hall d'entrée menant à ma résidence était défraîchi. Et pour rendre les choses encore plus sinistres, il y avait un écureuil mort par terre ! Je me disais que tout était en place pour faire une mauvaise première impression. J'avais apprécié mon premier contact avec lui. Mais en le regardant partir, je me suis dit : "Je ne reverrai jamais ce gars-là…" »

Après la période des Fêtes, les arénas et l'entourage de l'équipe sont graduellement redevenus mes refuges. Quand je m'isolais dans cet environnement, je redevenais capable de faire le vide et de me concentrer totalement sur mon métier.

Le système de jeu implanté par Peter Laviolette – beaucoup plus axé sur l'attaque et les relances rapides – était de mieux en mieux maîtrisé par les joueurs et nous commencions à remporter des matchs sur une base régulière. C'était une période extrêmement intense parce que le retard au classement accumulé en première moitié de calendrier nous donnait très peu de marge de manœuvre pour nous qualifier pour les séries.

Mais étrangement, même si l'équipe progressait et qu'une routine s'installait tranquillement à la maison, mon corps ne semblait pas suivre la même voie que mon état d'esprit. Je maigrissais à un rythme inquiétant.

Depuis le début de ma carrière, j'avais pourtant toujours été très constant de ce côté-là. Après un intense été d'entraînement, je me présentais au camp d'entraînement en faisant osciller l'aiguille du pèse-personne à exactement 180 livres. Puis quand le rythme effréné de la saison était lancé, je retombais à 170-172 livres jusqu'à la fin des séries éliminatoires. C'était à ce point précis que cette routine semblait inscrite quelque part dans mon code génétique.

Il était donc clair que quelque chose n'allait pas, un matin de février 2010, quand le pèse-personne m'a indiqué que je pesais… 161 livres ! On aurait dit qu'il ne me restait que la peau et les os. Cette situation a tout de suite été prise au sérieux par le personnel des Flyers. Les thérapeutes me faisaient manger et me préparaient constamment des cocktails nutritifs pour tenter de me ramener à mon poids normal. Les progrès se faisaient toutefois attendre.

Cet épisode correspondait par ailleurs à une panne sèche sur la patinoire.

À la fin de janvier, malgré tout ce qui s'était produit depuis le camp d'entraînement, j'affichais au compteur 18 buts et 16 mentions d'aide. Même en étant utilisé à l'aile (alors que ma position naturelle était celle de centre), je maintenais jusque-là le rythme d'une campagne de 32 filets, soit le même total que lors des deux saisons les plus productives de ma carrière.

Sauf qu'en février, les buts ne venaient plus aussi facilement.

En raison de la présentation des Jeux olympiques de Vancouver, il était prévu que le calendrier de la LNH allait être interrompu pendant deux semaines, à compter du 14 février. Pour les Flyers, les deux derniers matchs précédant la pause olympique se déclinaient en une série de deux matchs en 24 heures face au Canadien de Montréal, les vendredi 12 et samedi 13 février.

Avant cette série aller-retour, je n'avais toujours pas secoué les cordages en cinq matchs au mois de février. Et je ne revendiquais qu'un seul but à mes 11 dernières rencontres. J'étais en panne sèche.

Le premier de ces deux duels Canadien-Flyers a été disputé à Philadelphie. Nous l'avons emporté par la marque de 3-2 et le trio que je formais avec Scott Hartnell et Jeff Carter a connu une très bonne soirée. Carter, qui jouait au centre, avait notamment inscrit deux des trois buts de l'équipe.

Après cette rencontre, à bord de l'avion qui nous transportait vers Montréal, j'étais fébrile. Le match du samedi soir au Centre Bell s'annonçait spécial puisque ma mère allait y assister.

Ça faisait alors près de trois ans que j'avais préféré l'offre contractuelle des Flyers à celle du Canadien. Depuis cette décision très médiatisée (et très controversée à Montréal), j'étais en quelque sorte devenu l'ennemi numéro un des partisans du Tricolore.

Les commentaires entendus dans un amphithéâtre durant le déroulement d'un match de hockey ne sont pas toujours du meilleur goût. Ma mère étant une femme sensible, je m'étais subtilement arrangé depuis tout ce temps pour l'empêcher de venir me voir jouer à Montréal.

Chaque fois que les Flyers disputaient un match au Centre Bell, je m'arrangeais pour que la présence de ma mère soit requise à Philadelphie. Je prétendais que nous avions besoin d'une gardienne, ou bien je lui soulignais que ses trois petits-fils réclamaient sa présence.

Toutefois, durant la deuxième moitié de la saison 2009-2010, je me disais que bien de l'eau avait coulé sous les ponts depuis cette signature de contrat et que le temps était venu de passer à autre chose. J'avais donc invité mes parents au match, tout en étant conscient que l'hostilité de la foule montréalaise rendait ma mère plutôt anxieuse.

Le jour du match, mes parents ont fait le trajet Gatineau-Montréal beaucoup plus tôt qu'à l'habitude. Ils ont alors fait un petit détour vers l'hôtel où séjournait notre équipe. Cette visite inhabituelle visait probablement à permettre à ma mère d'évaluer comment j'allais. Toute cette histoire de divorce l'inquiétait beaucoup.

En sortant de l'ascenseur menant au lobby, je les ai aperçus et je suis resté surpris.

— Daniel, es-tu correct ? T'es pas malade ? As-tu quelque chose ? Tu as le visage tout amaigri...

— Ben non, tout va bien maman, tout est beau.

Mes parents et moi avons ensuite bavardé un peu. Puis ma mère m'a serré dans ses bras en me chuchotant à l'oreille :

— Je sais que je ne t'ai jamais demandé ça, mais je suis vraiment nerveuse. Est-ce que tu pourrais me marquer un but ce soir ?

J'ai ri et la conversation s'est poursuivie sur un autre sujet. Mais en y repensant par la suite, je me suis dit que cette requête devait être importante parce que de toute ma vie, que ce soit au hockey mineur, au hockey junior ou dans la LNH, jamais ma mère ne m'avait demandé de lui marquer un but.

Ce soir-là, nous sommes tombés sur le Canadien comme la misère sur le pauvre monde, en les varlopant au compte de 6 à 2.

La veille, malgré notre victoire à Philadelphie, notre troisième période avait été lamentable. Dans l'enceinte du Centre Bell, Ian Laperrière a donné le ton dès la quatrième seconde de jeu en servant une sévère correction au défenseur Ryan O'Byrne.

Après le premier vingt, nous avions déjà une avance de 3-0. J'avais ouvert la marque et exaucé le vœu de ma mère dès la cinquième minute de jeu en m'emparant du retour d'un tir d'Oskars Bartulis.

Puis en fin de deuxième, alors que nous profitions d'un avantage numérique et qu'il ne restait que six secondes au cadran, je suis parvenu à faufiler la rondelle entre la jambière gauche de Jaroslav Halak et son poteau. Ce but a porté notre avance à 5-1 et chassé le gardien slovaque de la rencontre.

En milieu de troisième, je me suis retrouvé en échappée face à Carey Price, mais O'Byrne m'a fait trébucher avant que je puisse décocher un tir. Les officiels m'ont donc accordé un tir de pénalité.

Alors que je me tenais seul au centre de la patinoire et que l'annonceur-maison prononçait mon nom, je me suis dit que ma mère entendait sans doute le genre d'horreurs que j'avais voulu lui éviter au cours des trois années précédentes.

Sous un assourdissant concert de huées, je me suis alors élancé vers Price. Je tenais absolument à quitter l'édifice avec un tour du chapeau ! Après avoir tiré, quand j'ai réalisé que la rondelle avait franchi la ligne des buts, j'ai tout de suite pensé à ma mère.

J'ai disputé des milliers de matchs de hockey au cours de ma vie, mais cette partie de saison régulière – sans enjeu particulier – est toujours restée gravée dans ma mémoire. Compte tenu de la demande très spéciale que ma mère m'avait faite, j'étais extrêmement fier d'avoir pu lui offrir ce genre de soirée au Centre Bell.

Je regrette qu'elle n'ait jamais eu la chance de me voir jouer dans cet édifice alors que je portais le chandail bleu-blanc-rouge. Elle nous a quittés sans avertissement deux ans et demi plus tard, le 19 août 2012.

Ces deux victoires consécutives contre le Canadien se sont plus tard avérées extrêmement précieuses pour nous. Elles couronnaient une poussée de sept victoires en neuf matchs qui nous avait fait bondir de huit places au classement. Alors que nous croupissions dans les bas-fonds avant Noël, nous occupions le sixième rang dans la conférence de l'Est quand la pause des Jeux de Vancouver a débuté.

Mais inexplicablement, après les Olympiques, nous avons éprouvé énormément de difficulté à retrouver notre erre d'aller.

Quand les activités de la LNH ont redémarré, il nous restait 22 matchs à disputer. Mais nous avons presque complètement saboté notre saison lors des 21 premières rencontres en ne remportant que huit victoires. Entre le 20 mars et le 2 avril, alors que nous étions engagés dans le dernier droit du calendrier et que nous luttions pour notre survie, nous avons même trouvé le moyen d'encaisser sept revers (dont un en prolongation) en huit matchs !

Après 81 parties, nous nous sommes alors retrouvés dans l'obligation de disputer une sorte de duel-suicide face aux Rangers de New York. Pour compléter la saison, les Blueshirts nous rendaient visite à Philadelphie dans l'après-midi du dimanche 11 avril. Les deux équipes affichaient 86 points au classement et il en fallait 88 pour s'emparer de la dernière place donnant accès au tournoi printanier.

Bref, c'était gagne ou meurs.

L'histoire de ce 82e match de la saison 2009-2010 est fascinante parce qu'elle illustre à quel point rien n'est laissé au hasard dans la LNH.

Les Rangers, qui étaient alors dirigés par John Tortorella, possédaient une attaque assez moyenne. Mais ils formaient l'une des meilleures équipes de la ligue en défense. Leur gardien Henrik Lundqvist avait aussi la réputation – méritée – d'exceller sous pression.

La veille du match, nos entraîneurs avaient donc déterminé que les chances étaient fortes que notre destinée se joue en tirs de barrage.

Pour parer à cette éventualité, nos gardiens avaient été invités à une séance de visionnement mettant en vedette les cinq ou six joueurs les plus souvent utilisés par les Rangers en tirs de barrage. On voulait que les gardiens puissent ainsi identifier les tendances de chacun et minimiser l'effet de surprise dans le feu de l'action.

Parallèlement, cinq de nos attaquants avaient été conviés à une séance vidéo pour étudier le style de Lundqvist et tenter d'identifier ses points faibles. Avec l'aide de l'entraîneur Joe Mullen, chacun d'entre nous devait aussi choisir la feinte qu'il comptait utiliser contre Lundqvist.

Par la suite, à la fin de notre séance d'entraînement, les entraîneurs ont mis le gardien auxiliaire à notre disposition et nous avons été invités à répéter notre feinte jusqu'à ce que nous soyons certains de bien la maîtriser.

Le lendemain, nous avons eu exactement ce à quoi nous nous attendions : un match serré et une grande performance de Lundqvist. Et une surprise aussi : dès la quatrième minute de jeu, Jody Shelley, un dur à cuire, a lancé les Rangers en avant 1-0 en inscrivant son… deuxième filet de la saison.

Nous tirions de l'arrière 1 à 0 après 20 minutes de jeu, et ça nous semblait incroyable parce que nous avions malmené les Rangers 18 à 4 au chapitre des tirs au but. Nous passions 80 % du temps de jeu dans leur zone, sauf que Lundqvist multipliait les arrêts impossibles.

Après deux périodes, nous avions déjà dirigé 30 tirs vers le gardien des Blueshirts alors que Brian Boucher n'en avait reçu que 13 de notre côté. Mais les Rangers détenaient toujours une avance de 1-0.

Il a fallu attendre un avantage numérique en début de troisième pour que notre défenseur Matt Carle finisse par tromper la vigilance de Lundqvist. Malgré notre constante domination, le troisième engagement a pris fin sur cette impasse de 1 à 1. Les cinq minutes de prolongation aussi.

En générant 47 tirs au filet (contre 25 pour les Rangers) et en contrôlant cette rencontre de bout en bout, nous aurions amplement mérité de l'emporter. Mais les dieux du hockey ne nous avaient pas été favorables et, exactement comme nos entraîneurs l'avaient anticipé, nous nous retrouvions en tirs de barrage pour déterminer laquelle des deux équipes allait participer aux séries.

Surtout à cause de l'excellence d'Henrik Lundqvist, j'estimais que les Rangers avaient l'avantage dans ce concours individuel. Quoique cette saison-là, nos gardiens avaient cumulé exactement le même pourcentage d'efficacité que celui des gardiens new-yorkais en tirs de barrage. Et puis, peu importe si les probabilités penchaient en faveur de nos adversaires, Peter Laviolette nous avait très bien préparés pour ce moment déterminant.

J'ai été désigné pour tirer le premier et je me suis lentement dirigé vers le point central de mise au jeu. La foule du Wachovia Center était déchaînée. Six mois d'efforts collectifs reposaient désormais sur les palettes des bâtons d'une poignée de joueurs. Malgré l'importance du moment, j'étais calme et serein. La veille, j'avais répété ma feinte une dizaine de fois à l'entraînement et j'étais extrêmement confiant de pouvoir déjouer Lundqvist.

En arrivant à la hauteur du gardien des Rangers, sans même réfléchir, j'ai simulé une manœuvre du revers. Et dès que Lundqvist a amorcé son déplacement, je suis rapidement revenu sur mon côté droit pour le battre à ras la glace sur le côté de la mitaine. Nous venions de prendre les devants.

Après avoir vu Pierre-Alexandre Parenteau créer l'égalité sur la seconde tentative des Rangers, c'est Claude Giroux qui s'est présenté au centre de la patinoire pour effectuer notre troisième essai. Comme les autres tireurs identifiés la veille par nos entraîneurs, Claude avait préparé et répété une feinte avec laquelle il se sentait à l'aise. Sauf que lorsqu'il s'est lentement présenté devant Lundqvist, il s'est figé. Apercevant une ouverture entre les jambes du Suédois, il a aussitôt dégainé : 2 à 1 Flyers !

Brian Boucher a ensuite confirmé notre participation aux séries en stoppant Olli Jokinen sur la dernière tentative des Rangers.

Dans les gradins, Ed Snider échangeait joyeusement des *high fives* avec les partisans qui l'entouraient. Et sur la patinoire, nous ressentions exactement la même chose que le propriétaire des Flyers. D'un seul coup, cette qualification in extremis venait d'effacer nos récents déboires. Nous étions littéralement galvanisés !

À la fin des courses, ce gain face aux Rangers nous plaçait à égalité avec le Canadien au classement de l'Est, avec 88 points. Mais comme nous avions remporté plus de victoires que Montréal, nous avons finalement hérité du septième rang, ce qui signifiait un affrontement contre les Devils du New Jersey au premier tour.

Même si nous avions assuré notre place en séries à minuit moins une seconde, nous étions convaincus de faire partie de l'élite de la LNH et de posséder les atouts nécessaires pour remporter la coupe Stanley.

Notre saison avait parfois eu des allures de montagnes russes, mais nous étions quand même conscients d'avoir compilé la neuvième meilleure fiche de la LNH depuis l'arrivée de Laviolette au poste d'entraîneur. Nous n'avions absolument aucun complexe.

Pour ma part, je venais de connaître une saison « correcte » de 26 buts et 27 passes en jouant à l'aile durant la quasi-totalité de la saison. Au poste de centre, l'équipe avait misé sur Jeff Carter et Mike Richards pour pivoter les deux premiers trios, tandis que Claude Giroux s'était fait confier la troisième unité.

Nous étions quatre joueurs de centre offensifs et il n'y avait que trois places disponibles. J'avais donc été désigné pour jouer à l'aile au sein du deuxième trio. Je n'étais pas entièrement satisfait de mon jeu, mais j'estimais m'être tiré d'affaire convenablement compte tenu de tout ce qui s'était produit depuis le camp d'entraînement.

Par ailleurs, malgré toutes les potions concoctées par le personnel de l'équipe au cours des semaines précédentes, ma perte de poids subsistait. Je me suis donc résigné à entreprendre les séries à 163 livres. C'était une sorte de couteau à deux tranchants : je me sentais plus rapide mais, en même temps, je me disais qu'il valait mieux ne pas me faire pincer par un adversaire...

Les séries éliminatoires se sont mises en branle et notre auto-évaluation s'est avérée assez juste parce que nous avons liquidé les Devils (deuxièmes dans l'Est) en seulement cinq matchs au premier tour.

Deux faits saillants sont survenus dans cette série contre New Jersey.

Dans le cinquième et dernier match, alors que nous détenions une avance de 3 à 0 en troisième période et que nous étions en voie d'éliminer les Devils, Ian Laperrière s'est jeté sur la patinoire pour bloquer un tir du défenseur Paul Martin. La rondelle l'a de nouveau atteint directement au visage, cette fois-ci juste au-dessus de l'œil droit.

Encore une fois, le sang s'est mis à gicler sur la glace et Lappy a été rapidement escorté hors de la patinoire. Cette blessure a toutefois eu des conséquences beaucoup plus sérieuses que celle qui était survenue quelques mois plus tôt à Buffalo.

Face aux Devils, le choc a été si violent que Lappy a subi une sérieuse commotion cérébrale ainsi qu'un hématome au cerveau. Le nerf optique a par ailleurs été atteint. Ian a une fois de plus démontré son incroyable courage en revenant au jeu un mois plus tard pour nous aider à compléter notre parcours en séries. Mais au camp d'entraînement suivant, des symptômes post-commotion ainsi que des problèmes de vision l'ont contraint à accrocher définitivement ses patins.

Par ailleurs, Jeff Carter a subi une fracture à un pied durant le quatrième match de la série, et cette absence prolongée a forcé Peter Laviolette à remanier ses trios. Il m'a donc replacé à ma position naturelle de centre, entre Scott Hartnell et le finlandais Ville Leino.

À ce moment-là, l'insertion de Leino dans l'alignement – et au sein du second trio, en plus – ressemblait davantage à une mesure d'urgence qu'autre chose. Leino était un réserviste que Paul Holmgren avait acquis deux mois plus tôt dans une transaction mineure avec les Red Wings de Detroit. Depuis son arrivée à Philadelphie, Leino avait tellement peu joué (13 matchs) que je ne le connaissais à peu près pas.

Aussi incroyable que cela puisse paraître, une très forte chimie s'est instantanément créée entre nous. Et à compter de ce moment, jusqu'à la finale de la coupe Stanley, c'est aux côtés de Hartnell et Leino que j'ai disputé le meilleur hockey de toute ma vie.

Notre deuxième tour éliminatoire, face aux Bruins, a donné lieu au plus spectaculaire revirement de l'histoire de la LNH. Rien de moins !

Les deux premiers matchs avaient été disputés à Boston, où nous nous étions inclinés par des marques de 5 à 4 (en prolongation) et de 3 à 2. Puis, quand la série s'était transportée à Philadelphie, nous avions clairement eu le dessus sur les Bruins (35 à 20 au chapitre des tirs au but, notamment), mais nous étions quand même ressortis du troisième match les mains vides, avec une défaite de 4 à 1.

Après avoir sué sang et eau pendant six mois, et après avoir mérité notre place en séries dans les toutes dernières secondes du calendrier régulier, nous étions donc de retour à un endroit assez familier : au bord du précipice.

Paul Holmgren se souvient très bien de l'esprit qui régnait au sein de l'organisation à ce moment :

« Nous tirions de l'arrière par 0-3 et, malgré le fait que nous nous retrouvions acculés au pied du mur, nous nous disions que les trois premiers matchs avaient été extrêmement serrés et qu'ils auraient aussi bien pu être remportés par notre équipe.

« Aussi, un fait marquant était survenu durant la troisième rencontre. Mike Richards avait solidement frappé David Krejci, qui avait été totalement knock-outé sous la force de l'impact. L'un de ses poignets s'était même disloqué. Nous nous étions à nouveau inclinés dans ce match-là, mais les Bruins aussi avaient encaissé une lourde perte. L'un de leurs joueurs-clés venait de sortir de l'alignement. »

Dans le vestiaire, notre analyse était exactement la même. Nous n'en revenions pas de tirer de l'arrière 0-3. Dans le passé, j'avais fait partie d'équipes qui s'étaient fait dominer et qui accusaient de grands déficits en séries éliminatoires. Dans ces circonstances, quand nous nous rassemblions entre coéquipiers, nous nous disions simplement : « OK, on va essayer d'en remporter une, ne serait-ce que pour sauver la face… »

Mais ce n'était pas du tout l'état d'esprit dans lequel nous étions après avoir perdu trois fois de suite face aux Bruins. Je nous revois encore après le troisième match. Nous étions une douzaine de gars, assis sur les divans du salon attenant au vestiaire, et les commentaires allaient tous dans le même sens :

— Quelqu'un peut-il m'expliquer comment il se fait qu'on tire de l'arrière par trois matchs ? On les domine royalement, on forme la meilleure équipe !

— Ça n'a pas de sens. On devrait au moins mener cette série par 2 à 1.

— On peut gagner cette série-là !

La psychologie d'une équipe de gagnants est fascinante.

Nous nous sommes alors mis à analyser la suite des choses et c'était comme si les astres étaient totalement alignés en notre faveur. Nous nous disions : « OK, on va gagner le prochain match à domicile et ça portera à série à 1-3. Le gros match de la série sera le cinquième, parce que si on remporte ce match-là, les Bruins vont tout à coup se mettre à paniquer. Et le match six ? C'est sûr qu'on ne le perdra pas à domicile parce que nous aurons le vent dans les voiles. Puis dans le septième match ? On verra bien ! Parce que tout peut arriver dans un septième match, d'autant plus que toute la pression sera sur les épaules des Bruins. »

C'est de cette façon que nous avons abordé la suite des choses. Et ce n'était pas de la frime.

Dans toute l'histoire de la LNH, seuls les Maple Leafs de Toronto de 1942 et les Islanders de New York de 1975 étaient parvenus à combler un retard de trois défaites pour remporter une série éliminatoire. Même si les probabilités étaient *légèrement* en notre défaveur, nous étions réellement convaincus de pouvoir remonter la pente et renverser les Bruins.

Alors que nous retroussions nos manches pour nous lancer à l'assaut des Bruins, notre trio Hartnell-Brière-Leino n'existait que depuis quatre matchs, durant lesquels j'avais déjà récolté trois buts et autant de mentions d'aide.

Je sentais que le fait d'être utilisé au centre et d'être davantage impliqué dans toutes les phases du jeu me rendait plus efficace. Et la complicité développée avec Hartnell et Leino était absolument incroyable. Entre autres, j'avais rapidement découvert que Leino était un passeur exceptionnel et j'essayais d'exploiter cette force au maximum.

Dans le passé, chez les Sabres de Buffalo, j'avais connu des saisons fantastiques en compagnie de mon ami Jean-Pierre Dumont sur le flanc droit. Jean-Pierre et moi étions à la fois de bons passeurs et de bons marqueurs. Personne ne pouvait nous accoler seulement l'une de ces étiquettes. Cette situation faisait en sorte que lorsque nous nous retrouvions ensemble dans un coin de patinoire, Jean-Pierre et moi avions l'habitude de travailler ensemble pour en ressortir avec le disque. Nous utilisions ensuite diverses tactiques pour que l'un de nous puisse se rendre au filet et obtenir une chance de marquer.

Quand Jean-Pierre avait quitté Buffalo, mon ailier droit était devenu Jason Pominville, qui était avant tout un tireur. Il avait alors fallu que je m'adapte au jeu de Jason en misant davantage sur mes habiletés de passeur. Jason avait un talent inné pour dénicher des espaces libres en zone offensive. Et comme nous interprétions le déroulement du jeu de la même manière, il était toujours facile à repérer.

Mais voilà, Ville Leino était un spécimen tout à fait différent. Il était très habile pour refiler la rondelle à ses partenaires et il voulait qu'on le laisse exploiter cet aspect dominant de son jeu. À ses côtés, il fallait donc que je cherche davantage à me démarquer. Il me disait :

— Daniel, même si j'ai trois gars sur le dos quand je suis en possession de la rondelle, je ne veux pas que tu viennes m'aider. Si j'ai trois joueurs adverses autour de moi, ça signifie qu'il y a des espaces libres quelque part autour du filet.

Cette adaptation s'est faite rapidement entre nous. Dès que Leino était impliqué dans une bataille pour la rondelle impliquant au moins deux joueurs adverses, c'était mon signal! C'est à ce moment que j'apparaissais sur une parcelle de patinoire laissée sans surveillance et que je recevais la passe. En jouant à ses côtés, j'ai marqué une grande quantité de buts alors que j'étais fin seul dans l'angle mort du gardien.

Souvent, les joueurs qui sont réunis avec de nouveaux compagnons de trio cherchent surtout à savoir comment leurs coéquipiers pourront les compléter et les aider à exploiter leurs propres forces. Mais l'autre face de la médaille est tout aussi importante. Il faut savoir s'adapter au style de ses partenaires pour leur permettre de connaître du succès.

Dans le quatrième match de cette étrange série face aux Bruins, nous avons vraiment frôlé l'élimination par balayage. C'est un but inscrit en prolongation par Simon Gagné qui nous a permis de l'emporter par la marque de 5 à 4.

Nous avons ensuite remporté la cinquième rencontre, celle que nous avions identifiée comme étant la plus cruciale, par la marque décisive de 4 à 0. Et alors que nous étions de retour à Philadelphie pour la sixième partie, nous avons continué de museler l'attaque des Bruins pendant les 59 premières minutes de jeu, ce qui nous a valu un gain de 2 à 1.

La série était désormais égale 3-3. Tout se déroulait exactement comme nous l'avions imaginé durant notre discussion dans le salon des joueurs, alors que nous étions tous encore sous le choc de tirer de l'arrière 0-3 dans la série.

Sauf que le plan a complètement déraillé quand nous sommes retournés à Boston pour disputer la septième rencontre.

Après seulement 14 minutes de jeu, les Bruins avaient déjà marqué deux fois en avantage numérique et ils détenaient une avance de 3-0. Notre jeu était mauvais et notre niveau d'intensité était absolument inacceptable. Je regardais les choses aller en me disant: «On ne peut pas se faire écraser comme ça dans un septième match ! Pas après tous les efforts qu'on a faits pour remonter la pente ! »

La frustration était tellement forte que j'ai complètement perdu la tête durant cette période initiale.

À la huitième minute, peu après que Michael Ryder ait ouvert la marque en avantage numérique, j'ai écopé une mauvaise pénalité alors que nous profitions à notre tour de l'avantage d'un joueur. Tuukka Rask a effectué un arrêt et j'ai servi un double-échec au défenseur Dennis Wideman, qui s'est toutefois penché au même moment. Mon bâton a atteint son casque, qui a aussitôt virevolté dans les airs, juste sous les yeux de l'arbitre Stephen Walkom.

Il n'y a rien que je n'ai pas dit à Walkom en me rendant au banc des punitions. À travers une longue série d'insultes, je l'ai aussi accusé de tout faire pour provoquer notre élimination.

Impassible, l'arbitre m'a laissé prendre place au banc des pénalités. Puis il y a eu une pause, durant laquelle j'ai pu me calmer un peu. Avant que le jeu reprenne, Walkom a ouvert la porte du banc des punitions et m'a lancé :

— Essaie de te calmer. Le match ne fait que commencer.

Puis il est reparti.

Les Bruins ont marqué leur deuxième but alors que j'étais au cachot. Et quand ils ont pris les devants 3 à 0, Peter Laviolette a demandé un temps d'arrêt pour calmer les esprits et nous permettre de nous ressaisir.

Heureusement, nous sommes parvenus à réduire l'écart à deux buts alors qu'il restait moins de trois minutes à faire en première. James Van Riemsdyk a profité d'un bond chanceux. Il est sorti d'un coin de la patinoire avec le disque et son tir a atteint un défenseur des Bruins avant de glisser derrière Tuukka Rask.

Personne ne disait un mot quand nous sommes rentrés au vestiaire. C'était mort. Nous étions tous extrêmement déçus de la façon dont nous avions abordé ce match crucial.

Mais quand on y repense, les joueurs des Bruins devaient aussi réfléchir assez fort de leur côté. Ils avaient détenu une avance de 3-0 dans la série et ils nous avaient vus revenir 3-1, 3-2 et 3-3. Et puis là, dans le septième match, nous venions exactement d'entreprendre le même genre de remontée : c'était 3 à 0 Bruins et nous venions de faire 3 à 1. Ils savaient parfaitement que deux périodes d'enfer s'en venaient. En plus, Boston avait été éliminé dans un septième match lors des deux saisons précédentes. Ce n'était rien pour donner confiance à nos adversaires.

Notre trio a marqué dès la troisième minute de jeu du second engagement. J'ai refilé la rondelle à Leino du côté gauche de l'enclave. Il a tiré. Hartnell, qui fonçait au filet du côté droit, s'est ensuite emparé du retour pour déjouer Rask.

À partir de là, le match a complètement changé. Je n'avais jamais été témoin d'une réaction collective semblable au cours d'un match. C'était comme si les Bruins avaient soudainement peur de se retrouver en possession de la rondelle. Je me rappelle particulièrement de bons joueurs comme Zdeno Chara et Dennis Wideman, pourtant reconnus pour gérer la rondelle efficacement, qui semblaient pris de panique et qui ne voulaient pas se retrouver en possession du disque.

C'était étrange. Malgré l'importance du match que nous étions en train de disputer, j'essayais de prendre des notes. Et je me disais que si je devais un jour me retrouver dans la même position que les Bruins, il me faudrait absolument réagir différemment. Ils étaient littéralement paralysés par la pression.

Six minutes après le but de Hartnell, nous avons égalisé la marque 3 à 3.

« Je revois encore Daniel contourner le filet des Bruins en deuxième période et battre Tuukka Rask de vitesse pour marquer sur un *wraparound* », raconte Paul Holmgren.

« Les buts qu'il a marqués et les jeux qu'il a faits dans cette série, c'était franchement impressionnant. Daniel trouvait toujours le moyen de produire sous pression. Tu ne le voyais pas trop durant le match mais quand survenait le moment où l'équipe avait besoin d'un but, il ressortait du lot et pow! Que ce soit à cinq contre cinq ou en avantage numérique, il était toujours le joueur des grandes occasions. C'est l'image qui me revient tout de suite en tête quand je pense à Danny B », témoigne Ian Laperrière.

———

Pendant ce temps, c'était l'hystérie à Philadelphie.

La direction des Flyers avait invité les partisans de l'équipe à assister au match sur l'écran géant du Wachovia Center. Mais parce qu'on s'attendait à une foule de 3 000 à 5 000 personnes tout au plus, seulement une petite partie des employés de l'amphithéâtre avaient été appelés au travail.

Environ 16 000 personnes avaient cependant répondu à l'invitation et, dès la mise au jeu initiale, les dirigeants de l'amphithéâtre savaient qu'ils étaient en difficulté. Clairement, il n'y avait pas suffisamment de personnel pour encadrer et s'occuper de tous ces gens. À un certain moment, les placiers ont même été obligés de prendre place derrière les comptoirs pour servir de la bière. C'était le bordel dans l'édifice. Un joyeux bordel, toutefois.

J'ai encore des frissons quand je revois les images de cette soirée et la frénésie qui régnait dans notre amphithéâtre durant cette remontée. Les partisans célébraient tellement, dit-on, que l'édifice en tremblait!

———

Quand nous sommes rentrés au vestiaire après la deuxième, nous savions que les Bruins étaient finis. Nous les avions dans les câbles et il n'était pas question de leur permettre d'en ressortir.

Le dernier segment de la bataille a tout de même été difficile. Les deux équipes se sont échangées des tirs sur les poteaux et notre gardien Michael Leighton a dû accomplir quelques arrêts difficiles. Puis au milieu de la troisième, alors que nous avions l'avantage d'un homme, Simon Gagné a capté une passe de Mike Richards dans l'enclave. Il a enfoncé le dernier clou en déjouant Rask.

Pour seulement la troisième fois dans l'histoire de la LNH, une équipe venait de combler un retard de 0-3 en séries éliminatoires de la coupe Stanley.

Ce septième match face aux Bruins est l'un des plus enlevants auxquels j'ai participé. En l'espace de deux heures et demie, cette rencontre nous a fait passer à travers les plus vives émotions que des athlètes puissent ressentir : l'adrénaline et l'anticipation du début d'un match décisif, la profonde désolation d'avoir failli à la tâche puis une spectaculaire remontée jusqu'au sommet du monde.

À bord de l'avion qui nous ramenait de Boston vers Philadelphie, nous savions que nous allions affronter le Canadien en finale de l'Est. Mais notre niveau de confiance était tellement élevé que nous commencions déjà à nous dire que nos chances d'accéder à la grande finale de la coupe Stanley étaient excellentes.

Ce n'était pas un manque de respect envers le CH. Nous étions tout à fait conscients que Montréal venait d'éliminer, tour à tour, les récipiendaires du trophée du Président, les Capitals de Washington, et les champions en titre de la coupe Stanley, les Penguins de Pittsburgh.

Nous estimions par contre que notre équipe était construite différemment des Capitals et des Penguins parce que notre sort ne dépendait pas d'une ou deux supervedettes. Et nous croyions que ça compliquerait drôlement la tâche du Canadien. Lorsqu'ils avaient affronté les Capitals, les Montréalais avaient concentré leurs efforts défensifs sur Alex Ovechkin. Et quand ils s'étaient frottés aux Penguins, ils avaient tout mis en œuvre pour contrer Sidney Crosby.

Mais chez les Flyers, on retrouvait trois trios assez équilibrés. Aussi, parmi notre groupe de défenseurs, Chris Pronger était bon dans toutes les facettes du jeu, mais il n'était pas le genre d'arrière qui contrôlait une rencontre à lui seul. Le Canadien se retrouvait alors sans cible précise à surveiller en défense. Durant les tours éliminatoires précédents, Montréal avait pu assigner un trio défensif contre le meilleur trio adverse, mais le CH ne pouvait répéter cette tactique contre nous.

Par ailleurs, nous avions l'habitude de jouer avec confiance contre Montréal et nous avions connu du succès à leurs dépens en deuxième moitié de calendrier. Enfin, le Canadien ne misait pas sur une équipe costaude. J'avais le sentiment que la réputation de « durs » des Flyers, qui datait des années 1970, dérangeait le Canadien. L'époque des Broad Street Bullies était très lointaine mais clairement, certaines équipes réagissaient encore négativement lorsqu'elles débarquaient à Philadelphie.

Bref, après le tsunami d'émotions vécu face aux Bruins, nous avions l'impression que plus rien ne pouvait nous arrêter.

La série face au Canadien a été expéditive. Nous avons littéralement sorti le rouleau compresseur et mis un terme à ce que les partisans montréalais appelaient le « printemps Halak ».

Lors des deux premiers tours éliminatoires, le gardien Jaroslav Halak était devenu un véritable héros à Montréal en maintenant des moyennes d'efficacité de ,976 face aux Capitals et de ,949 contre les Penguins. Il avait été tout simplement miraculeux.

La magie de Halak s'est toutefois arrêtée à Philadelphie, où étaient disputées les deux premières rencontres de la finale de l'Est. Nous avons complètement dominé ces deux matchs, qui se sont soldés par des scores sans équivoque de 6 à 0 et de 3 à 0.

De retour à Montréal pour le troisième match, le Canadien a répliqué avec une victoire de 5 à 1. Mais nous les avons blanchis pour une troisième fois lors du quatrième match, encore au compte de 3 à 0. Nous avons ensuite complété le travail (un gain de 4 à 2) quand la série s'est à nouveau transportée à Philadelphie pour la cinquième partie.

C'est ainsi que nous avons obtenu notre ticket pour la grande finale, face aux Blackhawks de Chicago.

—◆—

Trois ingrédients sont essentiels pour qu'une équipe puisse remporter la coupe Stanley: il faut qu'elle soit bonne, qu'elle soit chanceuse et que la grille du tournoi éliminatoire lui procure des affrontements qui favorisent son style de jeu.

Lors des trois premiers tours des séries, les astres s'étaient parfaitement alignés pour les Flyers. Toutes les équipes que nous avions affrontées avant d'arriver en finale, les Devils, les Bruins et le Canadien, pratiquaient la trappe, un style de jeu défensif assez statique qui vise à occuper le plus possible la zone neutre.

De notre côté, depuis l'arrivée de Peter Laviolette aux commandes, notre système de jeu était davantage de type *run and gun*, donc beaucoup plus axé sur l'attaque et la capacité de surprendre l'adversaire en quittant rapidement notre territoire défensif.

Nous misions sur plusieurs défenseurs capables de bien faire circuler la rondelle, comme Kimmo Timonen, Matt Carle, Braydon Coburn et Chris Pronger. Dès que l'un de nos défenseurs récupérait la rondelle, nos attaquants avaient donc l'ordre de décamper à toute vitesse en direction de la zone adverse. Il y avait assez peu d'équipes qui jouaient de cette façon, et ce système nous avantageait dans l'Est.

Ce fut toutefois une autre paire de manches quand nous sommes arrivés en finale. Les Blackhawks misaient eux aussi sur un système *run and gun*. Et le fait de se lancer dans un concours offensif contre une équipe aussi bien nantie s'annonçait difficile.

———

De mon côté, cette finale me propulsait sous les réflecteurs puisque j'assumais des responsabilités offensives importantes chez les Flyers.

Les gens qui me connaissent savent à quel point je suis un homme discret qui souhaite passer inaperçu dans la vie quotidienne. Je n'aime pas recevoir d'attentions spéciales ou me faire honorer de quelque manière que ce soit.

Par contre, sur la patinoire, et je ne sais trop comment l'expliquer, je voulais être le joueur qui allait ressortir du lot dans les moments importants. Je voulais être celui qui allait faire la différence. En fait, je croyais fermement que j'étais destiné à être celui qui allait orchestrer le jeu-clé, marquer le gros but ou réussir la passe décisive. J'avais cette conviction profonde chaque fois que j'enfilais mon équipement.

De mon point de vue, donc, cet affrontement Blackhawks-Flyers en finale de la coupe Stanley constituait une occasion unique de démontrer que j'étais meilleur que Jonathan Toews et que Patrick Kane. Je voyais les choses de cette façon, le 29 mai 2010, quand cette série ultime s'est mise en branle à Chicago.

En plus, cette présence en finale survenait alors que je jouais le meilleur hockey de ma vie.

Selon ma sœur Guylaine, la qualité de mon jeu découlait du fait que j'étais parvenu à canaliser positivement une sorte de rage qui m'avait habité durant toute la saison. Mon ami, mentor et ancien entraîneur, André Ruel, interprétait quant à lui mes performances comme l'effort d'un père prêt à tout pour s'ancrer définitivement à Philadelphie afin de ne pas être éloigné de ses enfants.

Peu importe. Au final, j'avais réussi à optimiser toutes les composantes de mon jeu. J'avais 32 ans et, de toute ma carrière, j'avais la sensation de n'avoir jamais été aussi rapide et de n'avoir jamais aussi bien lu ce qui se passait sur la patinoire.

Durant toute cette période, je n'avais rien d'autre à faire que passer du temps à l'aréna. Les enfants partaient pour l'école à 8 heures et ils n'en revenaient pas avant 15 heures ou 15 heures 30. Je passais mes journées entières à notre complexe d'entraînement de Voorhees à décortiquer des films de match, m'entraîner et chercher le moindre avantage susceptible de nous aider à vaincre nos adversaires.

Notre première confrontation contre une équipe préconisant une attaque *run and gun* a confirmé que la finale allait être une série différente des autres. Le jeu était très ouvert. Nous nous sommes donc lancés dans un concours offensif avec les Blackhawks et nous en sommes ressortis avec une défaite de 6 à 5.

Le score était de 5 à 5 après quarante minutes de jeu! Et c'est l'ailier droit Tomas Kopecky qui a marqué le but décisif des Blackhawks en milieu de troisième période.

C'est difficile à dire, parce que c'est survenu un soir de défaite et qu'en tant qu'athlète on ne vit que pour la victoire, mais j'ai sans doute connu le meilleur match de ma vie ce soir-là. J'avais littéralement l'impression d'avoir des ailes. Les trois membres de notre trio ont trouvé le fond du filet dès la première période. Et à la fin de la soirée, j'avais récolté un but et trois passes à mon baptême de finale de la coupe Stanley.

« J'étais directeur du personnel des joueurs des Blackhawks à ce moment-là, se souvient Marc Bergevin, qui est devenu deux ans plus tard le directeur général du Canadien de Montréal. Dans cette finale, Daniel était impressionnant. Il jouait vraiment du gros hockey. »

Les entraîneurs des deux équipes avaient certainement pris des notes durant le premier match, parce que le jeu s'est considérablement resserré lors du deuxième.

Les Blackhawks ont cependant profité d'un court passage à vide de notre équipe pour inscrire deux buts en l'espace de 28 secondes à la toute fin de la deuxième période, et ça leur a suffi pour décrocher une victoire de 2 à 1 et se tailler une avance de 2-0 dans la série.

À notre retour à Philadelphie, Peter Laviolette m'a convoqué à son bureau et il m'a confié le difficile mandat d'affronter Jonathan Toews. C'était une marque de confiance dont je reste, encore aujourd'hui, extrêmement fier.

Quand la finale s'est mise en branle, Toews était probablement le meilleur joueur sur la planète. Il était en tête des marqueurs des séries de la LNH en vertu d'une fiche de 7 buts et 19 passes. Et quelques mois auparavant, à Vancouver, il avait été proclamé le meilleur attaquant du tournoi olympique. Équipe Canada avait remporté la médaille d'or et le capitaine des Blackhawks avait mené cette formation en totalisant le plus grand nombre de points (1-7-8) ainsi qu'en compilant le meilleur ratio de plus et de moins (+ 9).

En plus, Toews était flanqué de Marian Hossa, qui n'était pas un deux de pique, et il avait la réputation de pivoter le meilleur trio défensif de toute la LNH. D'ailleurs, Laviolette me demandait d'affronter Toews justement parce qu'il voulait soustraire le trio de Mike Richards de ce carcan.

Cette responsabilité était extrêmement importante à mes yeux.

Souvent, amateurs et observateurs résument ma carrière en disant : «Ah, Brière était bon en attaque, mais il n'excellait pas défensivement.» Et je ne cache pas que certains passages difficiles en défense soient survenus ici et là au fil de ma carrière. Pour un attaquant de petite taille, certains systèmes de jeu sont plus difficiles à mettre en application. Et lorsqu'on prend de l'âge, on perd un peu de vitesse et il devient plus difficile de suivre la cadence. Mais quand Peter

Laviolette m'a demandé de remplir ce mandat crucial, j'étais à mon mieux.

Notre trio Hartnell-Brière-Leino a donc été jumelé à celui de Toews lors des matchs 3, 4 et 6, et nous avons continué à dominer exactement comme nous le faisions avant de recevoir cette assignation.

Juste à notre façon de jouer, il était assez clair que Toews et moi éprouvions du respect l'un pour l'autre. Il n'y avait ni insultes ni propos désobligeants. En fait, nous ne nous adressions jamais la parole sur la patinoire. Il n'y avait pas de coups salauds non plus. Nous nous contentions de jouer le plus solidement possible sans céder le moindre centimètre de patinoire. Si Toews avait la chance de terminer une mise en échec à mes dépens, il le faisait en y mettant toute la gomme. Et je faisais la même chose envers lui.

Dans cette série, j'ai totalement sacrifié mon corps pour empêcher Toews de nous battre.

Le capitaine des Blackhawks avait complété les trois premiers tours éliminatoires avec 26 points, mais il a été limité à seulement trois mentions d'aide durant l'ultime série.

Notre trio était tellement solide en possession de la rondelle que Toews et ses ailiers avaient énormément de difficulté à créer quoi que ce soit. Révélé par les éliminatoires, Leino s'avérait l'une des plus belles trouvailles à travers la ligue. Il était en effet l'un des meilleurs attaquants pour protéger la rondelle. De son côté, Hartnell était un gros attaquant de puissance capable de se camper à l'intérieur des points de mise au jeu en zone adverse. Pour ma part, je m'appliquais à créer du mouvement et de la vitesse.

C'est un peu de cette façon, en gardant la rondelle et en excellant offensivement (bien plus qu'en jouant défensivement), que nous sommes parvenus à neutraliser le gros trio des Blackhawks.

Aussi, c'est un peu ce qui explique comment je suis parvenu à récolter 12 points dans cette finale de la coupe Stanley (3 buts et 9 aides) et à m'approcher du record de 13 points détenu par Wayne Gretzky.

À Philadelphie, c'est dans cette série que ma réputation et mon surnom, « Mister Playoffs », se sont cristallisés.

« Quand la finale a pris fin, Danny avait amassé 30 points et il était en tête des marqueurs en séries, souligne Paul Holmgren. Il a connu des éliminatoires incroyables.

« Quelques années plus tôt, j'avais été très fier d'embaucher Daniel à titre de joueur autonome parce que je l'avais vu marquer un grand nombre de buts importants contre notre équipe. Il faisait exactement la même chose chez les Flyers. Il était celui qui prenait les choses en main parce qu'il était extrêmement compétitif. Vous regardiez ce petit joueur parmi tous les mastodontes sur la patinoire, et c'était lui qui trouvait le moyen d'inscrire les gros buts en se postant juste à la porte du filet. Combien de fois cela est-il arrivé ? »

Après nous avoir vus remporter les troisième et quatrième matchs à Philadelphie et créer l'égalité 2-2 dans la série, les Blackhawks sont revenus en force sur la patinoire de leur United Center. Dans un autre match de style *run and gun*, ils nous ont infligé un revers de 7 à 4 dans le cinquième match.

Rendus au sixième match, les joueurs des Hawks voulaient visiblement en finir. Leur attaque a continué de générer des tirs (41) et des chances de marquer à la pelle. Notre gardien Michael Leighton a toutefois bien répondu en les limitant à trois buts dans les 60 premières minutes de jeu. Notre trio a assuré la réplique en marquant les trois buts de notre équipe. Alors qu'il restait moins de quatre minutes à jouer, c'est Scott Hartnell qui a inscrit son deuxième de la soirée pour forcer la tenue d'une prolongation.

La suite a donné lieu à l'une des plus étranges conclusions auxquelles on ait assisté en finale de la coupe Stanley.

Au début de la première période de prolongation, Patrick Kane est sorti du coin gauche de la patinoire en longeant notre ligne des buts.

Et même s'il n'avait aucun angle, il a tiré en direction de Leighton. Notre gardien était appuyé sur son poteau mais le disque s'est faufilé entre ses jambières pour ensuite disparaître sous la bande de caoutchouc protégeant la partie inférieure du filet.

Le jeu est survenu si rapidement que Kane semblait être le seul dans l'amphithéâtre à réaliser qu'il venait de marquer le but décisif. Alors que la confusion régnait sur la patinoire et que les autres joueurs cherchaient toujours à récupérer la rondelle, Kane patinait en trombe en direction de la zone des Hawks et lançait son casque en célébrant.

C'est ainsi qu'a pris fin notre rêve de soulever la coupe Stanley. Nous y touchions presque. Malheureusement, par la suite, je n'ai plus jamais eu la chance de m'approcher aussi près du précieux trophée.

Les Blackhawks ont donc savouré leur première conquête en 49 ans. Et en toute honnêteté, il ne s'agissait pas d'une injustice. Leur équipe était légèrement supérieure à la nôtre. La profondeur de leur alignement était impressionnante. D'ailleurs, pendant que le premier trio de Chicago était muselé, Kane et Dustin Byfuglien nous ont particulièrement fait mal lors des deux derniers matchs de la série en marquant cinq buts.

Après la traditionnelle poignée de mains, Jonathan Toews s'est fait remettre le trophée Conn Smythe à titre de joueur par excellence des séries éliminatoires. Objectivement, on peut seulement conclure que cet honneur lui a été décerné en raison des succès qu'il avait connus avant de participer à la finale.

Cette confrontation *mano a mano* avec le capitaine des Blackhawks restera l'une de mes plus grandes fiertés.

La saison 2009-2010 a débuté et s'est terminée par deux des plus grandes déceptions de ma vie. Et entre les deux, sans trop savoir comment l'expliquer, j'ai atteint un véritable état de grâce. Sans le savoir, je venais de vivre mon apogée.

CHAPITRE 10

La famille Brioux

Il n'y a rien comme un long parcours éliminatoire pour rehausser le niveau de confiance et la soif de vaincre d'une équipe de hockey.

Quand je me suis présenté au camp des Flyers, à l'aube de la saison 2010-2011, j'avais un peu l'impression de rejouer dans le même film que lors de mon passage chez les Sabres de Buffalo : nous voulions ardemment mettre la main sur la coupe qui nous avait échappé de si peu quelques mois plus tôt.

J'étais de plus en plus à l'aise dans mon rôle de père monoparental. Une routine agréable s'installait avec les garçons et j'avais retrouvé mon optimisme.

Durant ce camp d'entraînement, j'ai appris que Claude Giroux se cherchait un endroit pour habiter et je me suis dit : « Pourquoi pas ? » Ma maison était suffisamment grande pour qu'il puisse s'y sentir parfaitement à l'aise. Et puis, je me disais que la présence d'un coloc allait probablement créer une dynamique intéressante, autant pour les enfants que pour moi. Je l'ai donc invité à venir vivre avec nous en banlieue de Philadelphie.

Claude ne comptait qu'une saison et demie d'expérience dans la LNH mais je figurais parmi ses plus grands admirateurs.

Au premier coup d'œil, les amateurs de hockey perçoivent Claude Giroux comme un magicien avec la rondelle et un passeur exceptionnel.

Mais à force de jouer à ses côtés, j'étais encore plus impressionné par sa détermination.

Par exemple, lorsque nous nous mesurions aux Bruins, son plus grand plaisir consistait à affronter Zdeno Chara dans les coins de patinoire et à le pousser jusqu'à ce qu'il perde la tête. Claude s'arrangeait toujours pour que le grand capitaine des Bruins (6 pieds 9 pouces et 250 livres) se fâche et finisse par se venger. Je le regardais aller et je me disais : « Tabarn… ! Il a du chien ! » Claude voulait remporter toutes ses batailles le long des bandes, peu importe la taille de l'adversaire qui s'y trouvait. Il ne fait que 5 pieds 11 pouces et 185 livres, mais la force de ses mains est exceptionnelle et son désir de vaincre n'a pas de limites.

—◆—

Les équipes qui connaissent de très longs parcours en séries éprouvent souvent de la difficulté à remettre la machine en marche au début de la saison suivante. Après avoir disputé une centaine de matchs, l'été s'avère si court que les joueurs n'ont pas suffisamment de temps pour récupérer ou se remettre complètement de leurs blessures.

Cela explique peut-être pourquoi nous avons connu un départ modeste, ne remportant que trois de nos huit premiers matchs du calendrier. Heureusement, nous avons ensuite décollé comme une fusée, remportant neuf des dix matchs suivants.

Le 1er décembre, nous occupions le troisième rang du classement général de la LNH. Notre attaque était en feu ! Même si je connaissais un très bon départ et que je comptais déjà 12 buts et 18 points à ma fiche, je ne figurais qu'au cinquième rang des marqueurs de l'équipe ! Mike Richards et Claude, entre autres, semblaient partis pour la gloire avec des récoltes de 25 et 23 points en 26 matchs.

—◆—

À la maison, la spontanéité de Claude animait considérablement nos soupers de famille. Imaginez un peu le portrait : nous étions deux joueurs de hockey aux horaires atypiques et sans trop d'expérience en matière d'organisation familiale, et nous vivions avec trois jeunes garçons et deux chiens ! Je suis certain qu'en prenant quelques notes, nous aurions pu écrire une série comique pour la télé.

Les enfants s'étaient rapidement attachés à Claude. Il était à leurs yeux une sorte de jeune oncle un peu plus cool que le paternel. Ils se taquinaient constamment tous les quatre. Cette complicité existe d'ailleurs encore. Ils recommencent leur manège chaque fois qu'ils se revoient.

Peu avant la période des Fêtes, Claude est arrivé avec une idée hilarante qui, lorsqu'elle s'est réalisée, en disait long sur mon évolution des douze derniers mois et sur l'état d'esprit qui régnait dorénavant à la maison.

Nous étions à table en train de souper quand Claude a lancé :

— Heille, les gars dans le vestiaire parlaient de leurs cartes de Noël aujourd'hui. Ils sont tous en train de se faire imprimer des cartes familiales. Nous autres aussi on devrait s'en faire une !

Les cartes de Noël personnalisées ne font pas vraiment partie de la tradition des Fêtes au Québec. Mais aux États-Unis, c'est une grosse affaire ! À l'approche de Thanksgiving, de Noël et du jour de l'An, énormément de gens prennent le temps de faire de très belles photos de famille et de les faire imprimer sur des cartes pour transmettre leurs vœux aux gens qu'ils aiment.

L'idée de Claude était géniale. Les enfants et moi avons spontanément embarqué. Pour bien réussir notre projet, nous avons fait des tests durant la soirée en prenant plusieurs clichés des garçons en compagnie des chiens. Puis le lendemain, quand Caelan, Carson et

Cameron sont revenus de l'école, nous avons revêtu nos plus beaux habits et pris une superbe photo de notre drôle de famille.

Quand nos coéquipiers et les membres de l'organisation des Flyers ont reçu notre carte, elle a eu un succès monstre. On pouvait y lire : *MEILLEURS VŒUX DES FÊTES DE LA FAMILLE BRIOUX !*

Ian Laperrière, qui avait installé sa petite famille à quelques coins de rue de notre maison, nous regardait aller avec grand amusement.

. « Cet épisode de la carte de Noël était vraiment drôle, raconte Laperrière, et il prouvait que cet arrangement entre G (le surnom de Claude Giroux) et Danny B était bon pour tout le monde. Claude apportait de la vie à la maison. Et en retour, il avait la chance de côtoyer quotidiennement le professionnel ultime. Daniel Brière était un joueur de hockey avant toute autre chose, et c'est ce que ça prend lorsqu'on souhaite connaître une carrière comme la sienne. »

L'arrangement que j'avais avec Claude n'était pas bénéfique que pour lui ; ça allait dans les deux sens : sa présence m'aidait à sortir de ma coquille. Elle m'empêchait de me renfrogner et de devenir une sorte de vieux bougonneux.

Lorsque G avait emménagé avec nous, j'avais établi une règle cardinale :

— Quand les enfants sont avec nous, pas de party à la maison. Il n'y a pas de fille qui entre ici et c'est tranquille. Mais lorsqu'ils sont avec leur mère et que nous sommes seuls, tu peux faire ce que tu veux. Tu peux ramener le party si ça te chante. Il n'y a aucun problème. Tu es chez toi.

La famille Voyer, chez qui j'étais resté en pension à Drummondville, avait peut-être un peu déteint sur moi, finalement...

De fil en aiguille, la présence de Claude m'a permis de vivre la jeunesse que je n'avais pas connue quand j'avais son âge. Ça a été tout un changement! Il m'a incité à sortir davantage. Et tout d'un coup, je me suis mis à me rapprocher davantage des plus jeunes joueurs de l'équipe.

Dans le monde du hockey, un hockeyeur de 32-33 ans fait partie de la catégorie des «vieux». Or cette expérience m'a permis de me remettre à la page, de sortir des sentiers battus et de recommencer à réellement apprécier la vie que je menais.

Après Noël, les Flyers partaient pour leur traditionnelle série de matchs dans l'Ouest américain. Le calendrier faisait en sorte que nous allions célébrer le Nouvel An en Californie, où nous affrontions les Kings de Los Angeles et les Ducks d'Anaheim les 30 et 31 décembre.

J'en ai profité pour envoyer un petit texto à Misha Harrell: *Je suis à Los Angeles pour quelques jours. Ça te dirait qu'on se voie?*

Misha avait terminé sa quatrième année de médecine en mai 2010 et elle avait emménagé en Californie afin d'y faire sa résidence. Les médecins résidents travaillent sans cesse. Ils font régulièrement des quarts de travail de 36 heures et bénéficient rarement de congés. J'avais de l'admiration pour elle. Misha s'était engagée à servir dans l'armée de l'air américaine dès l'obtention de son droit de pratique.

Quand je lui ai envoyé le texto, ça faisait presque un an que nous ne nous étions pas croisés.

Deux mois après notre première rencontre, en décembre 2009, nous étions de nouveau sortis ensemble. Et durant ce deuxième rendez-vous, Misha m'avait clairement fait savoir qu'elle recherchait une relation sérieuse. Je n'étais pas prêt à cela.

«Les hommes et les femmes réagissent différemment aux séparations, explique Misha. La réaction de Daniel était sans doute plus saine que la mienne. Il avait 32 ans et n'avait jamais été célibataire. Disons qu'il avait envie d'explorer les possibilités qu'offrait ce nouveau

statut... Il était une célébrité à Philadelphie et il n'avait aucun problème à faire des rencontres. Je lui ai dit que je comprenais son point
de vue, mais que je ne voulais pas faire partie de ça. Daniel a donc
exploré le célibat... Claude Giroux et lui menaient des vies de playboys.
Ils étaient probablement les deux célibataires les plus populaires en
ville.»

Le hasard a bien fait les choses. Pour une très rare fois, Misha allait
avoir congé durant la journée du 31 décembre, et elle ne devait rentrer
à l'hôpital qu'en fin d'après-midi le lendemain. Elle a fait une heure
et demie de route pour venir me rejoindre à Santa Monica. Et nous
avons célébré ensemble le passage à l'année 2011.

«Je pense que je suis tombée amoureuse à ce moment-là, raconte
Misha. Mais Daniel continuait à dire qu'il n'était pas prêt à s'engager.
Moi, je croyais qu'il allait finir par changer d'idée. Sur le chemin du
retour, même si je m'apprêtais à entreprendre un très long quart de
travail, je ne pouvais m'empêcher de sourire. J'ai même appelé mon père
pour lui dire : "Dad, je n'ai jamais ressenti *ça* pour qui que ce soit."»

———

Quelques semaines plus tard, en février, Misha est revenue à
Philadelphie pour visiter sa famille. Elle m'a envoyé un texto avant
d'arriver : *Je serai en ville le week-end prochain. As-tu envie de me voir?*

Elle était convaincue que nous allions passer un moment ensemble,
mais ça tombait mal. Les garçons étaient avec moi durant cette fin de
semaine-là. En plus, nous avions un match à l'horaire et mes parents
étaient en ville. Je ne voyais pas comment je pouvais laisser mes
parents seuls à la maison alors qu'ils avaient fait tout ce chemin pour
passer du temps en famille. J'ai donc répondu à Misha que je n'allais
pas pouvoir me libérer.

Le week-end s'est presque déroulé comme prévu. Mes parents sont
arrivés à Philadelphie et ils sont venus assister à notre match en com-

pagnie des enfants. Quand je les ai rejoints après la rencontre, mes parents ont appris que quelques-uns de mes coéquipiers s'en allaient prendre une bière et ils ont vivement insisté pour que j'aille avec eux.

— Vas-y, vas-y ! répétaient-ils. On va rentrer avec les enfants et on va passer du bon temps avec eux.

J'ai donc changé mes plans et je suis parti avec mes coéquipiers. Et cela a donné lieu à un incroyable malentendu. Quand nous sommes entrés dans une boîte du centre-ville de Philadelphie, Misha s'y trouvait avec des copines. Toutes les apparences étaient contre moi. J'avais l'air d'un type ayant inventé une histoire pour ne pas la voir. Elle était vraiment déçue... et fâchée.

« Quand je l'ai vu arriver dans le bar, je me suis dit: "Tu me niaises !", raconte Misha. Il m'avait sorti une longue liste d'excuses pour ne pas me voir et il est débarqué comme ça, comme si de rien n'était ! Je me suis dit que j'avais commis une erreur et qu'il n'était clairement pas intéressé. Quand je suis rentrée en Californie, Daniel était rayé de la liste et je suis passée à autre chose. »

Alors nous nous sommes à nouveau perdus de vue.

Beaucoup plus tard, j'ai appris que Misha avait obtenu la licence lui permettant de pratiquer la médecine et qu'elle avait entrepris sa carrière militaire au sein de l'armée de l'air à titre de médecin de vol. Elle a été mutée à une base située à Tucson en Arizona.

Le mois de février n'a pas été mon meilleur. Outre cet incident, j'ai été limité à seulement deux buts sur la patinoire durant cette période. Ce fut mon pire mois de la saison.

D'un point de vue collectif, toutefois, l'équipe ne montrait pas de signe de ralentissement. Quand le mois de mars s'est pointé et que l'odeur des séries a commencé à nous chatouiller les narines, nous étions premiers dans l'Est et nous occupions le deuxième rang du classement général de la LNH, à un petit point des Canucks de Vancouver.

Notre équipe était une véritable machine à marquer des buts à forces égales. Même si notre unité d'avantage numérique était l'une des moins performantes de la LNH, notre total de buts marqués était le troisième plus élevé de la ligue. Notre défense se situait au sixième rang et notre gardien recrue Sergei Bobrovsky, qui s'était emparé du poste de gardien numéro un, disputait du hockey solide.

De la patinoire jusqu'aux bureaux administratifs, un fort vent d'enthousiasme soufflait au sein de l'organisation. À titre de membre des Flyers, l'un de mes plus grands plaisirs consistait d'ailleurs à observer le fort lien affectif que le propriétaire Ed Snider entretenait avec son équipe.

Monsieur Snider était tout un personnage. Il assistait à la grande majorité des matchs de ses Flyers. Et après chacun de ceux-ci, gagne ou perd, il descendait au vestiaire pour nous saluer.

Quand l'équipe gagnait, monsieur Snider était toujours très enthousiaste. Il nous donnait des accolades, le sourire fendu jusqu'aux oreilles. Et quand nous perdions, même lorsqu'on subissait une dégelée, il venait nous serrer la main et ne ménageait jamais les encouragements.

— C'est pas grave, les gars, on va se reprendre au prochain match !

Il faisait en quelque sorte partie de nos vies et de notre routine. Il aimait tellement son équipe que j'ai fini par réaliser que nous, ses joueurs, ne pouvions rien faire de mal à ses yeux et qu'il nous considérait un peu comme ses petits-enfants. Il nous protégeait sans cesse.

Après nous avoir encouragés, monsieur Snider s'engageait dans le long couloir menant au salon des entraîneurs. Et une fois qu'il fermait cette porte, ça bardait drôlement ! Si l'équipe avait mal joué, les entraîneurs n'avaient pas droit à la même clémence que nous. Ils passaient carrément dans le tordeur ! Il m'est arrivé à quelques reprises de l'entendre crier son insatisfaction à travers les murs.

La générosité et l'intensité de son style de leadership étaient tout simplement fascinants.

⏤

Nous avons bouclé le calendrier au deuxième rang dans l'Est en vertu d'une récolte de 106 points, soit seulement un de moins que les Capitals de Washington. Nous présentions aussi un excellent différentiel de + 36. Tous les indicateurs statistiques étaient positifs et annonçaient un long parcours dans le grand tournoi printanier : nous misions notamment sur six marqueurs de 20 buts et plus, dont deux avaient franchi le plateau des 30 buts.

Ma fiche offensive personnelle montrait un rendement de 34 buts, 68 points et un bilan défensif de + 20. Seul Claude Giroux (25-51-76) me devançait dans la colonne des marqueurs des Flyers. À 33 ans, cela constituait l'une des meilleures saisons de ma carrière, d'un point de vue offensif. Pour ce qui est de la colonne des plus et des moins, il s'agissait d'un sommet. J'étais confiant de pouvoir reprendre là où j'avais laissé lors des séries précédentes.

Malheureusement, du sable avait insidieusement commencé à se glisser dans notre engrenage lors des deux dernières semaines de la saison. Nous n'avions remporté qu'un seul de nos six derniers matchs. Et notre seule victoire (à notre 82e rencontre) avait été acquise aux dépens des Islanders de New York, exclus des séries depuis fort longtemps.

Soudainement, le jeu de Sergei Bobrovsky semblait moins assuré, peut-être en raison de son manque d'habitude des longs calendriers de la LNH. Sa moyenne d'efficacité a plongé de 35 points à ses quatre dernières sorties du calendrier régulier. Et lors du dernier match face aux Islanders, Peter Laviolette l'a retiré du filet après qu'il eut cédé trois fois sur les dix premiers tirs.

⏤

Nous affrontions les Sabres de Buffalo au premier tour. Et ce qui aurait dû s'avérer une série assez facile s'est transformé en une randonnée en montagnes russes de sept matchs.

Au cours de cette étrange série, Peter Laviolette a confié des départs à trois différents gardiens (Bobrovsky, Brian Boucher et Michael Leighton) qui ont tous été chassés d'un match après avoir accordé trois buts dès la première dizaine de tirs des Sabres ! Je n'avais jamais vu une chose pareille.

En faisant preuve d'une grande détermination (et malgré le fait que Ryan Miller nous ait blanchis deux fois par la marque de 1 à 0), nous sommes toutefois parvenus à sortir vivants de la ronde initiale.

Le second tour nous opposait aux Bruins, qui avaient été victimes de notre historique (et humiliante) remontée l'année précédente. L'équipe de Claude Julien n'entendait pas à rire. Et, visiblement, elle avait tiré des leçons de cet épisode : les Bruins venaient de dompter l'un de leurs vieux démons en éliminant le Canadien en sept rencontres au premier tour.

Nos problèmes devant le filet se sont hélas poursuivis face aux Bruins. Et contre une défense aussi étanche, cette situation nous a enlevé toute marge de manœuvre. Brian Boucher a été remplacé chaque fois par Bobrovsky lors des trois premières rencontres (la deuxième fois en raison d'une blessure) et nous nous sommes une fois de plus retrouvés acculés à un déficit de 0-3.

Cette fois, notre vestiaire n'a pas été le théâtre d'une réunion optimiste annonçant une remontée historique. Nous nous savions branchés sur le respirateur artificiel.

Les Bruins, qui s'étaient juré de ne pas se refaire jouer le même tour deux années de suite, ont complété le balayage en nous écrasant au compte de 5 à 1 dans le quatrième match.

Au bout du compte, peut-être n'étions-nous qu'un géant aux pieds d'argile...

Au terme de cette saison 2009-2010, Claude Giroux a jugé qu'il était prêt à voler de ses propres ailes et l'histoire de la famille Brioux a pris fin sur une très jolie note. En fait, cette expérience s'était avérée tellement positive que je n'ai pas hésité à la répéter, un an plus tard, quand Sean Couturier a gradué dans la LNH à l'âge de 18 ans.

Parce que Sean était lui aussi bien jeune, Paul Holmgren cherchait une bonne famille disposée à l'accueillir. Je me suis tout de suite porté volontaire.

Paul a donné le choix à Sean : vivre en pension au sein d'une famille choisie par l'organisation ou habiter chez les Brière. Il est venu chez nous.

En 2011, seulement quelques années séparaient Sean Couturier de Caelan, Carson et Cameron, qui étaient alors âgés de 10 à 13 ans. Sa relation avec les garçons était différente de celle de Claude. Sean était pour eux comme un grand frère avec lequel ils avaient des intérêts communs – notamment la console de jeux vidéo... Leur relation était donc un peu plus étroite.

Sean a finalement vécu deux ans avec nous.

Le fait d'avoir accueilli de jeunes coéquipiers à la maison m'a souvent valu des éloges de la part d'observateurs qui vantaient mon leadership et mon engagement envers l'organisation. Mais en toute honnêteté, la présence et l'enthousiasme de Claude et Sean m'ont aussi été très bénéfiques. Ils m'ont aidé à définitivement tourner la page sur une période de ma vie qui n'avait pas été facile. Je leur en serai toujours reconnaissant.

CHAPITRE 11

Les jours difficiles

Pour un joueur de petite taille, survivre sur les patinoires de la LNH est un combat quotidien.

Très tôt durant mon stage chez les juniors, j'avais compris qu'il allait être impossible de me faire respecter en jetant les gants. Il y avait bien sûr des coéquipiers qui se portaient volontaires pour me protéger et je ne craignais pas pour ma sécurité. N'empêche, j'étais constamment une cible sur la glace et, régulièrement, des occasions surgissaient où je n'avais pas le choix : je devais clairement démontrer qu'il y avait un prix à payer pour s'attaquer à moi.

« Il y a une chose que la plupart des amateurs de hockey ignorent au sujet de Daniel, affirme Ian Laperrière. Derrière son petit visage d'ange, on retrouvait l'un des joueurs les plus compétitifs et salauds de la LNH ! Avec son bâton, il était l'un des joueurs les plus redoutés de la ligue. Je me rappelle une fois où Paul Holmgren était en conférence téléphonique avec Colin Campbell, le préfet de discipline de la LNH. Ce dernier se penchait sur une suspension à imposer à Daniel Carcillo, que tout le monde considérait comme l'enfant terrible des Flyers. Et Campbell avait lancé à Holmgren : "Ce n'est pas Carcillo le joueur le plus cochon de ton équipe, c'est Brière !" »

J'avais un caractère bouillant, je ne m'en cache pas. Et ça provoquait parfois de vives réactions sur la patinoire.

« Lorsqu'on jouait ensemble à Buffalo, rappelle Jean-Pierre Dumont, Dan nous disait tout le temps : "Si vous voyez une mêlée éclater, ne vous en mêlez pas. Ce sera sans doute moi qui aurai tout déclenché avec un coup de bâton ou un double-échec." Il s'est toujours servi de son bâton, mais je peux certifier qu'il n'était pas un joueur craintif. Je l'ai aussi souvent vu jeter les gants. »

« Ce qui était fascinant dans le cas de Daniel, explique Martin Biron, c'est qu'il était capable de se faire justice sans attirer l'attention des arbitres. À un certain moment à Buffalo, il avait solidement dardé Alex Ovechkin. Ovie était furieux ! La LNH n'a jamais pu le réprimander parce qu'aucune caméra n'était clairement parvenue à capter son geste. Il était un véritable serpent sur la patinoire. Pour cette raison, les gars ont commencé à le surnommer Sneaky B. »

Certains joueurs prennent plaisir à distribuer des coups salauds à leurs adversaires. Ce n'était pas mon cas. Je respectais un code d'éthique dont la première règle consistait à ne jamais lancer les hostilités. Toutefois, dès qu'un adversaire cherchait à me faire mal, son numéro me restait en tête. C'était automatique.

Quand venait le temps de remettre au fautif la monnaie de sa pièce, je m'attaquais aux parties du corps les plus sensibles et les moins bien protégées par les pièces d'équipement. Par exemple, l'arrière des genoux était l'une de mes cibles de prédilection. J'ai aussi souvent visé le bas du ventre, je m'en confesse.

Je n'avais pas le choix. Je devais me faire respecter. Il y avait tellement de faux durs qui me voyaient arriver et qui se disaient : « OK, en voilà un plus petit que les autres, je vais pouvoir m'acharner dessus et je n'aurai pas à me battre. » Cette sous-race de joueurs a tout le temps existé dans le monde du hockey, et je ne me gênais pas pour leur faire payer la note ! La plupart du temps, je ne les revoyais plus après leur avoir fait goûter à ma médecine.

De leur côté, les « vrais » joueurs revenaient me frapper sans cesse, mais ils le faisaient en respectant les règles. J'étais parfaitement capable de vivre avec cela.

Malgré toute la détermination dont je faisais preuve pour préserver mon espace vital sur la glace, j'ai été victime de quelques attaques vicieuses dans la deuxième portion de la saison 2011-2012.

En janvier lors d'une visite des Sénateurs d'Ottawa, l'un de ces gestes gratuits (un double-échec à la tête quand j'étais au sol sans défense) m'avait incité à jeter les gants contre Kyle Turris. Je ne voulais rien savoir, ce soir-là! J'avais d'ailleurs complété un tour du chapeau en prolongation pour nous permettre de l'emporter 3 à 2. Ce genre de soirée survient très rarement au cours d'une carrière, et celle-là semble avoir marqué les esprits. Les partisans des Flyers m'en reparlent encore souvent.

Après avoir réussi 34 buts la saison précédente, ma production offensive était sensiblement à la baisse. Par contre, l'équipe se débrouillait fort bien et c'était l'essentiel. Malgré une incroyable quantité de blessures (nos joueurs réguliers ont raté plus de 440 parties au total), nous nous dirigions vers une deuxième campagne consécutive de plus de 100 points au classement.

Alors que j'arrivais à 34 ans, Claude Giroux était en train de s'établir comme le nouveau leader offensif de notre équipe. Les 93 points qu'il a amassés cette saison-là constituaient la meilleure performance d'un attaquant des Flyers depuis Eric Lindros, qui avait atteint ce même total en 1998-1999.

Deux semaines après cet incident avec Turris, j'ai subi une grave commotion cérébrale durant un match disputé au New Jersey. Nous détenions une avance de 4 à 1 et il restait à peine une minute à écouler au match quand j'ai croisé la ligne bleue des Devils, sur le flanc droit, en possession de la rondelle.

J'ai effectué une passe alors que j'étais surveillé par un attaquant des Devils. Constatant qu'il était trop tard pour me frapper, mon couvreur a alors changé de direction. Juste à ce moment, le défenseur

Anton Volchenkov a surgi à ma droite et m'a servi un retentissant coup d'épaule à la tête.

Résultat : j'ai eu une commotion cérébrale qui m'a éloigné de la compétition pendant six matchs. Quand je suis revenu au jeu au début de février, je semblais avoir perdu une fraction de seconde et j'ai eu peine à retrouver ma touche autour des filets. J'ai passé 13 matchs de suite sans secouer les cordages.

Ensuite, au début d'avril, alors que les choses s'étaient replacées, Joe Vitale des Penguins de Pittsburgh m'a violemment frappé au centre de la patinoire.

Il ne restait plus que trois matchs à écouler avant le début des séries éliminatoires et il était déjà acquis que les Penguins allaient nous affronter au premier tour. Nous détenions une avance de 6-3 dans la rencontre et, encore une fois, il restait à peine une minute à écouler. Sa mise en échec était légale, mais Vitale savait parfaitement ce qu'il faisait. À l'aube des séries, il voulait me faire mal.

Son geste a déclenché quelques bagarres et une mêlée qui a duré une bonne dizaine de minutes. Hors de lui, notre entraîneur Peter Laviolette a foncé en direction du banc des Penguins dans la seconde suivant l'impact afin de crier sa façon de penser à son vis-à-vis Dan Bylsma. Il s'en est fallu de peu pour que les entraîneurs en viennent aux coups. Sonné, j'ai dû retraiter directement au vestiaire pendant que mes coéquipiers tentaient de me venger.

Compte tenu de la blessure que m'avait auparavant infligée Volchenkov, qui m'avait fragilisé, la tactique du joueur des Penguins a eu l'effet escompté et je n'ai pas été en mesure de compléter le calendrier régulier. Officiellement, ma blessure a été rapportée par l'équipe comme étant une contusion dans la partie supérieure du dos.

Outre ces démêlés, ma vie sentimentale s'est aussi avérée passablement occupée durant cette période.

Au début de décembre, alors que nous nous apprêtions à rendre visite aux Coyotes de Phoenix, j'ai risqué un texto à l'intention de Misha. Je savais qu'elle était basée à Tucson, et nous ne nous étions toujours pas revus depuis l'horrible malentendu survenu sept mois plus tôt dans une boîte de Philadelphie.

« Je n'entretenais aucune rancœur envers Daniel, raconte Misha. Je me disais simplement que je n'étais pas son type de femme et j'avais fini par tourner la page. »

Après avoir échangé quelques messages, elle m'a confirmé au téléphone qu'elle avait envie d'assister à la partie... mais seulement en amie, précisant qu'elle fréquentait quelqu'un.

« Je pense que c'était la première fois en deux ans qu'il se faisait dire non par une fille, raconte Misha en souriant. Nous nous sommes vus brièvement après le match. Je lui ai fait une accolade et nous sommes chacun retournés à nos vies. »

Après les Fêtes, Misha a mis fin à sa relation. Et nous avons repris contact.

« Rendus en février, Daniel et moi échangions des textos et discutions au téléphone presque tous les jours, raconte Misha. Quand je lui ai annoncé que j'étais sur le point de rentrer à Philadelphie pour visiter mes parents, il s'est mis à faire des plans. Il retournait mes appels et mes messages dans la minute. »

Quand j'étais devenu célibataire, je m'étais promis de toujours faire preuve de grande franchise avec les femmes que j'allais rencontrer. Il m'était arrivé de voir des gars multiplier les fausses promesses d'engagement et je ne me voyais pas agir de la sorte. Je me disais que le jour où je serais vraiment prêt à aller plus loin avec quelqu'un, j'allais tout simplement agir en conséquence. Et j'étais rendu là. Misha s'en venait faire une brève visite à Philadelphie et elle était sur le point d'être envoyée en Afghanistan. Je ne savais pas quand j'allais la revoir après cette mission. Je lui ai dit que je voulais rencontrer ses parents.

« Quand j'ai annoncé à mon père que Daniel allait venir dîner à la maison, il s'est emporté. "Es-tu sérieuse ? Je ne veux pas voir ce gars-là ! Je ne veux pas qu'il entre dans notre maison ! Il t'a fait mal l'an dernier et il va le faire encore. C'est un athlète professionnel et c'est de cette façon que ces gars-là agissent. La même histoire va se répéter !" Je lui ai répondu que Daniel se comportait différemment avec moi et que ça semblait devenir plus sérieux entre nous », explique Misha.

Issue d'une famille de quatre filles, Misha entretenait une relation très ouverte avec ses parents. Son père est biochimiste dans une grande compagnie pharmaceutique et sa mère est à l'emploi d'une firme comptable. Ce sont des gens vifs d'esprit et animés de valeurs solides. Au cours des deux années précédentes, Misha les avait tenus au courant de nos rencontres, de mes fortes réticences à m'engager ainsi que du foutu malentendu de la boîte de nuit. Je croyais me présenter chez eux avec un compte d'aucune balle, deux prises. Sans doute pour ne pas m'inquiéter, Misha avait toutefois omis de me faire savoir que dans l'esprit de son père, j'étais déjà retiré...

« Daniel s'est présenté à la maison avec un gâteau au chocolat dans les mains, et mes parents l'ont laissé entrer. En bavardant avec lui, mes parents sont rapidement tombés sous son charme. Ils l'ont admiré et accepté dès cette première visite. Ils ont vu que c'était quelqu'un de vrai. »

Son congé tirant à sa fin, Misha est rentrée en Arizona quelques jours plus tard. Alors qu'elle faisait une escale à l'aéroport de Denver, nous avons entrepris une discussion virtuelle.

Elle m'a écrit qu'elle voulait savoir une fois pour toutes si, après tout ce temps, nous allions au moins tenter de nous fréquenter sérieusement.

Il n'était pas question de la laisser filer à nouveau.

Les Penguins nous avaient devancés par cinq points au classement de la division Atlantique (108 contre 103) durant la saison régulière. Quand le premier tour éliminatoire s'est mis en branle, nous leur sommes toutefois tombés dessus à bras raccourcis.

N'ayant rien oublié de la charge de Joe Vitale, je suis revenu au jeu à temps pour le début des séries. Nous tirions de l'arrière 0-3 à mi-chemin dans le premier match, et j'ai célébré mon retour en inscrivant les deux buts suivants. Brayden Schenn s'est chargé de créer l'égalité 3 à 3 en milieu de troisième et Jakub Voracek a terminé le travail en prolongation pour nous procurer un gain de 4 à 3. Dans le match suivant, Claude Giroux et Sean Couturier se sont offerts des tours du chapeau et nous avons rossé les Penguins 8 à 5.

Le gardien de Pittsburgh, Marc-André Fleury, a été blâmé par la presse et les amateurs durant cette série. Il faisait pourtant face à une situation extrêmement difficile. Notre attaque générait d'excellentes chances de marquer en quantité industrielle et Fleury était laissé à lui-même plus souvent qu'autrement.

Nous avons à nouveau varlopé Pittsburgh dans le troisième match, cette fois au compte de 8-4. Il semblait de plus en plus clair que les Penguins ne faisaient pas le poids et le match est devenu complètement fou. Pas moins de 158 minutes de pénalité ont été distribuées. Ce fut l'un des matchs éliminatoires les plus tumultueux auxquels j'ai participé.

Durant un même arrêt de jeu en première, Sidney Crosby a jeté les gants contre Claude Giroux, pendant que Kris Letang en faisait autant contre Kimmo Timonen – entre autres. Puis, en fin de troisième, alors qu'il restait moins de cinq minutes à jouer, des assauts de James Neal aux dépens de Claude Giroux et Sean Couturier ont déclenché une autre vague de bagarres et de coups vicieux. Neal a été suspendu après cette rencontre.

Nous avons finalement disposé des Penguins en six matchs et Claude est sorti du premier tour éliminatoire avec 14 points! Au cours des 20 années précédentes, aucun joueur de la LNH n'en avait amassé autant dans une même série. J'ai pour ma part complété cette tranche de six matchs avec cinq buts et trois passes. J'étais rassuré. J'avais retrouvé mes repères. Tout était en place pour nous permettre de connaître une autre longue et intéressante danse du printemps.

Au deuxième tour, nous nous sommes retrouvés face aux Devils du New Jersey.

Martin Brodeur avait maintenant 39 ans. Les Devils étaient reconnus pour leur traditionnelle affection pour le jeu défensif, mais, de l'avis général, malgré la présence d'un marqueur comme Ilya Kovalchuk, leur attaque n'était pas assez menaçante pour que le club chemine longtemps en séries.

Le premier match a semblé confirmer notre analyse. Nous avons dirigé 36 rondelles sur Brodeur et sommes parvenus à l'emporter 4 à 3 en prolongation. J'ai inscrit deux buts dans cette rencontre, dont celui de la victoire. Durant mon enfance, j'avais rêvé mille fois de marquer au moins un but en prolongation durant les séries de la coupe Stanley. Celui-là était mon troisième en carrière. Je n'ai malheureusement plus jamais eu la chance de revivre un tel moment d'euphorie par la suite.

Ensuite, l'étau défensif des Devils s'est refermé sur nous. Personne au sein de notre équipe n'avait envisagé un tel revirement de situation. Nos chances de marquer sont devenues de plus en plus rares et Brodeur est redevenu magistral.

Au lieu de chercher des solutions, plus la série avançait et plus nous laissions libre cours à notre frustration. Nous avons réagi comme les Penguins l'avaient fait au tour précédent, et les Devils nous ont servi exactement la même leçon. Au bout du compte, ils nous ont limités à sept maigres buts lors des quatre matchs suivants et nous ont battus quatre fois de suite ! Après cinq petits matchs, nous étions éliminés.

À la surprise générale, les Devils ont ensuite poursuivi leur parcours jusqu'en finale de la coupe Stanley.

Normalement, lorsqu'une saison se termine, les joueurs font une réservation dans un bel établissement et finissent la soirée ensemble. C'est à cette occasion qu'on évacue la pression et qu'on se laisse aller en passant en revue toutes les péripéties des mois précédents.

Mais le soir du cinquième match de notre série face aux Devils, nous avions tellement confiance de pouvoir remonter la pente que nous n'avions rien prévu en cas d'élimination. Je me suis viré de bord en vitesse et j'ai dit aux gars qu'ils étaient tous invités chez moi. Je me suis arrangé pour qu'il y ait suffisamment de bière pour tout le monde et j'ai prévu le support d'une compagnie de taxis pour m'assurer que tous puissent rentrer en sécurité.

À mon agréable surprise, tous les joueurs se sont présentés ! Ce n'est pas toujours le cas en pareilles circonstances. Il y a souvent un ou deux joueurs qui ne veulent rien savoir et qui rentrent directement chez eux. Mais ce soir-là, même Jaromir Jagr, qui ne boit pas d'alcool, s'est joint au groupe.

À travers tout ça, j'avais de la visite à Philadelphie. Une amie de la famille, Line Thibault, était venue assister au match avec les chanteurs rock Éric Lapointe et Rick Hughes.

Je les ai croisés après le match et il fallait que je me dépêche parce que tout le monde s'en venait chez moi. J'étais un peu mal à l'aise de les quitter à la hâte et de les laisser en plan.

— Venez à la maison, ai-je suggéré. Venez passer du temps avec nous autres. Ce ne sera pas un super party. Les gars vont avoir le caquet bas et être un peu sur la déprime, mais on va essayer de s'arranger pour avoir du fun quand même.

Tout le monde s'est donc rassemblé chez moi. Et peu après le début de notre fête d'adieu, Claude Giroux a eu l'idée d'aller chercher sa guitare dans sa voiture. Il l'a remise à Lapointe. Les deux rockers, dont l'expérience en matière de partys était assez vaste, ont rapidement pris le contrôle de la soirée !

Nous étions plusieurs francophones chez les Flyers à ce moment-là : Sean Couturier, Max Talbot, Marc-André Bourdon, Claude et moi. Nous connaissions – et appréciions – Éric Lapointe et on était impressionnés par le spectacle qui se déroulait sous nos yeux. Toutefois, au hockey comme en musique, le talent se reconnaît facilement. Les anglophones et les Européens ont rapidement constaté qu'ils avaient affaire à des professionnels et tous ont spontanément embarqué ! Tout le monde chantait, certains joueurs tentaient même de gratter la guitare à leur tour et de participer au spectacle.

À un certain moment, j'ai pris un pas de recul pour observer l'ensemble de la scène. C'était presque irréel. Deux émotions complètement opposées se côtoyaient : l'amère déception découlant de notre élimination et l'excitation que suscitaient les prestations de nos deux rock stars «lâchées lousse» dans une fête improvisée...

Alors qu'elle s'annonçait au départ plutôt triste, notre fête s'est prolongée jusqu'au lever du jour ! Les Flyers de Philadelphie venaient de faire connaissance avec le rock québécois !

Je l'ignorais à ce moment-là, mais nous venions aussi de célébrer mon tout dernier match éliminatoire dans l'uniforme des Flyers.

L'été suivant s'est avéré horrible. Misha est partie pour l'Afghanistan au début de mai. Elle allait être basée dans une zone à haut risque pendant sept longs mois et cette situation m'inquiétait au plus haut point.

Comme tous les joueurs de la LNH, j'ai repris l'entraînement en vue de la saison 2012-2013 tout en sachant qu'un autre lock-out allait être déclenché avant l'ouverture du camp d'entraînement.

Après être parvenus à imposer un plafond salarial en 2005, les propriétaires étaient désormais insatisfaits du partage des revenus

52 % - 48 % qui avait été établi en faveur des joueurs. Ils voulaient la moitié de la tarte. Le conflit qui se dessinait ne reposait donc pas sur une grande différence philosophique, comme cela avait été le cas la dernière fois. C'était une simple question d'argent et de rapport de force. Il ne restait qu'à vérifier qui, entre les joueurs et les propriétaires, allait se battre avec le plus de conviction pour mettre la main sur les centaines de millions (à moyen terme) à l'enjeu.

Puis, à la mi-août, par une chaude soirée d'été québécois, notre famille a été frappée par une tragédie.

Je passais l'été à Gatineau avec les enfants. Un bon soir, mon vieil ami Daniel Tremblay m'a proposé d'aller prendre une bière. J'ai contacté ma mère pour savoir si elle pouvait superviser les enfants en mon absence, et ça tombait bien puisqu'elle devait justement garder les enfants de ma sœur. J'ai donc conduit Caelan, Carson et Cameron chez Guylaine. J'ai embrassé ma mère et je suis parti rejoindre Dan Tremblay.

Guylaine et son conjoint, Rock, ont été les premiers à rentrer au bercail. La soirée était belle. Mes parents habitaient de l'autre côté de la rue et ma mère n'était pas pressée de rentrer. Les trois se sont alors lancés dans une longue discussion. Puis, soudain, ma mère les a prévenus qu'elle se sentait mal. Une artère majeure de son cerveau venait de céder.

Une fois à l'hôpital, Guylaine est parvenue à me joindre au téléphone. Ma mère avait toujours eu une santé de fer et elle n'était âgée que de 63 ans. Je me disais que ma sœur exagérait peut-être un brin la gravité de la situation. Toutefois, quelques minutes après mon arrivée à l'hôpital, les médecins nous ont annoncé que les dommages seraient permanents et que, si jamais elle parvenait à reprendre conscience, notre mère n'allait plus jamais avoir de qualité de vie.

Quelques jours plus tard, absolument dévastés, Guylaine et moi avons dû nous résoudre à demander aux médecins de cesser de la maintenir en vie artificiellement. Tout est arrivé si vite. Je ne parvenais pas à y croire.

Ce fut une épreuve extrêmement difficile.

Peu de temps après, il a fallu se résoudre à rentrer à Philadelphie puisque le camp d'entraînement de l'équipe devait (en principe) se mettre en branle le 16 septembre. Or, tel que prévu, les propriétaires ont déclenché leur lock-out le 15 septembre à 23 h 59.

Cette fois, j'avais prévu le coup. Au début octobre, constatant que les pourparlers entre l'Association des joueurs et les proprios traînaient en longueur, Claude Giroux et moi avons signé un contrat avec un club de première division allemande, l'Eisbären Berlin (les Ours polaires de Berlin). Et nous sommes partis pour l'Europe.

Compte tenu de ce que j'avais vécu en Suisse lors du lock-out précédent, il était important pour moi de trouver une formation européenne qui allait me permettre de jouer aux côtés d'un hockeyeur de la LNH. Or, très peu de formations avaient deux places à offrir.

À Berlin, Claude et moi avons été reçus à bras ouverts par des dirigeants qui connaissaient bien l'Outaouais. Le directeur général du Eisbären, Peter Lee, était un ancien des 67's d'Ottawa. L'entraîneur-chef était Dave Jackson, un ex-entraîneur adjoint des Sénateurs d'Ottawa, et son adjoint Vince Mallette avait aussi été entraîneur adjoint des 67's.

Même si l'Allemagne n'a pas l'habitude de briller dans les grandes compétitions internationales, sa première division offrait un calibre de jeu relevé et beaucoup plus robuste que les autres circuits européens. Claude et moi avions fait nos devoirs. L'Eisbären Berlin avait remporté le championnat de la Deutschen Eishockey Liga (DEL) la saison précédente et nous savions qu'il s'agissait d'une bonne organisation.

Nous avons immédiatement connu du succès au sein de la ligue allemande. L'expérience européenne de Claude a cependant été de courte durée. En novembre, à notre neuvième match, il a reçu un violent coup de coude au visage sur une mise au jeu, ce qui lui a valu une sérieuse commotion cérébrale. Il avait déjà 19 points à son actif. Constatant la gravité de la situation, il est rapidement rentré aux États-Unis afin de consulter des spécialistes.

Je me suis alors retrouvé seul là-bas. Tant bien que mal, j'essayais de garder le contact avec Misha et de l'encourager. Communiquer avec elle en pleine zone de conflit n'était toutefois pas évident.

Depuis le mois de mai, Misha vivait dans une tente au sein d'une base implantée au beau milieu du désert afghan. Elle ne pouvait me téléphoner parce que le règlement interdisait aux militaires de faire des appels dans des pays étrangers, et elle n'avait pas non plus accès à un téléphone cellulaire. Nous nous écrivions donc deux ou trois courriels chaque jour. J'avais en poche un numéro me permettant de la joindre, mais les appareils téléphoniques de son camp étaient centralisés dans une tente réservée aux communications. Lorsque j'appelais, il fallait qu'une amie de Misha la trouve sur la base et lui fasse savoir que j'étais en ligne.

« Nous avons tenu le coup ainsi durant sept mois, raconte Misha. Ce fut la pire période de ma vie, et en même temps la meilleure. J'ai conservé tous les courriels que nous nous sommes échangés durant cette période. J'étais totalement dévastée de ne pouvoir être à ses côtés lorsque Daniel a perdu sa mère. Et il a partagé ma peine le soir où notre base a été attaquée et que plusieurs personnes ont perdu la vie. C'est durant cette période que nous nous sommes vraiment ouverts l'un à l'autre et que les assises de notre relation se sont solidement établies. »

Vers la fin novembre, le mandat de Misha est enfin venu à sa conclusion. Un avion militaire devait la rapatrier aux États-Unis en compagnie de quelques dizaines d'autres soldats, et une escale de trois heures était prévue à Leipzig, à deux heures de route de Berlin. Je voulais absolument la voir avant qu'elle rentre à la maison.

Misha m'a donné son numéro de vol en précisant qu'aucune autorité civile n'allait pouvoir me renseigner quant à l'heure de l'atterrissage ou du numéro du terminal. Parce que l'appareil transportait des militaires revenant d'une zone de conflit, les mesures de sécurité étaient extrêmement strictes.

J'ai tenté, en vain, de communiquer avec l'aéroport de Leipzig pour me faire confirmer l'arrivée du vol. Malgré mes explications détaillées, la réponse était toujours la même : ce vol n'existait pas.

Deux jours avant la fin de la mission de Misha, un petit miracle est cependant arrivé. L'ambassadeur des États-Unis en Allemagne, un amateur de hockey, est venu assister à l'un de nos matchs et il a demandé à me rencontrer. Le responsable des communications du Eisbären était au fait de mes difficultés et il en a glissé un mot à l'ambassadeur.

— Dites à Daniel que je m'en occupe ! a-t-il déclaré. Dites-lui de téléphoner à l'aéroport demain matin et il aura sa réponse.

Le lendemain, j'ai communiqué avec l'aéroport dès la première heure et on m'a simplement répondu :

— Soyez ici à 6 heures demain matin.

Dave Jackson m'a donné congé pour la journée.

— Va la rejoindre ! Et s'il te plaît, remercie Misha pour son engagement, a-t-il précisé.

Je me suis présenté à l'aéroport de Leipzig à 6 heures pile. On m'a fouillé puis on m'a assigné un chaperon qui m'a conduit vers un terminal privé totalement désert.

« Quand notre avion s'est posé, raconte Misha, un type posté à la sortie de l'appareil a prononcé mon nom. J'ai alors su que Daniel était là et je me suis mise à courir en direction du terminal. Il m'attendait debout au milieu de la salle, tout seul. Je lui ai sauté dans les bras. J'étais tellement émotive que j'ai pleuré durant plusieurs minutes avant d'être capable de l'embrasser. Nous nous sommes ensuite assis et nous avons longtemps parlé, blottis l'un contre l'autre. Il m'avait apporté de la bière et du chocolat pour déjeuner. »

Durant les trois semaines suivant son retour aux États-Unis, Misha a fait sept allers-retours en Allemagne afin que nous puissions rattraper un peu le temps perdu. Nous avons passé notre premier Noël ensemble à Berlin...

Côté hockey, les choses se sont toutefois compliquées durant cette période. Deux semaines avant que l'Association des joueurs et la LNH parviennent à s'entendre sur les termes d'un nouveau contrat de travail, un adversaire m'a servi un véritable coup de hache à la hauteur des mains. Il en a résulté une sérieuse contusion et une microfracture. J'avais jusque-là inscrit 34 points, dont 10 buts, en 21 matchs.

Je suis rentré à Philadelphie dès l'annonce d'une entente de principe, le 6 janvier. Les équipes de la LNH ont alors dû se précipiter et tenir des camps d'entraînement à la hâte. La saison débutait 13 jours plus tard.

Quand le calendrier s'est mis en branle, j'étais toujours blessé et j'ai raté les quatre premiers matchs de l'équipe.

Peu à peu, mes fistons et moi avons ensuite retrouvé notre petite routine.

Caelan, Carson et Cameron adoraient passer leurs soirées au Wachovia Center. Depuis ma séparation, cet amphithéâtre était presque devenu leur deuxième maison.

Les soirs de match, les enfants revenaient de l'école juste avant que je parte pour l'aréna, vers 16 heures. Quand nous arrivions au Wachovia Center, ils s'installaient dans la salle réservée aux familles et faisaient leurs devoirs. Avant de souper, ils jouaient ensuite au mini hockey dans le corridor. Ensuite, vers 18 heures 15, juste avant la période d'échauffement, ils allaient s'installer près de la baie vitrée, où ils attendaient la sortie des joueurs.

Quand l'équipe arrivait sur la patinoire, je les repérais tout de suite pour m'assurer que tout allait bien. Les enfants l'ignoraient, mais ils étaient étroitement surveillés. Le directeur des relations publiques de l'équipe, Zach Hill, avait prévenu les gardiens de sécurité de leur accorder une attention spéciale. Avec le temps, à peu près tous les gardiens en sont venus à connaître les garçons et à remarquer leurs déplacements.

Ces relations ont toutefois évolué dans un sens que je n'avais pas prévu. Après quelques mois, sous l'œil bienveillant des gars de la sécurité, mes fils pouvaient se faufiler n'importe où dans l'amphithéâtre. Ils en sont venus à passer le plus clair de leur temps au niveau des loges, où ils ont commencé à se faire des amis. Ils étaient presque devenus les maîtres de la place. Ils allaient et venaient où bon leur semblait !

Le 25 février 2013, les Maple Leafs de Toronto étaient en visite à Philly. C'était un soir spécial parce que Wayne Gretzky assistait au match. The Great One était l'invité de Bernard Parent, et les deux anciennes superstars assistaient à la rencontre dans la loge d'Ed Snider. Il était prévu que Gretzky ferait l'objet d'une présentation spéciale durant la deuxième période.

Au milieu de la deuxième, tel que prévu, un cameraman s'est rendu dans la loge du propriétaire et on a diffusé l'image de Gretzky sur l'écran géant. Bien assis au banc de l'équipe, j'ai levé les yeux pour voir de quoi il en retournait et je me suis presque étouffé ! Mon plus vieux, Caelan, était au beau milieu de l'écran, assis entre Gretzky et Parent ! Je n'en revenais pas. Je me suis dit que ces petits garnements n'auraient aucune difficulté, plus tard, à tracer leur chemin dans la vie...

En ce qui concernait l'équipe, la saison était commencée depuis presque un mois et les choses allaient assez mal, merci.

Nous n'avions remporté que deux de nos huit premiers matchs du calendrier écourté (à 48 matchs) et compressé en raison du lock-out. Et depuis ce temps, nous étions en mode rattrapage.

Même si notre attaque se situait parmi les neuf meilleures de la LNH, nous accordions beaucoup trop de buts. Notre défense a terminé la saison au 23ᵉ rang. Du début à la fin, cette lacune nous a empêchés de remporter des matchs avec régularité.

D'un point de vue individuel, j'étais insatisfait de mon rendement. Après avoir récolté 13 points, dont 5 buts, à mes 19 premiers matchs, j'ai connu un passage à vide de 7 rencontres sans amasser un seul point. Puis, à la mi-mars, j'ai subi une commotion cérébrale dans une collision survenue à l'entraînement.

Mon sort à Philadelphie était en train de se jouer. Évoquant mes 35 ans et ma baisse de productivité, les médias ont d'abord commencé à spéculer sur les probabilités que je fasse l'objet d'une transaction. Puis, quand cette commotion est survenue, le scénario du rachat de mes deux dernières années de contrat a commencé à circuler allègrement.

Durant leurs récentes négociations avec l'Association des joueurs, les propriétaires avaient obtenu le droit de racheter jusqu'à deux contrats au cours des années 2013 et 2014, et cela sans devoir comptabiliser les montants de ces transactions sur leur masse salariale.

Je n'étais pas dupe. J'avais vu poindre cette possibilité bien avant la fin du conflit de travail. Je comprenais parfaitement que, d'un point de vue affaires, une telle décision allait éventuellement avoir du sens pour les Flyers. J'étais convaincu de pouvoir encore contribuer offensivement dans la LNH. Mais j'avais 36 ans, et les Flyers se faisaient offrir sur un plateau d'argent la chance de dépenser 16 millions pour des joueurs plus jeunes.

« Daniel était venu me voir dès le début du conflit de travail, raconte Paul Holmgren, et il m'avait dit : "Je sais que mon chiffre sur le plafond salarial pose problème. Je comprends le côté affaires du hockey et je sais que vous allez peut-être devoir me racheter." Je l'avais immédiatement interrompu en insistant sur le fait que je ne travaillais pas sur un tel scénario. Je lui ai dit que nous allions tout faire pour trouver une solution après la fin du lock-out. »

Ma commotion cérébrale m'a finalement tenu à l'écart du jeu pendant 10 matchs.

Le 19 mars, alors que 27 des 48 matchs du calendrier étaient écoulés, nous avons atteint le seuil de ,500 (13-13-1), qui se situait encore très loin du niveau de performance nécessaire pour participer aux séries. Le temps commençait à manquer.

Nous avons terminé en force, remportant six de nos sept dernières rencontres, mais il était beaucoup trop tard. Avec une récolte de 49 points, nous étions bien loin du compte. Pour la première fois depuis mon arrivée à Philadelphie, nous avons raté le rendez-vous éliminatoire.

Ma saison s'est bouclée avec une production de 6 buts et un total de 16 points en 34 rencontres.

Comme le veut la coutume, j'ai rencontré Peter Laviolette le lendemain de notre élimination pour dresser un bilan de la saison. Paul Holmgren et moi avions convenu de nous rencontrer quelques semaines plus tard. Je sentais que Paul était vraiment mal à l'aise par rapport à ma situation.

Nous nous sommes finalement rencontrés le 18 juin.

«Nous avions pris la décision de racheter son contrat le 17 juin, raconte Holmgren, et je tenais à rencontrer Daniel le plus rapidement possible pour lui annoncer moi-même la nouvelle. Je ne peux me rappeler exactement ce que je lui ai dit, mais je me souviens que c'était très difficile pour moi. J'ai Danny en très haute estime. Il a beaucoup fait pour moi et pour notre organisation, et c'était extrêmement déchirant.»

Dès mon entrée dans son bureau, j'ai tenté de faciliter les choses à Paul.

— Tu n'as pas à te sentir mal : ça fait partie de la business, lui ai-je dit. Vous devez agir pour le bien de l'organisation et je comprends très bien ce qui se passe. Je vois à quel point vous êtes coincés sous le plafond salarial. Si vous avez décidé de me racheter, il n'y a pas de problème, je comprends.

— Je me sens mal parce que tu as cru en moi, a répondu Paul. Tu es le premier joueur autonome que j'ai mis sous contrat. J'ai l'impression de te laisser tomber.

— Tu ne m'as pas laissé tomber. Toi et l'organisation m'avez donné, à moi et à ma famille, beaucoup plus d'argent et de sécurité financière que je l'aurais jamais imaginé. Je ne pourrai jamais te remercier assez pour ça.

La discussion a ensuite pris une tournure encore plus émotive. Quand Paul m'a officiellement annoncé que je n'allais plus faire partie de l'organisation, nous avons tous deux pleuré. Il s'est alors levé derrière son bureau et il est venu me servir une accolade.

Ce n'était pas une froide et brève accolade voulant dire «Allez, on en a fini avec toi», mais une accolade sincère qui signifiait clairement qu'il n'était pas à l'aise avec cette décision. De l'extérieur, Paul Holmgren peut parfois avoir l'air d'un homme assez dur. Ça m'a profondément touché de voir qu'il réagissait de cette manière à mon départ.

«J'ai de l'estime pour Daniel autant comme homme que comme joueur. Il a été important pour les Flyers. En fait, il a probablement été le meilleur joueur autonome jamais mis sous contrat par les Flyers. Je sais qu'il y a 50 ans d'histoire derrière tout ça et que de nombreux joueurs autonomes ont été embauchés au fil des ans. Mais c'est mon opinion sincère. Il a tellement apporté à cette organisation! Ce fut une journée très difficile pour lui et pour moi», de conclure Paul Holmgren.

CHAPITRE 12

Un Canadien à jamais...

Cette séparation à l'amiable avec les Flyers m'attristait pour plusieurs raisons. J'adorais cette organisation ainsi que les gens qui y travaillaient. Je m'y sentais bien. Par-dessus tout, j'étais chaviré à l'idée que, n'étant plus en mesure de jouer à Philadelphie, j'allais devoir m'éloigner de mes trois fils.

Les garçons étudiaient et pratiquaient le hockey à Philadelphie. Ils y avaient tous leurs amis. Et Sylvie, leur mère, vivait dans la région. Je me considérais comme un citoyen de Philly et j'avais l'intention d'y conserver ma résidence principale. La stabilité des enfants constituait l'option la plus douloureuse pour moi, mais la plus souhaitable pour eux à ce stade de leur vie.

La fin de mon association avec les Flyers a été rendue publique vers le 20 juin 2013, quelques jours après ma rencontre avec Paul Holmgren. J'étais alors en période de réflexion quant à la suite de ma carrière. Rendu à 35 ans, j'espérais pouvoir disputer deux ou trois autres bonnes saisons. Nous n'étions qu'à une dizaine de jours de l'ouverture du marché de l'autonomie et j'étais curieux de voir quelles équipes allaient manifester de l'intérêt pour moi.

Finalement, 16 ou 17 clubs ont communiqué avec Pat Brisson et je me suis particulièrement concentré sur les offres faites par les Predators de Nashville, les Devils du New Jersey et le Canadien de Montréal.

Les Predators avaient une bonne organisation. Jean-Pierre Dumont m'en avait dit beaucoup de bien. Par ailleurs, je connaissais assez bien leur entraîneur Barry Trotz pour l'avoir côtoyé dans le passé au sein d'Équipe Canada. Les Devils constituaient aussi une option alléchante en raison de leur situation géographique. D'un point de vue familial, leur proximité avec Philadelphie constituait un gros avantage.

Du côté du Canadien, l'avenir semblait fort prometteur. Dès son arrivée à titre de directeur général du Tricolore, Marc Bergevin avait vu son équipe faire un phénoménal bond de 24 places au classement par rapport à la saison précédente. Le dynamisme du nouveau DG montréalais me rappelait l'effet qu'avait eu Paul Holmgren lorsqu'on lui avait confié les commandes des Flyers au milieu des années 2000.

Tous deux âgés de 23 ans, l'attaquant Max Pacioretty et le défenseur P.K. Subban étaient en train de se tailler une place parmi les meilleurs joueurs de la ligue. Subban était d'ailleurs sur le point de remporter le trophée Norris. Deux autres jeunes, Brendan Gallagher et Alex Galchenyuk, venaient aussi de faire belle impression à leur première saison dans la LNH.

Malgré tous ces signes encourageants, le Canadien manquait de profondeur à l'attaque. Je regardais la situation de cette équipe et j'étais convaincu de pouvoir y jouer un rôle utile.

« Quand les Flyers ont racheté le contrat de Daniel, j'ai eu une bonne conversation avec Paul Holmgren, raconte le directeur général du Canadien, Marc Bergevin. Et il avait une très haute opinion de lui, autant comme joueur de hockey que comme être humain.

« Holmgren m'a dit : "Tu ne peux trouver une meilleure personne que Danny Brière. Nous avons dû racheter son contrat parce que ses performances ne justifiaient plus la place qu'il occupait sur la masse salariale. Mais si tu peux ajuster son salaire, je pense qu'il va te rendre de bons services." »

Pat Brisson a donc organisé une conférence téléphonique afin que nous puissions discuter avec Marc Bergevin et l'entraîneur en chef de l'équipe, Michel Therrien, qui en était à son deuxième séjour derrière le banc du Canadien. Therrien avait été embauché par Bergevin peu après sa nomination à titre de DG. Il était donc l'un des principaux responsables du spectaculaire redressement du Tricolore.

Nos premiers contacts avec les dirigeants montréalais se sont avérés très positifs. Marc Bergevin, qui menait la discussion, insistait sur le fait que le Canadien recherchait des joueurs de caractère et qu'il lui restait quelques postes importants à combler à l'attaque. Les directeurs généraux ne font jamais de promesses lorsqu'ils courtisent un joueur. Mais on me faisait clairement comprendre que j'allais avoir l'opportunité de jouer au sein d'un trio offensif ainsi qu'en avantage numérique de temps à autre. Lorsqu'il intervenait, Michel Therrien se montrait aussi très positif quant à la manière dont il songeait à m'utiliser au sein de son alignement.

Tout cela était donc extrêmement intéressant et enthousiasmant.

« Je voyais Dan comme un gars qui n'était plus à son apogée, mais qui pouvait aider notre unité de supériorité numérique, raconte Marc Bergevin. Et je me disais que nous allions pouvoir le faire graduer au sein de nos deux premiers trios de temps en temps. Je connaissais un peu Daniel personnellement et je voulais qu'il vienne à Montréal. Il était connu pour son leadership, et je croyais qu'il allait aussi pouvoir nous aider de ce côté. »

Après avoir discuté avec les Predators, les Devils et le Canadien, j'ai pris un peu de recul pour réfléchir à mon affaire. Il y avait en jeu d'importantes implications familiales.

Alors que je jonglais avec les trois options, j'ai repensé à la journée du 1er juillet 2007 et aux circonstances qui m'avaient incité à préférer les Flyers au Canadien. Et je me disais que le destin se montrait bien généreux envers moi. Je me rendais compte qu'il était assez exceptionnel d'accéder deux fois au marché de l'autonomie et d'être courtisé à chaque fois par Montréal. Je me disais que je ne pouvais rater l'occasion une fois de plus. Je voulais porter ce chandail et vivre cette expérience tout à fait unique pour un hockeyeur québécois.

J'ai donc demandé à Pat de conclure une entente avec le Canadien.

« Pat Brisson m'a fait part des demandes de Daniel et j'ai fait le *deal*, explique Marc Bergevin. La durée des contrats est toujours un facteur important pour moi, mais le marché des joueurs autonomes est difficile pour les dirigeants d'équipes. À mes yeux, l'idéal aurait été de conclure une entente d'une seule saison, mais nous avons réglé pour deux. Puisque les deux autres équipes offraient deux ans, Daniel ne serait pas venu jouer à Montréal avec une seule année de contrat. »

Le Canadien a annoncé mon embauche le jeudi 4 juillet. Je me trouvais alors en Arizona. Misha avait été assignée à une base située en Caroline du Nord et je l'aidais à empaqueter ses affaires. Les messages de félicitations se sont aussitôt mis à apparaître par dizaines sur mon téléphone. Il était difficile pour moi de mesurer l'ampleur de la nouvelle, mais ça semblait assurément défrayer la manchette au Québec.

« Ce jour-là, je participais au tournoi de golf de Max Talbot et de Bruno Gervais, dans la région de Montréal, raconte David Desharnais, qui pivotait alors le meilleur trio offensif du CH aux côtés de Max Pacioretty. Il y avait sur place beaucoup de journalistes et de gens œuvrant dans le monde du hockey. La nouvelle de l'embauche de Daniel s'est répandue comme une traînée de poudre. Puis la plupart des gens présents se sont mis à me demander si j'allais être échangé, comme si Daniel se profilait comme mon adversaire plutôt que mon coéquipier. Je ne comprenais pas ce raisonnement. Je venais de signer une prolongation de contrat de quatre ans avec le Canadien.

« Cela dit, j'étais content de l'arrivée de Daniel. Nous avions clairement besoin de quelqu'un pour nous aider à marquer des buts. Je ne le connaissais pas du tout. Le seul contact que j'avais eu avec lui s'était produit en février 2010, alors que j'en étais à mon cinquième match dans la LNH. On jouait à Philadelphie. J'étais posté près de la

Lors d'une séance photos organisée peu après mon arrivée avec le Canadien, je pose devant le centre-ville de Montréal.

Je découvre le gymnase et les installations du Canadien.

Je tenais à faire découvrir Montréal à mes trois fils, qui m'ont suivi partout lors de mes premiers pas avec l'organisation. Ici, durant la séance de pose devant le pont Jacques-Cartier...

Avec mes fistons devant mon casier du complexe d'entraînement de Brossard.

... Alors qu'ils connaissaient l'amphithéâtre des Flyers comme le fond de leur poche, les enfants étaient enthousiastes à l'idée de découvrir le vestiaire du Canadien à Brossard.

Avec Max Pacioretty, sur le banc. Je ne ratais jamais la moindre fraction de seconde de l'action sur la patinoire, une habitude acquise depuis mon passage chez les Coyotes.

Stratégie avec Douglas Murray.

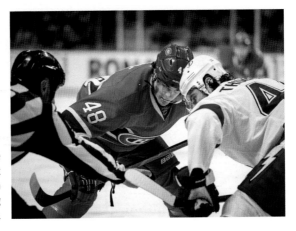

Avant une mise en jeu m'opposant à Nate Thompson du Lightning de Tampa Bay.

Séance d'échauffement avant une partie contre les Flyers.

Dès le 3e match de la saison 2013-2014, je rencontre mon ancienne équipe. Ici, avec Mark Streit sur mes talons.

Ce même soir, je retrouve mon coéquipier (et ex-colocataire!) Claude Giroux sur la patinoire du Wachovia Center.

À mon tout premier match dans l'uniforme du Canadien, contre les Maple Leafs de Toronto.

Féroce dispute pour la rondelle contre le toujours coriace Shea Weber.

Dans le coin inférieur gauche de la photo, on peut voir la rondelle qui vient de se frayer un chemin entre les jambières de Reto Berra, des Flames.

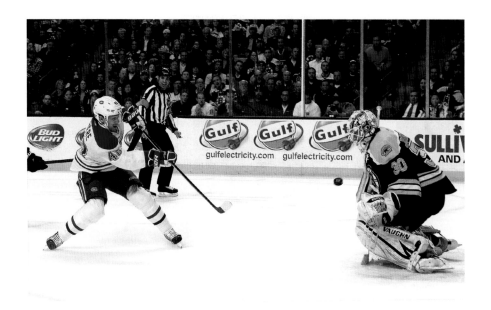

Échappée suivie d'un but contre Chad Johnson, des Bruins de Boston. Je me suis toujours senti à mon aise en échappée et en tirs de barrage, et à tous ces moments où la pression est la plus forte.

Facile d'identifier le moment : nous sommes en novembre et je participe alors au Movember, comme l'atteste ma moustache !

Je laisse éclater ma joie après un but. Derrière moi, on devine P. K. Subban.

Toujours en novembre, célébrations d'après-match avec Carey Price.

Malgré le fait que j'aie passé une seule année dans l'uniforme bleu-blanc-rouge, j'aime à penser que je serai pour toujours un Canadien.

ligne rouge durant la période d'échauffement et j'avais senti un coup de bâton sur mes jambières provenant du côté des Flyers. C'était Daniel. Il m'avait dit : "Lâche pas ! Je suis ta carrière. Lâche pas !" J'étais impressionné qu'une vedette comme lui sache qui j'étais. Et je me disais : "Wow, il a l'air d'être un bon gars." »

J'ai participé à une conférence téléphonique avec les journalistes affectés à la couverture du Canadien, puis Misha et moi avons pris la route en direction de la Caroline du Nord.

« Daniel a conduit le camion de location pendant les quatre jours que nécessitaient le trajet entre l'Arizona et la Caroline du Nord, se souvient Misha. Les demandes d'entrevues surgissaient de partout. Il a accordé des interviews à des radios québécoises jusqu'à notre arrivée à destination, pendant que mes chats se lamentaient à côté de lui. »

Une fois le déménagement de Misha complété, je suis passé faire un tour à Montréal pour y dénicher un appartement. J'ai loué un condo situé à trois coins de rue du Centre Bell, à l'angle des rues Drummond et Maisonneuve. Dès que j'ai posé le pied en ville, j'ai compris à quel point l'expérience de porter le chandail du Canadien allait être exceptionnelle. Les gens me saluaient dans la rue, d'autres venaient me serrer la main et me souhaiter la bienvenue. Et nous n'étions qu'en juillet...

Je suis ensuite retourné à Philadelphie pour retrouver les enfants et poursuivre mon programme d'entraînement estival. Avec leur classe habituelle, les dirigeants des Flyers avaient insisté pour que je continue à utiliser leurs installations pour m'entraîner.

Une fois qu'un joueur a porté le chandail des Flyers, il reste un Flyer pour toujours. C'est ancré dans la culture de cette organisation. C'était la philosophie d'Ed Snider et ça créait un très fort esprit de famille.

Au même titre que d'autres anciens membres de l'organisation, comme Justin Williams et Dennis Seidenberg, j'ai donc patiné avec des joueurs des Flyers durant tout l'été. Et j'ai conservé mon casier dans le vestiaire de l'équipe jusqu'à ce que je quitte la ville pour aller me joindre au Canadien. Le préposé à l'équipement de l'équipe, Derek Settlemyre, m'avait dit :

— Tu as plus fait pour cette organisation que n'importe quelle recrue qui prendra ta place. Alors tant que tu es là, ce casier est le tien.

À la fin de l'été, quelques semaines avant le début du camp d'entraînement, j'ai emménagé à Montréal en prenant les enfants avec moi. Je voulais qu'ils puissent s'imprégner de l'ambiance de la ville et je voulais leur donner un avant-goût de ce qu'ils allaient vivre quand ils allaient venir me visiter durant la saison. Il s'agissait aussi d'une bonne occasion de leur faire découvrir toute l'importance du Canadien à Montréal.

Avant le début du camp, j'ai participé à plusieurs sessions de photos. J'ai aussi accordé de multiples entrevues à des magazines et à des stations radiophoniques, en plus de participer à toutes sortes d'émissions de télé. J'étais impressionné de voir à quel point Montréal vivait au rythme de ses Canadiens. J'avais rarement été aussi fébrile à l'approche d'une saison de hockey. J'avais vraiment hâte de porter le chandail bleu-blanc-rouge.

Quand le camp d'entraînement s'est mis en branle, Michel Therrien m'a assigné un poste à l'aile droite en compagnie de Max Pacioretty et de David Desharnais.

« Ce qui m'a tout de suite frappé, raconte Max Pacioretty, c'est que Daniel arrivait avec une attitude de vrai joueur d'équipe. Notre première tâche consistait à nous habituer à jouer ensemble et il était prêt à faire n'importe quoi pour nous aider, David et moi. »

« Dès le départ, témoigne David Desharnais, Daniel m'a dit : "Tu vas me montrer comment jouer dans l'environnement de Montréal." Il semblait mi-sérieux, mi-blagueur. Intérieurement, je me disais : "Ce gars-là a 15 ans d'expérience dans la LNH et c'est lui qui va me montrer le chemin." À ce moment-là, aucun de nous deux ne se doutait à quel point nous allions devoir nous entraider. »

Notre trio a connu un certain succès durant le calendrier présaison. Pacioretty a récolté des buts (quatre au total) contre les Bruins, les Devils et les Sénateurs d'Ottawa alors que David et moi récoltions une ou deux mentions d'aide par match.

Même si j'étais vraiment excité de découvrir ma nouvelle équipe et ses rouages, mon plus vif souvenir du camp de l'automne 2014 n'a rien à voir avec l'action qui se déroulait sur la patinoire.

Grâce à l'intervention d'une amie commune, l'ex-défenseur Pierre Bouchard et sa femme Line m'ont invité à dîner à leur magnifique ferme de Verchères en compagnie de nul autre que Jean Béliveau, de sa femme Élise et de leur fille Hélène.

C'était la première fois que j'avais la chance de rencontrer celui que les amateurs surnommaient affectueusement le Gros Bill. Je me sentais comme un enfant. Et je n'avais aucune difficulté à imaginer la réaction de mon père quand j'allais lui annoncer que j'avais pris un repas avec son plus grand héros de jeunesse.

Monsieur Béliveau et moi avions conversé une seule fois auparavant, le 1er juillet 2007, quand il m'avait appelé pour m'encourager à signer avec le CH. Ce sujet n'est pas revenu sur le tapis durant notre rencontre.

Il venait tout juste de célébrer son 82e anniversaire. Sa santé était de toute évidence fragile, mais il avait un bon moral. Durant ce mémorable après-midi, j'ai eu droit à un fascinant exposé sur l'histoire du Canadien et à toutes sortes d'anecdotes. J'étais littéralement suspendu à ses lèvres ! J'étais impressionné qu'après toutes ces années, sa mémoire ait pu préserver avec tant de détails les souvenirs de la plus grande dynastie du hockey.

Monsieur Béliveau nous a quittés l'année suivante, le 2 décembre 2014. Son décès a plongé le Québec dans un deuil national et sa dépouille a été exposée en chapelle ardente au Centre Bell. Durant deux jours, malgré le froid, des milliers de gens ont patiemment fait la queue à l'extérieur de l'édifice (certains arrivaient avant l'aube) pour lui rendre hommage.

L'ampleur de cette réaction collective m'a fait réaliser encore davantage à quel point j'avais été privilégié de faire sa connaissance et de passer un moment avec lui et ses proches. Monsieur Béliveau était un véritable monument.

⟶

Quand la saison s'est mise en branle, le 1ᵉʳ octobre face à Toronto, la chimie de notre trio n'était pas encore parfaite. Je tentais encore d'apprendre à compléter David et Max. Parfois, cette chimie ne survient pas instantanément. Max est un tireur et je devais identifier un peu mieux ses points de repère et les moments qu'il choisissait pour se faufiler dans les ouvertures. Quant à David, il fallait que je me familiarise avec les endroits où il aimait recevoir la rondelle et à la manière dont il venait me supporter près de la bande. Ce sont des petites choses qui nécessitent parfois un peu de temps avant de tomber en place. Sans compter que, de mon côté, je devais me réhabituer à jouer à l'aile.

Notre premier match local contre les Leafs m'a fait vivre des émotions particulièrement fortes. Depuis la fermeture du Forum de Montréal en mars 1996, le Canadien utilise l'image de la passation du flambeau à l'occasion d'événements marquants, notamment durant les cérémonies précédant le match inaugural de la saison. Ce geste rappelle la devise inscrite dans le vestiaire de l'équipe et que tous les partisans connaissent : *Nos bras meurtris vous tendent le flambeau, à vous toujours de le porter bien haut.* Pour souligner mon tout premier match dans l'uniforme du CH, c'est Guy Lafleur qui m'a remis le flambeau. Il s'agissait d'une image très forte qui a bruyamment fait réagir la foule. Intérieurement, je me disais : « À compter de ce soir, je serai pour toujours un Canadien de Montréal et je ferai partie de cette histoire-là. » J'en ressentais une indescriptible fierté.

Malheureusement, nous nous sommes inclinés au compte de 4-3. Aucun membre de notre trio n'a récolté de point et Pacioretty s'est blessé assez sérieusement à un avant-bras dès la première période. Il est revenu au jeu après une visite à la clinique, mais il avait de la difficulté à tirer la rondelle par la suite. Max a d'ailleurs raté le match suivant, qui nous opposait aux Flyers, et que nous avons remporté au compte de 4 à 1. Étant donné l'absence de Pacioretty, David Desharnais et moi avons joué cette deuxième rencontre de la saison en compagnie de Rene Bourque et de Brandon Prust.

L'équipe a ensuite entrepris un voyage dans l'Ouest, et Max est revenu au jeu à Calgary lors du premier match de ce périple. Nous avons encaissé une défaite de 3-2. Notre trio n'a pas marqué de but, mais il ne s'agissait que de notre première partie complète ensemble. Nous tentions de bâtir un momentum et de jouer efficacement dans les trois zones. Nous n'avons d'ailleurs été victimes d'aucun des trois buts des Flames.

À mon grand étonnement, je n'ai plus jamais rejoué avec Pacioretty et Desharnais par la suite ! Après un match et demi ! J'ai encore peine à y croire aujourd'hui. Pire encore : deux matchs plus tard, j'étais relégué au sein du quatrième trio.

Nous avions un entraînement matinal à Winnipeg. Quand je suis arrivé dans le vestiaire, un chandail m'identifiant au quatrième trio était accroché dans mon casier. Je ne comprenais pas ce qui se passait. Personne ne m'avait prévenu.

Quand la séance s'est mise en branle, j'ai vécu ma première véritable « expérience médiatique » à titre de membre du Canadien. Pendant les exercices, je me suis rapidement rendu compte que toutes les caméras pointaient constamment dans ma direction. Les cameramen descendaient même du haut des gradins pour venir me filmer à la hauteur de la patinoire. Je me sentais comme un morceau de viande. Il était clair que cette rétrogradation allait faire une grosse histoire.

J'ai tenté d'aborder Michel Therrien sur la patinoire. Je voulais comprendre ce qui était en train de se passer, et je voulais aussi m'assurer que nos versions concordent avant de rencontrer les journalistes. Il a refusé de me parler, repoussant notre rencontre à plus tard durant la soirée. Autrement dit, il me disait : « Démerde-toi ! » J'étais abasourdi de me faire servir en pâture aux médias de cette façon.

Je l'ai contacté durant la soirée à l'hôtel, et il a refusé de me voir seul à seul. Il tenait à ce que notre rencontre se fasse dans un lieu public. Nous nous sommes donc parlé dans le lobby de l'hôtel.

— Ton niveau de jeu n'a pas commencé à baisser cette année, a-t-il plaidé pour justifier sa décision. Tu as aussi connu des difficultés à la fin de la dernière saison.

Je me demandais, s'il n'avait pas apprécié mon jeu, comment il avait pu se montrer aussi élogieux à mon égard durant les négociations du mois de juillet. Quand Therrien a prononcé ces mots, j'ai compris que j'étais en sérieuse difficulté.

Le discours qu'on m'avait tenu avant la signature de mon contrat a donc changé très rapidement. J'ai très vite été tassé sur la voie d'évitement et, par la suite, il n'y avait plus vraiment de rôle pour moi au sein de l'équipe. Ces choses-là sont ressorties très clairement dans la façon dont l'entraîneur me traitait et dans la manière dont il s'adressait à moi devant le reste de l'équipe. Par la suite, plusieurs événements se sont d'ailleurs avérés très difficiles de ce côté.

« Il fallait quand même prendre le temps de se familiariser les uns avec les autres, explique David Desharnais. L'entraîneur a démantelé notre trio, puis Dan et moi avons été convoqués à son bureau, individuellement. Je me suis fait dire que j'allais rester dans les estrades si mon prochain match n'était pas satisfaisant. C'était tout de suite les menaces et je pense que ça s'est passé de façon assez semblable pour Daniel. Plus tard, en jasant avec lui, j'ai compris qu'il ne s'était jamais fait traiter comme ça de sa vie.

« Daniel, qui avait une vaste expérience de la LNH, me disait : "Oui, un entraîneur peut te faire des menaces. Mais en même temps, il faut au moins qu'il te place dans une position qui te permette de rétablir la situation. Quand tu joues sur le quatrième trio, même si tu te fais crier après et que tu te fais dire que tu n'es pas assez bon, il n'y a pas grand-chose que tu peux faire. Il faut un certain nombre de minutes de jeu et un certain nombre de minutes en avantage numérique pour produire des points." »

De façon assez constante, ma relation avec Michel Therrien s'est alors mise à se dégrader. C'était la première fois de ma carrière que je vivais pareille situation. C'est ce qui m'a déçu le plus de mon expérience chez le Canadien.

Je n'étais pas inconscient. Je comprenais parfaitement que j'étais sur le déclin, à cette période de ma carrière, et que ce n'était pas une situation facile à gérer pour l'organisation du Canadien.

Graduellement, un hockeyeur perd un peu de vitesse au fil des saisons. En plus, ce phénomène était accentué pour les joueurs de ma génération parce que la LNH devenait de plus en plus rapide. Les équipes de la ligue misaient dorénavant sur des joueurs de troisième et de quatrième trio patinant à 100 milles à l'heure, mais souvent dépourvus de toute vision du jeu. Le rôle d'un joueur de troisième et de quatrième trio se résumait de plus en plus à patiner à fond de train. Ça rendait donc les choses un peu plus difficiles.

Si la vie m'accordait un jour le privilège de réécrire ce passage de ma carrière, je dirais à Michel Therrien :

— OK. Peut-être que tu ne me vois plus comme un membre de ton top 6 ou de ton top 9... Si c'est le cas, donne-moi au moins la chance de t'aider dans le vestiaire ! J'ai toujours été reconnu comme un bon joueur d'équipe. Et pour moi, c'est un immense honneur de jouer pour le Canadien de Montréal. Je vais faire n'importe quoi pour t'aider dans le vestiaire, pour devenir l'un de tes alliés et rassembler tout le monde.

Au lieu de ça, j'ai été tassé. J'ai vraiment été mis de côté. Et je n'ai pas eu cette chance d'occuper un rôle de leader.

Je me rappelle notamment d'un match disputé vers la mi-novembre. Le Wild du Minnesota nous rendait visite au Centre Bell et nous avions vraiment disputé du hockey solide, tant en attaque qu'en défense. Max Pacioretty, qui revenait après une longue blessure, avait signé un tour du chapeau. Michaël Bournival avait inscrit son sixième but de la campagne et j'avais aussi secoué les cordages. Toutefois, alors que nous détenions une avance de 6 à 1 et qu'il restait moins de deux minutes à faire, j'avais écopé une mauvaise pénalité. Le Wild avait marqué et le match s'était soldé par un score de 6 à 2.

Le lendemain, tout le monde était heureux en arrivant au complexe d'entraînement de Brossard. Michel m'a alors fait appeler à son bureau. Je m'attendais à entendre des commentaires positifs sur le match de la veille. En lieu et place, il m'a engueulé à cause de ma punition.

En quittant la pièce, je me suis dit : « Nous sommes rendus au point où il ne voit même pas les bonnes choses que je fais dans un match. Il ne voit que les mauvaises, même si tout a été parfait pendant 58 minutes. » C'était extrêmement toxique comme situation. Cette rencontre m'a ébranlé pour le reste de la journée.

Nous prenions l'avion en direction de Washington cette journée-là. Le lendemain, deux heures avant d'affronter les Capitals, nous avons tenu notre habituelle rencontre d'équipe. Michel a alors diffusé une vidéo dans laquelle on voyait des joueurs qui se lançaient devant les tirs adverses, qui bloquaient des rondelles et qui empêchaient l'autre équipe de marquer. Toutes les séquences avaient été captées en désavantage numérique. On voyait à quel point les gars étaient dédiés à la cause de l'équipe. Quand le film a pris fin, Michel a pris la parole :

— Ouais! Y a des joueurs qui sont *selfish*. Ça fait que, quand y prennent des mauvaises punitions comme au dernier match, c'est ça que leurs coéquipiers sont obligés de faire pour eux autres.

Puis il est sorti de la pièce.

Nous étions 23 joueurs dans le vestiaire et l'attention était braquée sur moi. Tout le monde savait que j'étais le joueur visé. Nous étions deux heures avant un match et je venais de me faire ramasser devant tout le monde. J'étais embarrassé, gêné, blessé. J'avais l'impression de mesurer deux millimètres. Après t'être fait planter comme ça devant tes coéqui-piers, tu ne peux plus te lever et essayer de montrer la bonne voie parce qu'il n'y a plus de respect. Même si les autres joueurs reconnaissent ce que tu as fait dans ta carrière, ils n'accordent plus d'importance à ce que tu dis. Ton leadership vient d'être éteint par l'entraîneur.

J'ai marqué le but gagnant ce soir-là. Mais je n'ai jamais oublié ce qui s'était passé quelques heures auparavant. Je ne suis jamais par-venu à comprendre comment un bon match comme celui que nous avions livré contre le Minnesota avait pu tourner aussi négativement dans l'entourage de l'équipe.

« C'était la façon de fonctionner de Michel, se souvient David Desharnais. Si tu connaissais un match ordinaire, il ne te rencontrait pas lors de l'entraînement suivant pour clarifier les choses ou pour te donner des outils afin d'améliorer ton jeu. Et quand arrivait le jour du match suivant, il ne te parlait pas après l'entraînement matinal. Pierre Gervais venait te chercher deux heures avant le match et il te disait : "Michel veut te voir." Puis là, il te rentrait dedans! Tu te faisais remettre tes erreurs dans la gorge et tu te faisais ramasser juste avant le match. Ensuite, tu commençais ton match en étant frustré, fâché et sans être concentré sur la tâche à accomplir. »

Quand des incidents de ce genre ont commencé à se produire, je me suis dit que je n'allais certainement pas faire de vagues. J'avais toujours été un bon coéquipier et je voulais continuer à aider des jeunes comme David, Max ou Ryan White. Je voulais leur montrer ce que doit être un bon vétéran au sein d'une équipe. La pire chose à faire aurait été de devenir un vétéran frustré qui ne fait que se plaindre – une pomme pourrie.

« On ne trouve pas toujours une famille heureuse derrière les portes du vestiaire d'une équipe professionnelle, explique Max Pacioretty. Ailleurs aussi, on voit parfois des individus qui s'affrontent. En ce qui me concerne, Daniel Brière m'en a beaucoup appris sur le leadership, cette saison-là. Il n'a jamais laissé paraître les problèmes qu'il éprouvait avec l'entraîneur parce qu'il savait que ça pouvait avoir un effet négatif sur l'équipe. Il n'a pas laissé cette situation miner ses performances ni celles de ses coéquipiers. »

C'était une saison étrange. Je vivais pour ainsi dire dans deux mondes parallèles. Outre ces difficultés avec l'entraîneur, porter l'uniforme du Canadien s'avérait encore plus grisant que j'avais pu l'imaginer.

Moi, un enfant de la banlieue, j'avais brièvement habité les centres-villes de Berne et de Berlin durant les deux lock-out décrétés par les propriétaires de la LNH et j'avais adoré ces expériences. Mais vivre au centre-ville de Montréal s'est avéré absolument magique.

Au début de la saison, j'avais découvert avec stupeur qu'il me fallait de 30 à 35 minutes pour me rendre en voiture aux matchs de l'équipe, même si j'habitais à trois coins de rue du Centre Bell ! Après quelques mauvaises expériences, je me suis mis à faire le trajet à pied, et l'énergie qu'on ressentait dans les rues quelques heures avant les matchs était palpable.

Même si je n'écoutais pas de musique, je portais des écouteurs afin d'inciter le moins de gens possible à s'arrêter pour me faire un brin de jasette, sinon je n'aurais jamais été capable d'arriver à l'heure ! En marchant vers l'amphithéâtre, j'entendais les gens crier mon nom et les automobilistes me signaler leurs encouragements à coups de klaxon. Et quand je me pointais à l'entrée de l'amphithéâtre, rue Saint-Jacques, les revendeurs de billets me faisaient des *high fives*.

Cette trépidante marche vers le Centre Bell est peu à peu devenue ma routine. Et plus la saison avançait, plus je sentais le niveau d'électricité monter. Une fois arrivés en séries, c'était complètement fou!

Les jours où nous n'avions pas de match, je rentrais à la maison vers 14 heures après les séances d'entraînement et je partais ensuite à la découverte de Montréal. J'allais visiter des musées, j'allais me balader dans les rues du Vieux-Montréal, ou à des endroits comme l'oratoire Saint-Joseph.

Misha me visitait dès qu'elle avait congé. Elle est rapidement tombée amoureuse de Montréal. Nous marchions beaucoup, nous découvrions d'excellents restaurants.

Mais par-dessus tout, ce qui venait me chercher le plus, c'était que je retrouvais enfin mon monde. J'avais accédé au hockey professionnel à 19 ans et j'avais tout ce temps été plongé dans un environnement américain. J'avais apprécié toutes les villes où j'avais précédemment joué, mais, à Montréal, c'était comme si je rentrais à la maison.

Mes fils me manquaient beaucoup. Par contre, vivre à Montréal me permettait de voir mon père très souvent, ainsi que ma sœur, son conjoint et mes neveux. Ma présence au Québec me permettait de fréquenter mes amis du Québec, nouveaux et anciens. Il y avait constamment des gens de l'Outaouais qui faisaient un détour pour venir me saluer. Je redécouvrais aussi la vie en français. Je sentais que je faisais partie intégrante de la communauté.

Dès mon arrivée chez le Canadien, j'ai aussi été très impressionné par la simplicité de Geoff Molson. En tant que propriétaire, il tenait à être proche de ses joueurs. En ce sens, il me rappelait un peu Ed Snider. Geoff venait discuter avec nous et il ne voulait pas qu'on le vouvoie. Il fallait toujours l'appeler par son prénom. Ce n'était pas facile pour moi parce que j'avais beaucoup de respect pour lui.

Je n'ai pas eu la chance de porter longtemps l'uniforme du Canadien mais j'ai constaté que l'ambiance qui régnait dans l'organisation était semblable à celle que j'avais connue à Philadelphie. Geoff Molson voyageait à l'occasion avec l'équipe et sa famille l'accompagnait de temps en temps.

Clairement, le CH était une organisation de première classe. Et cela se reflétait autant dans la façon d'agir du propriétaire que dans le style de gestion de Marc Bergevin.

À quelques reprises, Marc a d'ailleurs permis à mes fils de monter à bord de l'avion de l'équipe afin de leur permettre de passer un peu de temps avec moi. Il était très compréhensif et savait qu'à l'adolescence, la présence d'un père est essentielle.

Fin octobre, début novembre, un événement survenu durant une séance d'entraînement m'en a révélé beaucoup quant aux sentiments qui animaient les membres de l'équipe envers leur entraîneur.

Cette journée-là, Michel Therrien avait prévu une séance de conditionnement physique sur glace. Autrement dit, une exigeante séance de patinage. Certains entraîneurs commettent l'erreur de trop pousser la note et de littéralement détruire leurs joueurs lors de tels entraînements. Mais Therrien organisait ces exercices pour les bonnes raisons. Il voulait nous aider à passer à travers les rigueurs du calendrier et sa planification avait du sens. Il tenait de bonnes séances de patinage.

Toujours est-il que, pour conclure cette séance de patinage, l'entraîneur a organisé un petit jeu. L'équipe était séparée en deux groupes postés sur la ligne des buts, à une extrémité de la patinoire. Puis, au hasard, l'entraîneur identifiait un joueur qui devait tenter de tirer une rondelle dans le filet situé à l'autre extrémité de la glace. Si le joueur réussissait, le groupe adverse devait patiner un aller-retour complet à fond de train. Mais s'il échouait, c'est plutôt son groupe qui devait patiner. Cet enjeu amical – quel groupe allait le plus faire patiner l'autre – changeait la routine de façon assez amusante.

Après quelques minutes, le score était à peu près égal. Les deux groupes devaient avoir effectué de cinq à sept allers-retours chacun quand Michel a décidé de hausser la mise :

— Si l'un de vous parvient à atteindre la barre horizontale, tous les entraîneurs vont devoir patiner cinq fois la distance (cinq allers-retours) ! a-t-il décrété, avant d'inviter Andrei Markov à tirer la prochaine rondelle.

Quand Markov s'est avancé pour tirer, il était clair qu'il n'allait pas se contenter de placer la rondelle dans le filet : il visait la barre horizontale ! Il semblait se dire : « Je vais peut-être rater mon coup, et je m'en fiche, je patinerai si ça arrive. Mais voilà ma chance ! »

Andrei a alors effectué un tir frappé et la rondelle s'est mise à virevolter toute croche vers l'autre extrémité de la patinoire. Elle semblait se diriger assez loin de la cible, puis sa trajectoire s'est lentement mise à courber vers le filet. Alors que nous nous demandions s'il allait au moins parvenir à marquer, nous avons entendu un magistral « ping » ! La rondelle avait atteint la barre horizontale !

« C'était incroyable ! se souvient David Desharnais. Les partisans du Canadien savent à quel point Markov est un personnage impassible. Il ne démontre jamais la moindre émotion. Mais quand il a touché la barre, il a lancé ses gants dans les airs et tous les joueurs lui ont sauté dessus pour célébrer. Tout le monde riait. C'était écœurant ! »

On aurait dit que nous venions de remporter la coupe Stanley ! Tous les joueurs fêtaient et s'étreignaient. Et l'entraîneur, qui était posté entre les deux groupes durant l'exercice, s'est malgré lui retrouvé au milieu des célébrations.

Une fois les festivités terminées, Michel Therrien a plaidé qu'il avait fait une blague et que les entraîneurs n'allaient pas faire les cinq allers-retours promis. Mais les joueurs ont protesté et il a dû tenir parole. Tous étaient conscients que l'entraîneur en chef fumait une quantité industrielle de cigarettes et que sa condition physique laissait à désirer. Ils voulaient le voir s'éreinter un peu.

Les entraîneurs se sont donc alignés sur la ligne des buts et ils ont entrepris leur séance de patinage. Jean-Jacques Daigneault filait à vive allure et n'avait pas de problème. Gerard Gallant non plus. Même Clément Jodoin, qui était un peu plus âgé que les deux autres adjoints, maintenait une bonne cadence.

Pour Therrien, les choses se sont gâtées après les deux premiers allers-retours. Il s'est alors mis à râler. Il était visiblement en déficit d'oxygène : son ventre se gonflait et se dégonflait exagérément, et il n'avançait presque plus. Au point où quelqu'un marchant à ses côtés aurait facilement pu le dépasser.

Au début, les joueurs riaient de bon cœur en le regardant souffrir un peu. Mais plus la situation se dégradait, plus je me suis mis à craindre qu'il soit victime d'un arrêt cardiaque. J'avais vraiment peur que ça tourne mal. Et je suis certain que je n'étais pas le seul...

En véritable gars d'équipe, l'entraîneur des gardiens Stéphane Waite est resté aux côtés de Michel du début à la fin. Ce fut pénible, mais il a fini par compléter la distance. Au grand bonheur de tous ses joueurs.

En plus d'avoir été évincé des trios offensifs après quelques matchs, mon début de saison a été marqué par une commotion cérébrale, subie le 19 octobre contre Nashville. Il m'a fallu trois semaines complètes pour m'en remettre et je ne suis revenu au jeu que le 12 novembre contre Tampa Bay. J'ai inscrit un but à mon premier match et, malgré un temps d'utilisation limité, j'ai alors amorcé une séquence intéressante de 4 buts et 3 passes en 11 matchs.

Entre le 5 et le 29 novembre, quatre de nos rencontres se sont rendues en tirs de barrages et nous avons été vaincus dans trois de celles-ci. Cette statistique faisait en sorte que nous n'avions récolté que 9 points sur une possibilité de 20 en novembre.

Après cette séquence, David Desharnais était le seul joueur de notre alignement à être parvenu à déjouer un gardien adverse en tirs de barrage, et l'entraîneur ne m'avait utilisé qu'une seule fois dans ces circonstances. Le 30 novembre, au lendemain d'une défaite en fusillade encaissée à Washington, j'ai décidé de frapper à la porte du coach pour en discuter.

— Michel, je suis certain que je peux t'aider dans les *shootouts*, ai-je plaidé. C'est ma force depuis des années. J'ai toujours été l'un des deux joueurs les plus utilisés en tirs de barrage à Philadelphie. J'ai au-dessus de 60 tentatives de faites depuis le début de ma carrière et je suis à l'aise dans ces moments-là.

— OK, c'est correct, a-t-il répondu.

Le lendemain, Therrien est entré dans le vestiaire en annonçant que nous allions commencer l'entraînement par des tirs de barrages, puisque cet aspect de notre jeu faisait défaut.

— Tous les joueurs dont j'écris le nom au tableau vont participer à l'exercice de *shootout,* a-t-il précisé.

Nous étions 13 attaquants au sein de l'équipe. L'entraîneur a inscrit 11 numéros au tableau. Les deux seuls qui n'y apparaissaient pas étaient celui du bagarreur de l'équipe, George Parros, et... le mien.

Le message était très très clair : mon opinion n'était pas la bienvenue et j'étais mieux de me la fermer.

« Ça n'avait aucun sens ! raconte David Desharnais. C'était terrible. Michel a livré une guerre psychologique à Daniel durant toute la saison. Ça fonctionne peut-être avec des jeunes qui commencent leur carrière dans la LNH. Mais quand tu tombes sur un vétéran établi, ça ne passe pas. Daniel était venu à Montréal pour vivre une belle expérience. Et tout le monde savait quelles étaient ses forces : il était un marqueur. En tirs de barrage, il la mettait dedans une fois sur deux.

Mais on n'exploitait pas ses forces. J'ai trouvé Daniel incroyable. Il a su garder une bonne attitude à travers tout ça.

« J'ai connu un mauvais départ cette saison-là, ajoute Desharnais. J'ai récolté ma première mention d'aide à mon vingtième match. Malgré les problèmes qu'il avait de son côté, Daniel ne m'a jamais lâché. Il me répétait sans cesse qu'il croyait en moi et que j'allais m'en sortir. Ensemble, nous sommes passés par toute la gamme des émotions. Il m'a dit : "Tu vas voir, on va en rire à la fin de l'année." Finalement, j'ai connu une saison de 52 points et nous avons disputé trois tours éliminatoires. Ç'a été ma plus belle saison à Montréal et c'est en grande partie à cause de lui. »

Le 5 mars 2014, trois mois après que Michel Therrien m'eut rayé de la liste des participants aux tirs de barrage, nous nous sommes retrouvés dans une situation fâcheuse à Anaheim. Il ne restait qu'un mois à la saison régulière. Lars Eller et David Desharnais étaient les seuls joueurs de l'équipe à être parvenus à marquer en fusillade.

Nous nous sommes retrouvés en tirs de barrage face aux Ducks, qui ont décidé de tirer les premiers. Nick Bonino et Corey Perry sont parvenus à marquer pour Anaheim, et David a une fois de plus assuré la réplique de notre côté. Nous accusions un déficit de 2 à 1 et il ne nous restait qu'une seule chance pour créer l'égalité. Assis au banc avec mes coéquipiers, je savais que je n'avais aucun rôle à jouer dans cette portion du match : je n'avais pas été utilisé depuis le début novembre. J'étais simplement curieux de voir qui allait être désigné pour essayer de tirer les marrons du feu. C'est alors que j'ai senti une tape dans mon dos qui semblait vouloir dire : « Tiens ! Vas-y ! Essaie donc de nous sortir de la m… ! »

Statistiquement, les chances de marquer sont minimes lorsqu'un joueur s'élance le dernier pour créer l'égalité en tirs de barrage. Le niveau de stress est extrêmement élevé.

J'ai calmement enjambé la rampe et je me suis rendu au centre de la patinoire. Je me suis présenté devant Jonas Hiller, et j'ai marqué.

Les deux équipes sont alors reparties pour trois autres rondes, et c'est finalement Andrei Markov qui nous a procuré la victoire sur notre sixième tir de barrage de la soirée.

Ce fut un beau moment! J'étais content de pouvoir aider un peu l'équipe. Livrer la marchandise dans les moments cruciaux était ma marque de commerce. C'était ma principale force.

Le 31 décembre, nous avons bouclé l'année 2013 en Caroline. L'équipe se portait bien. Avec 49 points en banque, nous occupions le troisième rang de la division Atlantique derrière le Lightning de Tampa Bay (50 points) et les Bruins de Boston (54 points). Mais nous disputions du hockey solide. À travers la LNH, seuls les Bruins avaient accordé moins de buts que nous, et notre attaque se situait au 11e rang de la ligue, ce qui était fort respectable.

Nous en étions à la cinquième étape d'une séquence de six matchs à l'étranger. Après avoir affronté les Panthers en Floride le 29 décembre, nous avions immédiatement mis le cap sur Raleigh, où nous nous entraînions le 30 décembre.

Le jour de cet entraînement, alors que tous les joueurs se trouvaient au vestiaire, on m'a dit que Michel Therrien souhaitait me voir dans le bureau des entraîneurs.

Quand je suis entré dans la pièce, il s'est mis à me ramasser une fois de plus en me montrant des séquences de jeu qui n'étaient pas très bonnes. Et il a terminé son intervention en me disant:

— Y a personne dans la chambre qui te respecte! Y a personne qui veut jouer avec toi!

C'était d'une méchanceté incroyable. Le temps était venu d'avoir une conversation d'homme à homme.

«En Caroline, les vestiaires des joueurs et des entraîneurs sont assez éloignés l'un de l'autre, raconte David Desharnais. Au bout du vestiaire des joueurs, on retrouve les douches, qui sont vraiment lon-gues, et le bureau des entraîneurs se trouve à l'autre extrémité. Malgré cette distance, tout le monde a entendu l'engueulade entre Therrien et Daniel. Ça se pognait solide ! Les deux s'envoyaient promener à tour de bras. Daniel est revenu dans le vestiaire, l'air de dire : "Il fallait que ça sorte. Il arrivera ce qui arrivera." Nous en avons reparlé par la suite et Daniel m'a dit qu'il n'avait jamais rien vécu de tel. »

J'ai téléphoné à Pat Brisson à quelques reprises durant cette étrange saison. Je l'appelais parfois lorsque je ne trouvais plus de sens à ma présence au sein de cette équipe. En d'autres occasions, je l'appelais simplement pour me défouler. Je savais que Pat entretenait une belle relation avec Marc Bergevin. Je ne l'appelais pas pour faire passer des messages, mais plutôt parce que je voyais dans le vestiaire bien des choses que je ne comprenais pas. Il y avait des choses qui étaient faites qui n'avaient aucun sens. Tout ce que je voulais, c'était aider. J'étais tellement fier de porter ce chandail-là que j'aurais fait n'importe quoi pour aider. Et je me sentais souvent comme si je me faisais tasser, comme si j'étais une nuisance plus qu'autre chose.

Après l'engueulade avec l'entraîneur, j'ai été rayé de l'alignement pen-dant deux matchs. Parce que nous manquions de joueurs, j'ai ensuite été réinséré au début de janvier, à l'occasion d'une visite des Sénateurs d'Ottawa au Centre Bell.

J'ai eu droit à quatre présences en première période et je suis par-venu à marquer avec l'aide de Travis Moen et de Doug Murray.

Nous tirions de l'arrière par deux buts en troisième quand Therrien a décidé de me greffer au trio de Tomas Plekanec en compagnie de Brian Gionta. Notre unité a tout de suite connu du succès. J'ai inscrit un second but et Gionta a enchaîné avec un autre. Mais nous nous sommes finalement inclinés par un score de 4 à 3 en prolongation.

Comme j'avais récolté deux buts et une passe dans cette défaite, l'entraîneur a laissé notre trio intact lors des deux matchs suivants. Gionta a marqué dans l'une de ces rencontres, et Plekanec dans l'autre. J'adorais jouer avec ces deux-là. Plekanec excellait défensivement et il couvrait nos arrières pendant que Gionta et moi prenions un peu plus de liberté dans la phase offensive du jeu. Ce trio avait beaucoup de potentiel.

Le match suivant, celui du 11 janvier, nous opposait aux Blackhawks de Chicago. Michel m'a expliqué que face à la menaçante attaque des Blackhawks, il préférait resserrer la défensive et faire jouer Travis Moen avec Plekanec et Gionta. Il en avait tout à fait le droit, mais les décisions de ce genre me donnaient souvent l'impression qu'il tentait d'éviter de perdre plutôt que de jouer pour gagner.

Ce n'est toutefois que trois semaines plus tard (au début de février, juste avant la pause des Jeux de Sotchi) que Plekanec, Gionta et moi avons de nouveau été réunis, cette fois pour une séquence de quatre matchs. Plekanec a marqué un but et récolté trois aides, et Gionta a secoué les cordages deux fois, dont un but gagnant, et mérité une mention d'aide pendant qu'on nous faisait jouer ensemble. Cette période fut l'une de mes préférées durant cette saison-là. Notre trio a malgré tout été démantelé à la fin de février, dès la fin de la pause olympique.

Dans les huit matchs que nous avons disputés entre le 30 janvier et le 27 février, j'ai marqué quatre buts et récolté trois mentions d'aide. Six de ces sept points ont été récoltés dans des matchs où j'avais disputé neuf minutes de jeu ou moins.

À la date limite des transactions, le 5 mars, l'équipe était positionnée au deuxième rang (à six points des Bruins), dans la division Atlantique. Dans la conférence de l'Est, seul Boston semblait vouloir se détacher du peloton. Mais pour toutes sortes de raison, le Canadien n'avait aucun complexe face à ce grand rival. Flairant qu'un long parcours éliminatoire était possible, Marc Bergevin a alors donné un grand coup en faisant l'acquisition de Thomas Vanek, des Islanders de New York.

Vanek était le joueur de location le plus convoité sur le marché. Pour l'obtenir, Bergevin a cédé un choix de deuxième ronde ainsi qu'un jeune espoir suédois, l'attaquant Sebastian Collberg. À Montréal, la fièvre du hockey a alors grimpé de deux crans. La lune de miel a toutefois été de courte durée. Étant donné les difficultés que Michel éprouvait avec les joueurs offensifs, Vanek s'est rapidement mis à descendre dans la hiérarchie.

Nous avons bouclé le calendrier en remportant 11 de nos 18 derniers matchs, atteignant de justesse le plateau des 100 points. Au final, cette récolte nous a valu le troisième rang de notre division. Les Bruins ont terminé premiers avec 117 points, tandis que la jeune équipe du Lightning de Tampa Bay nous a coiffés de justesse au fil d'arrivée avec 101 points. La table était donc mise : nous allions affronter Tampa Bay au premier tour et nos adversaires allaient détenir l'avantage de la patinoire.

Le matin du premier match de cette série, Michel Therrien m'a fait appeler à son bureau. Étant donné tout ce qui s'était produit au cours de la saison, je m'attendais à un autre affrontement et je me demandais ce que j'avais bien pu faire de mal. Notre relation n'était pas facile, autant d'un bord comme de l'autre. Depuis notre engueulade survenue en Caroline, nos échanges étaient encore plus froids.

Mais cette fois, le coach m'a agréablement surpris.

— Daniel, je sais que les séries éliminatoires sont ta force. Tu vas faire partie de l'alignement et tu vas commencer sur le quatrième trio. Mais sois prêt à tout et ne sois pas surpris si je te fais monter sur un trio offensif durant les matchs. Des fois, ça va être juste pour un *shift* ou deux, et des fois ça va être pour des périodes complètes. Je ne sais pas comment ça va aller, mais je veux que tu saches que je suis conscient de ce que tu amènes en séries éliminatoires.

Je n'en revenais pas. Je n'avais pas su où me tenir pendant des mois et puis tout d'un coup, j'avais un rôle et un mandat à remplir! J'étais heureux de recevoir cette petite marque de confiance et de constater qu'il nous était encore possible de communiquer.

Je n'ai pas beaucoup eu la chance de jouer au sein des deux premiers trios durant cette rencontre, que nous avons dominée par 44-25 au chapitre des tirs au but. N'empêche, après les 60 premières minutes de jeu, nous étions à égalité, 4 à 4. Nous avons fini par régler le débat avec deux minutes à écouler à la fin de la première période de prolongation. Je me suis retrouvé derrière le filet adverse avec la rondelle et, après avoir battu mon couvreur, je l'ai refilée à Dale Weise qui a enfilé l'aiguille.

«Quand Weise a marqué, j'ai reçu un texto de Paul Holmgren, raconte Marc Bergevin. Il était écrit: *Ne t'avais-je pas dit qu'il est un joueur de séries éliminatoires?*»

Ce qui s'est produit cette journée-là démontrait, une fois de plus, à quel point un entraîneur peut positivement influencer le rendement de ses joueurs lorsqu'il communique avec eux et qu'il leur sert une tape dans le dos de temps à autre.

L'entraîneur m'a utilisé au sein du quatrième trio en compagnie de Brandon Prust et de Dale Weise jusqu'à la fin de cette série. Je jouais 8 ou 9 minutes, j'avais droit à quelques minutes en avantage numérique.

Le Lightning était extrêmement rapide et misait sur un groupe de jeunes très talentueux, dont Ondrej Palat, Tyler Johnson et Nikita Kucherov. Mais tous ces joueurs n'avaient pas vraiment d'expérience des séries éliminatoires de la LNH. Tampa Bay était en plus privé de son gardien numéro un, Ben Bishop. Son auxiliaire, Anders Lindback, en a arraché du début à la fin, maintenant une médiocre moyenne d'efficacité de ,881.

Même si chacun des matchs a été chaudement disputé, nous avons balayé la série. Jusqu'à la fin de la quatrième rencontre (que nous avons remportée 4 à 3), les joueurs du Lightning se sont battus avec l'énergie du désespoir. J'ai eu le bonheur de contribuer à nouveau dans cette rencontre, en ouvrant la marque dès la troisième minute de jeu, sur une passe de Michaël Bournival.

Bien des partisans ont aussi cru que Ginette Reno, la chanteuse porte-bonheur du CH, avait obtenu une passe sur ce jeu. Après avoir chanté l'hymne national, avant la troisième rencontre, madame Reno avait serré la main de Rene Bourque, qui avait ouvert la marque quelques minutes plus tard. Elle avait fait de même avec moi avant le quatrième affrontement, et j'avais marqué tout de suite après !

À compter de ce moment, beaucoup de gens se sont mis à épier madame Reno après les hymnes nationaux ! C'était très amusant.

Le deuxième tour nous a valu un rendez-vous avec les Bruins, et ça m'enthousiasmait particulièrement. J'avais participé à des séries hallucinantes contre Boston dans l'uniforme des Flyers, mais, à mes yeux, la rivalité Canadien-Boston se situait à un autre niveau parce qu'elle était imprégnée dans la culture sportive québécoise. De nombreux affrontements Canadien-Bruins avaient marqué les printemps de mon enfance et j'avais finalement l'occasion de participer à l'un d'eux.

Cela dit, la commande s'annonçait loin d'être facile. Les Bruins comptaient sur le même noyau de joueurs qui leur avait permis de remporter la coupe Stanley trois ans auparavant et leur machine était extrêmement bien huilée. Après avoir bouclé le calendrier au sommet du classement général de la LNH, ils venaient d'éliminer Detroit en cinq parties. Leur défense était la deuxième plus étanche de la ligue alors que leur attaque était la troisième plus productive. En d'autres mots, ils étaient les favoris dans l'Est pour se rendre jusqu'en finale.

Dans leur cas, le seul hic était que nous les avions vaincus trois fois sur quatre durant la saison régulière.

Cette série mettait aux prises deux des meilleurs systèmes défensifs et deux des meilleurs gardiens de la LNH en Carey Price et Tuukka Rask, et ça se reflétait dans l'allure des matchs : chaque chance de marquer était difficile à obtenir.

Toutefois, plus la série avançait, plus il était clair que les Bruins s'impatientaient. Nous étions leur bête noire et ils nous détestaient. Au point de parfois sembler perdre le contrôle. Notre style de jeu rapide et dénué de robustesse les forçait à disputer un type de hockey qu'ils appréciaient moins.

Nous avons entrepris la série en remportant le premier match à Boston (4 à 3) en deuxième période de prolongation. Le but décisif a été un tir de P.K. Subban qu'Andrei Markov et moi avons orchestré en avantage numérique. Les Bruins sont toutefois revenus avec une victoire de 5 à 3 (dont un but marqué dans un filet désert) dans la deuxième partie.

Une fois de retour à Montréal, nous avons repris les commandes avec une victoire de 4 à 2 (le dernier but étant une fois de plus inscrit dans un filet désert). Malgré une famélique utilisation de 6 minutes 8 secondes de jeu, j'ai tout de même eu la chance de préparer le but gagnant de Dale Weise. Notre trio était fort peu utilisé, mais Dale et moi parvenions tout de même à bien nous repérer sur la patinoire.

« Daniel était reconnu comme un joueur de séries et je me doutais de ce qui lui passait par la tête quant à son utilisation, raconte Max Pacioretty. Mais il ne laissait rien paraître. Il attendait que son numéro sorte et, sachant qu'il ne contrôlait pas le reste, il faisait ce qu'il avait à faire. »

Nous avons failli acculer les Bruins au pied du mur dans le quatrième match, mais ils ont quitté le Centre Bell avec une victoire de 1 à 0 en prolongation, nivelant ainsi la série 2-2.

Et c'est alors que Michel Therrien a pris la décision la plus incompréhensible dont j'ai été témoin au cours de ma carrière. Toutes ces années plus tard, je ne parviens toujours pas à me l'expliquer.

« Le jour du cinquième match, raconte David Desharnais, je suis arrivé au Garden et je me suis rendu compte que Daniel n'allait pas jouer parce qu'il avait fait du temps supplémentaire avec les réservistes jusqu'au début de l'après-midi. Je suis allé le voir et je lui ai dit : "Ben voyons donc ! T'es pas sérieux ?" Il m'a répondu : "Parle-moi-z'en pas..." Mais encore une fois, il s'est montré super professionnel. Il s'est mis à donner des tapes dans le dos aux autres gars et à les encourager. Je le regardais et je me disais : "Wow !" »

Nous étions à égalité 2-2 dans une série nous opposant à la meilleure équipe de la ligue. Les matchs déterminants s'en venaient et j'étais reconnu pour ma contribution offensive dans ces moments-clés. Michel Therrien me l'avait lui-même souligné au début du tournoi éliminatoire. Et même s'il ne m'avait presque pas utilisé par la suite, j'étais quand même parvenu à contribuer à plusieurs buts décisifs. Et là, malgré toute mon expérience, il me rayait de l'alignement ! J'étais sous le choc.

« C'était le même scénario qui se répétait, commente David Desharnais. Une fois de plus, l'équipe se privait des forces pour lesquelles on avait spécifiquement fait l'acquisition de Daniel. Même en jouant seulement 10 minutes, il pouvait changer l'allure d'un match. »

Après seulement 21 minutes de jeu, les Bruins détenaient une avance de 3 à 0 dans ce match-pivot. Sentant qu'ils venaient de prendre le contrôle de la série, ils se sont alors mis à frapper tout ce qui bougeait et à multiplier les coups salauds. À la fin, la feuille de pointage indiquait qu'ils nous avaient vaincus 4 à 2, mais, dans les faits, ils nous avaient littéralement piétinés. Je ne crois pas que j'aurais pu y changer quelque chose, mais j'étais extrêmement frustré de ne pas avoir été là pour aider mon équipe.

Le vol de retour vers Montréal m'a ensuite fait découvrir pourquoi les séries Canadien-Bruins sont uniques en leur genre.

J'étais assis à l'arrière de l'appareil avec Brian Gionta, Josh Gorges et Travis Moen. Pendant que je tentais encore de digérer mon exclusion du match, les gars jasaient entre eux. Ils analysaient notre situation en y allant de courtes phrases entrecoupées de longs silences. Ils semblaient convaincus que nous avions les Bruins dans les câbles! À mes yeux, leur conclusion n'avait aucun sens.

— Voyons donc, les gars! On tire de l'arrière 2-3 et on vient de se faire planter! leur ai-je rappelé.

Ils m'ont alors répondu qu'ils avaient très souvent affronté les Bruins et que leurs joueurs finissaient toujours par flancher parce qu'ils étaient incapables de contrôler leurs émotions face à Montréal. Et les débordements du cinquième match leur démontraient que c'était en train de se reproduire.

— OK? C'est ça votre explication?

Ils estimaient par ailleurs qu'après nous avoir battus de façon aussi décisive, les joueurs de Claude Julien allaient pécher par excès de confiance dans le sixième match.

Je les écoutais parler et je me disais: «Est-ce qu'ils sont *sérieux*? Ce qu'ils disent n'a ni queue ni tête!» Mais à mon grand étonnement, la suite des événements leur a donné raison!

De retour au Centre Bell, nous leur avons infligé un cinglant revers de 4 à 0 pour forcer la tenue d'un septième match. J'ai cette fois eu droit à une dizaine de minutes de jeu, dont quelques-unes en avantage numérique.

Pour passer au troisième tour, il ne nous restait qu'à battre les champions du calendrier régulier au TD Garden, sur leur propre patinoire...

«Dans le septième match, se souvient Max Pacioretty, Daniel s'est à nouveau retrouvé au sein du quatrième trio avec Dale Weise. À sa première présence du match, dans la troisième minute de jeu, il a fait une passe parfaite à Weise qui se présentait dans l'angle mort de Rask et nous avons marqué. Il a ainsi donné le ton au match. Et avec deux minutes à faire en troisième, alors qu'on détenait une courte avance de 2 à 1 et que les Bruins attaquaient de tous les bords, Daniel a marqué le but qui leur a brisé les reins. C'est lui qui a scellé l'affaire.»

«Il a été le héros du septième match, estime David Desharnais. C'est lui qui a gagné la série.»

Le vol de retour était joyeux. Dans mon rôle de vétéran, je venais de disputer l'un des matchs les plus marquants de ma carrière. Il s'agissait définitivement de ma plus belle performance dans l'uniforme du Canadien.

Quand l'avion a atterri à Montréal, de nombreux partisans s'étaient rassemblés à l'aéroport pour nous y accueillir. Il y avait énormément d'atmosphère. Toute la ville était rangée derrière l'équipe.

Nous étions à la mi-mai. Il faisait beau. Je suis rentré tranquillement vers le centre-ville, en empruntant quelques artères achalandées. Même s'il se faisait tard, plein de gens fêtaient encore notre victoire face aux Bruins. Un autre chapitre de cette grande rivalité venait de s'écrire. Pour les fans du CH, battre Boston était une sorte de mini-championnat. Quel beau moment c'était !

Quand je me suis couché, l'adrénaline coulait encore à flots. J'étais incapable de dormir. Je me suis finalement assoupi vers 6 heures. Mais à 7 heures 15, mon téléphone a sonné. Je n'en revenais pas. Je me suis dit : «Quel maudit innocent peut m'appeler à cette heure au lendemain d'un septième match contre Boston ?» J'ai tout de même répondu.

— *Hi Danny! Ed Snider speaking!*

Le propriétaire des Flyers m'appelait pour me dire qu'il était fier de moi et qu'il était content de nous avoir vu battre les Bruins. Il m'a ensuite dit qu'il avait hâte de me revoir après les séries, à mon retour à Philadelphie. L'appel a duré quatre ou cinq minutes. Quand nous nous sommes quittés, je me suis dit une fois de plus : « Quel grand monsieur ! » Cet appel illustrait une fois de plus le genre d'homme qu'il était.

Le Canadien n'avait pas participé à la finale de la coupe Stanley depuis 1993. Et les Rangers de New York constituaient le dernier obstacle à franchir pour atteindre l'objectif ultime.

Cet espoir s'est toutefois envolé dès le premier match de la série. Il n'y avait pas quatre minutes d'écoulées au deuxième engagement quand l'attaquant des Rangers Kris Kreider s'est présenté seul devant Carey Price. Pourchassé par deux de nos joueurs, Kreider a perdu le contrôle du disque après avoir été légèrement touché par l'un de ses poursuivants. Arrivant à pleine vitesse, il s'est alors laissé tomber – patins devant – avant d'entrer violemment en collision avec Carey. Blessé à un genou, Price a complété la période mais il n'a plus rejoué par la suite. Sa saison était terminée.

Notre personnel d'entraîneurs s'est alors retrouvé confronté à un étrange dilemme. Notre gardien auxiliaire, le vétéran Peter Budaj, présentait une moyenne de buts alloués de 5,13 et une moyenne d'efficacité de ,843 en sept matchs éliminatoires en carrière. Notre troisième gardien, Dustin Tokarski, n'avait aucune expérience des séries, mais il avait remporté la coupe Memorial et le Championnat mondial chez les juniors. Et trois ans auparavant, il avait mené le club-école du Lightning de Tampa Bay, les Admirals de Norfolk, à la conquête de la coupe Calder.

Nous avons poursuivi la route avec Tokarski.

Après avoir subi des revers de 7 à 2 et de 3 à 1 lors des deux premiers matchs au Centre Bell, nous nous sommes retrouvés dans une position précaire. Price étant sorti du portrait, la pression sur notre attaque

284 MISTER PLAYOFFS : L'HISTOIRE DE DANIEL BRIÈRE

s'accentuait et Michel Therrien perdait rapidement patience avec ses trios. À un certain moment, je me suis retrouvé au sein du quatrième trio en compagnie de Thomas Vanek et de Rene Bourque, alors qu'on retrouvait des joueurs à caractère défensif au sein des autres unités.

Nous avons remporté le match numéro 3 au compte de 3 à 2 au Madison Square Garden. J'ai déjoué Henrik Lundqvist avec trois minutes à faire au troisième engagement. Ce but nous lançait en avant 2 à 1 et nous pensions que la victoire était dans la poche. Mais Kris Kreider a créé l'égalité à 29 secondes de la fin. Alex Galchenyuk a finalement tranché le débat dès les premières secondes de la prolongation.

La chance de créer l'égalité nous a échappé de peu dans le quatrième match. Mais Martin St-Louis a déjoué Tokarski en prolongation pour concrétiser une victoire de 3 à 2 des Rangers. Nous avons en quelque sorte été les artisans de notre malheur dans cette défaite : les Blueshirts nous ont offert pas moins de huit avantages numériques, au cours desquels nous n'avons marqué qu'une fois.

Après m'avoir fait confiance lors des quatre premiers matchs, l'entraîneur a une fois de plus tiré la plogue, me limitant à 5 minutes 49 secondes et à 7 minutes 19 secondes de temps de jeu lors des deux derniers matchs de la série.

Nous sommes revenus au Centre Bell en force avec une victoire de 7 à 4, au cours de laquelle Rene Bourque a réussi un tour du chapeau. Puis, dans le sixième match, à New York, Henrik Lundqvist nous a expédiés en vacances en nous infligeant un blanchissage de 1 à 0.

Je n'irais pas jusqu'à dire que nous aurions remporté la coupe Stanley en 2014, toutefois je suis convaincu que nous aurions accédé à la finale si Carey Price n'avait pas été blessé. La série nous opposant aux Rangers s'est terminée en six rencontres, et certaines des victoires des

Rangers ont été remportées à l'arraché. La présence du meilleur gardien au monde aurait fait pencher la balance en notre faveur.

Price est sans contredit le meilleur gardien avec lequel j'ai joué au cours de ma carrière. Et j'en ai côtoyé de très bons, comme Ryan Miller, Sean Burke, Nikolai Khabibulin, Martin Biron et Robert Esche, entre autres. Mais Price se situait simplement dans une ligue à part.

Il est difficile d'apprécier la contribution d'un gardien à sa juste valeur lorsqu'on l'affronte de temps en temps. Passer une saison complète aux côtés de Price m'a fait réaliser à quel point il était la pierre d'assise de cette équipe.

Quand nous arrivions au complexe de Brossard et que nous passions en revue le film du match de la veille, je ne cessais de hocher la tête, incrédule, en faisant le décompte des chances de marquer que stoppait Carey.

Nous commettions des erreurs qui se transformaient parfois en des chances de marquer de très haute qualité pour l'adversaire. Et il avait le don de transformer ces séquences de jeu en arrêts qui semblaient souvent anodins. Il bloquait le tir et dirigeait calmement la rondelle vers un coin de patinoire. Il nous donnait l'impression que rien de grave ne pouvait survenir et que nous pouvions continuer à jouer comme si de rien n'était.

Lors du printemps 2014, Montréal aurait vraiment dû vivre une finale de la coupe Stanley.

———

Un mois après notre élimination, mon association avec le Canadien a pris fin. Le 30 juin, Marc Bergevin m'a échangé à l'Avalanche du Colorado en retour de Pierre-Alexandre Parenteau.

«La meilleure façon de résumer mon appréciation du séjour de Daniel au sein de notre organisation, témoigne le directeur général du Canadien, c'est que tout ce que j'avais entendu dire à son sujet était vrai. Toutes les bonnes choses que m'avait dites Paul Holmgren au sujet de son caractère, de son leadership et de ses qualités de joueur étaient vraies. Il a été une bonne personne et un bon gars d'équipe. Encore aujourd'hui, si je le vois, je fais un détour pour aller le saluer. J'ai énormément de respect pour lui en tant que personne et en tant que joueur de hockey.

« La saison régulière de Daniel a été plus difficile, mais il nous a procuré exactement ce que nous recherchions durant les séries éliminatoires. Je sais qu'il a trouvé son expérience difficile parce qu'il n'était pas utilisé aussi souvent qu'il l'aurait souhaité. C'est une expérience dure à vivre pour un athlète qui prend de l'âge, et c'est sans doute pire pour un Québécois évoluant à Montréal. Mais Daniel ne s'est jamais plaint et n'a jamais créé de problèmes à cause de sa situation. Il s'est montré très professionnel. Pour cette raison, je me suis dit que quitter Montréal lui ferait sans doute du bien. C'était difficile pour lui à Montréal. Au moins, avec l'Avalanche, il a pu terminer sa carrière en paix. »

Je ne pourrai jamais exprimer adéquatement à quel point j'ai été honoré de pouvoir défendre les couleurs du Canadien de Montréal et à quel point j'ai apprécié mon retour parmi les miens. Il fallait absolument le vivre pour comprendre tout ce que ça représentait. Je serais extrêmement désappointé si, après avoir lu ce chapitre, les partisans de l'équipe en venaient à n'importe quelle autre conclusion.

La vie d'un athlète professionnel est parsemée d'embûches de toutes sortes. Le métier est ainsi fait. Par contre, les faits sont les faits. Il aurait été un brin malhonnête de passer sous silence les difficultés que j'ai connues à Montréal alors que j'ai ouvertement partagé toutes celles qui se sont dressées sur ma route depuis mes débuts dans le hockey.

Au fond de mon cœur, je sais que j'aurais pu en donner davantage à cette équipe si Michel Therrien m'avait perçu comme un allié. J'aurais tellement voulu en faire plus ! Cela restera à jamais l'un de mes plus grands regrets.

Cela dit, je serai toujours extrêmement fier de dire que j'ai été un Canadien de Montréal. Rien ni personne ne pourra jamais m'enlever ça.

Épilogue

Mon parcours dans la LNH a pris fin à Denver le 11 avril 2015, alors que l'Avalanche du Colorado complétait son calendrier régulier contre les Blackhawks de Chicago.

Il s'agissait d'un match sans signification. Nous étions officiellement écartés des séries depuis belle lurette. De leur côté, les Blackhawks avaient envie d'être ailleurs. Ils écoulaient le temps avant de se lancer à la conquête de leur troisième coupe Stanley en cinq ans.

Même s'il s'agissait ma 973e partie dans la LNH, j'étais fébrile et nerveux. En fait, j'étais carrément pompé. En me regardant me préparer, certains de mes coéquipiers se disaient probablement : « Veux-tu te calmer ? Pouvons-nous disputer ce match au plus vite et rentrer chez nous pour l'été ? » Pour moi, c'était un moment solennel. Je me savais arrivé au bout du chemin et je tenais à savourer pleinement les 60 dernières minutes me séparant de la retraite.

J'ai bien vécu ce moment. J'étais serein. Misha assistait au match avec Caelan, Cameron et Carson. Quelques proches, dont mon vieil ami de Gatineau Daniel Tremblay, avaient aussi fait le trajet pour assister à la conclusion de ma carrière. C'était une belle journée. J'étais prêt à passer à la prochaine étape de ma vie.

« Dans les heures précédant son dernier match, nous étions tous tristes, sauf Daniel. Contrairement à son habitude avant une partie, il était très détendu. Il savait que le temps était venu de passer à autre chose. Son état d'esprit m'impressionnait », raconte Daniel Tremblay.

Patrick Roy a eu la délicatesse de m'insérer dans la formation partante aux côtés de Jarome Iginla et de Matt Duchene, et j'ai donné tout ce qui me restait à chacune de mes présences sur la patinoire. J'aurais adoré quitter la scène en levant les bras au ciel après avoir marqué un but. Le gardien des Blackhawks, Scott Darling, m'a toutefois empêché de compléter les quelques bonnes chances de marquer (parmi lesquelles une échappée) dont j'ai bénéficié dans ce match d'adieu.

En rentrant au vestiaire, j'estimais avoir disputé un bon match. Un surplus d'émotion m'a étreint en enlevant mon chandail pour la dernière fois, mais pas au point de verser des larmes. Je savais depuis le début de la saison que ma vie d'athlète tirait à sa fin. Dès le départ, j'avais décidé de savourer chaque moment au lieu de sombrer dans la nostalgie.

En retirant mon armure pour la dernière fois, j'étais content d'avoir fait ce choix. Et je m'estimais chanceux d'avoir vécu l'ultime chapitre de ma carrière avec un entraîneur-chef comme Patrick Roy.

Lors de notre première rencontre au début de la saison, Patrick avait mis cartes sur table :

— Je ne sais pas comment je vais t'utiliser cette saison, mais je vais te faire une promesse. J'ai fait mes recherches et je sais que tu es un bon coéquipier et un bon leader. Je vais donc m'arranger pour que tu puisses exercer ton leadership. Quoi qu'il arrive, que tu joues sur le premier trio ou que tu sois rayé de l'alignement un soir donné, cette situation ne changera pas. Tu seras traité comme un leader.

Je connaissais à peine Patrick à ce moment-là. J'avais huit ans lorsqu'il avait remporté sa première coupe Stanley avec le Canadien et il était l'une de mes grandes idoles de jeunesse. C'était donc très particulier pour moi de jouer sous ses ordres. Et tout au long de la saison, je n'ai jamais été déçu. Il m'a impressionné.

Notre relation joueur-entraîneur a démarré sur une base solide. Patrick réalisait toute l'importance que peuvent avoir des vétérans au sein d'une équipe de hockey et il m'offrait la chance de le supporter et d'aider les jeunes de son équipe à grandir.

Je lui en étais – et serai toujours – très reconnaissant.

J'ai passé le premier mois de la saison au sein des troisième et quatrième trios. Puis vers la fin octobre, Patrick est venu à ma rencontre.

— Écoute, Dan, je n'ai pas vraiment le choix. Ton niveau de jeu a baissé récemment et il faut que je te laisse de côté. Je ne pourrai peut-être plus te faire jouer beaucoup. Qu'est-ce qu'on fait ? Je ne veux surtout pas t'embarrasser.

— Non, non, Pat ! Je comprends la situation. Tu peux me laisser de côté pendant quelques matchs. De mon côté, je veux continuer à travailler. Je vais retourner passer plus de temps au gym et je vais faire du temps supplémentaire sur la patinoire après les entraînements. Je veux essayer de retrouver mon explosivité. C'est ça que j'aimerais faire.

— Parfait, a-t-il répondu.

J'ai passé les sept matchs suivants dans les gradins. Puis à la mi-novembre, quelques coéquipiers ont subi des blessures et j'ai réintégré la formation. J'ai connu un bon match à mon retour, et Patrick m'a ensuite utilisé au sein des deux premières unités pendant près de deux mois en compagnie de jeunes comme Ryan O'Reilly et Matt Duchene. Ensuite, vers le début de février, mon niveau de jeu s'est remis à décliner.

Patrick et moi nous sommes alors rencontrés pour réévaluer la situation.

— On se retrouve un peu dans la même situation qu'au début de l'année, a-t-il constaté. Tu jouais bien depuis un mois et demi. J'aimais ton jeu. Depuis trois ou quatre matchs, par contre, ça va moins bien...

— Refaisons la même chose qu'en novembre, ai-je proposé.

— OK !

J'ai encore passé sept matchs sur la passerelle de la presse. Et j'ai fait du temps supplémentaire chaque jour pour tenter de repousser, une fois de plus, l'usure du temps.

L'un des adjoints de Patrick, Tim Army, organisait des séances d'entraînement supplémentaires et facultatives chaque matin avant les entraînements réguliers de l'équipe. Ça s'appelait le *Breakfast Club*. Nous étions trois ou quatre joueurs à participer à ces séances de perfectionnement au cours desquelles Army nous soumettait à des exercices de patinage, de maniement de rondelle, de tirs, etc.

Après cette période de repos et de remise en forme, Patrick m'a réinséré dans l'alignement et j'ai retrouvé une bonne erre d'aller. Nous étions rendus à la fin de février. Nous amorcions le dernier droit du calendrier et tout indiquait que nous n'allions pas être en mesure de participer aux séries. Nous étions avant-derniers dans la division Centrale.

— Je suis satisfait de ton jeu, a indiqué Patrick. Mais je dois maintenant faire plus de place aux jeunes pour leur donner de l'expérience. Tu auras moins de temps de jeu, mais n'y vois pas une réprimande.

Du premier au dernier jour de la saison, Patrick Roy a respecté la promesse qu'il m'avait faite. Il m'a constamment placé dans des situations me permettant de montrer la voie aux plus jeunes.

Nous ne traversions pas une saison facile. Loin de là. Et j'essayais de faire réaliser aux jeunes comme Gabriel Landeskog, O'Reilly et Duchene à quel point il est important de rester professionnels et de se comporter comme de bons coéquipiers en tout temps, même quand les choses vont mal. En fait, *surtout* quand les choses vont mal.

L'avenir dira s'ils ont tiré quelque leçon en côtoyant des vétérans comme Jarome Iginla et moi. Ma plus grande satisfaction serait d'apprendre, le jour où ils seront appelés à occuper des rôles moins importants, que leur premier réflexe consistera à se montrer généreux envers les plus jeunes et à tout mettre en œuvre pour supporter leurs efforts et les guider dans leur quête de succès.

Qu'on soit le meilleur ou le pire joueur de la LNH, nous finissons tous par nous faire remplacer un jour. C'est inévitable. Par contre, chaque joueur peut décider du genre d'empreinte qu'il souhaite laisser derrière lui. C'est le message que j'ai essayé de transmettre aux jeunes joueurs de l'Avalanche avant d'accrocher mes patins.

De son côté, lorsqu'il s'adressait à l'équipe, Patrick ne ratait jamais une occasion de rappeler ces valeurs fondamentales et de citer ses vétérans en exemple:

— Il y a des joueurs qui disputent 20 minutes par match et qui tiennent ça pour acquis, alors qu'il y a des vétérans juste à côté qui ne disent pas un mot, ne jouent que 7 ou 8 minutes et se défoncent pour l'équipe.

Cette façon d'inclure tout le monde permettait à Patrick de compter sur le support total d'un groupe de vétérans et de leaders qui relayaient son message dans le vestiaire.

J'ai adoré jouer sous ses ordres. Il était un excellent entraîneur.

Dans tous les aspects de ma vie, la saison 2014-2015 s'est avérée celle des grandes réflexions et remises en question.

Pour la toute première fois de mon existence, je me suis retrouvé vraiment seul durant mon séjour au Colorado. Misha me visitait aussi souvent que possible, mais elle était basée en Caroline du Nord. Mes fils vivaient toujours à Philadelphie, et la distance nous séparant faisait en sorte que je ne pouvais monter à bord d'un avion pour aller les voir quand j'avais une journée de congé. Et je ne pouvais même plus compter sur la présence constante d'amis et de membres de ma famille comme cela avait été le cas à Montréal.

Je trouvais extrêmement difficile d'être à nouveau séparé de mes fils. C'était aussi vrai pour eux. À distance, je percevais un certain relâchement de leur part, notamment dans leurs études, et ça me déchirait de ne pouvoir être à leurs côtés pour les encadrer et les encourager.

Il était temps que je rentre à la maison. Il me restait encore quelques bonnes années à passer avec mes garçons. Je sentais une sorte d'horloge biologique tiquer en moi. Je voulais rentrer chez nous, rattraper le temps perdu et vivre ces précieux moments avec eux dans un rôle de père à temps plein.

Je sentais par ailleurs que le temps était venu de m'engager davantage auprès de Misha. Nous nous connaissions depuis quatre ans et demi, et nous formions officiellement un couple depuis trois ans. Nos métiers et nos engagements respectifs nous obligeaient à nous aimer à distance pendant de longues périodes, mais notre relation était tellement forte que nous passions facilement outre ces obstacles.

Je m'étais un jour juré de ne plus jamais me marier. Misha me faisait toutefois voir les choses sous un autre angle. Nous nous aimions et je n'avais aucune difficulté à m'imaginer passant le reste de ma vie avec elle.

Au mois de mars, alors qu'elle me rendait visite à Denver, les mains moites et le cœur battant à vive allure, je lui ai fait la grande demande.

Nous nous sommes mariés au mois d'août 2016 en présence de nos familles et de nos plus proches amis. Et depuis ce temps, les forces aériennes des États-Unis comptent dans leurs rangs un major du nom de... Misha Brière.

« Je tenais absolument à porter le nom de Daniel, confie Misha. Il y avait tellement de distance entre lui, moi et les enfants que je tenais à tout faire pour nous rapprocher les uns des autres. Nous étions sur le point de commencer à habiter ensemble en permanence tous les cinq. Je voulais faire partie de leur vie, de leur clan et sentir que nous ne formions qu'une seule et même famille. »

Un vieil adage veut que la vie commence à 40 ans. Je me le suis souvent répété au fil des dures batailles qui faisaient rage sur les patinoires de la LNH.

Je viens tout juste d'atteindre cette intéressante étape et j'ai l'impression qu'il me reste une autre histoire à écrire.

Misha, les enfants et moi filons le parfait bonheur à Philadelphie. Ma femme, qui a grandi dans une famille de quatre filles, découvre ce que ça implique d'avoir plusieurs jeunes hockeyeurs à la maison !

Par ailleurs, les Flyers m'ont ramené dans leur giron immédiatement après ma retraite. Paul Holmgren, maintenant président des Flyers, et le vice-président exécutif Shawn Tilger sont devenus pour moi de véritables mentors. Ils m'enseignent le côté affaires et les rouages administratifs d'une équipe de la LNH.

Au printemps 2017, Paul et Shawn m'ont confié la supervision quotidienne des opérations d'une équipe de la East Coast League qui sera basée à Portland, dans le Maine, à compter de la saison 2018-2019. Nous sommes en train de bâtir ce projet à partir de zéro et je m'étonne parfois du plaisir que me procurent ces responsabilités.

Je m'amuse au moins autant que lorsque j'avais dix ans et que je chaussais les patins dans la cour familiale à Gatineau.

Jusqu'où ma seconde carrière me mènera-t-elle ? Je n'en ai aucune idée. Une chose est certaine par contre, et je suis bien placé pour en témoigner : tout est possible dans le monde du hockey.

Quelle aventure ce fut !

Statistiques

Saison	Équipe	LIGUE	SAISON RÉGULIÈRE						SÉRIES				
			PJ	B	A	PTS	MP	+/-	PJ	B	A	PTS	MP
1994-95	Voltigeurs de Drummondville	QMJHL	72	51	72	123	54		4	2	3	5	2
1995-96	Voltigeurs de Drummondville	QMJHL	67	67	96	163	84		6	6	12	18	8
1996-97	Voltigeurs de Drummondville	QMJHL	59	52	78	130	86		8	7	7	14	14
1997-98	Coyotes de Phoenix	NHL	5	1	0	1	2	1	--	--	--	--	--
1997-98	Falcons de Springfield	AHL	68	36	56	92	42	23	4	1	2	3	4
1998-99	Coyotes de Phoenix	NHL	64	8	14	22	30	-3	--	--	--	--	--
1998-99	Thunder de Las Vegas	IHL	1	1	1	2	0	2	--	--	--	--	--
1998-99	Falcons de Springfield	AHL	13	2	6	8	20	-2	3	0	1	1	2
1999-00	Coyotes de Phoenix	NHL	13	1	1	2	0	0	1	0	0	0	0
1999-00	Falcons de Springfield	AHL	58	29	42	71	56	14	--	--	--	--	--
2000-01	Coyotes de Phoenix	NHL	30	11	4	15	12	-2	--	--	--	--	--
2000-01	Falcons de Springfield	AHL	30	21	25	46	30	0	--	--	--	--	--
2001-02	Coyotes de Phoenix	NHL	78	32	28	60	52	6	5	2	1	3	2
2002-03	Coyotes de Phoenix	NHL	68	17	29	46	50	-21	--	--	--	--	--
2002-03	Sabres de Buffalo	NHL	14	7	5	12	12	1	--	--	--	--	--
2003-04	Sabres de Buffalo	NHL	82	28	37	65	70	-7	--	--	--	--	--
2004-05	SC de Berne	Swiss-A	36	17	29	46	26		11	1	6	7	2
2005-06	Sabres de Buffalo	NHL	48	25	33	58	48	3	18	8	11	19	12
2006-07	Sabres de Buffalo	NHL	81	32	63	95	89	17	16	3	12	15	16
2007-08	Flyers de Philadelphia	NHL	79	31	41	72	68	-22	17	9	7	16	20
2008-09	Flyers de Philadelphia	NHL	29	11	14	25	26	-1	6	1	3	4	8
2008-09	Phantoms de Philadelphia	AHL	3	1	4	5	2	4	--	--	--	--	--
2009-10	Flyers de Philadelphia	NHL	75	26	27	53	71	-2	23	12	18	30	18
2010-11	Flyers de Philadelphia	NHL	77	34	34	68	87	20	11	7	2	9	14
2011-12	Flyers de Philadelphia	NHL	70	16	33	49	69	5	11	8	5	13	4
2012-13	Polar Bears de Berlin	DEL	21	10	24	34	24	9	--	--	--	--	--
2012-13	Flyers de Philadelphia	NHL	34	6	10	16	10	-13	--	--	--	--	--
2013-14	Canadiens de Montreal	NHL	69	13	12	25	30	1	16	3	4	7	4
2014-15	Avalanche de Colorado	NHL	57	8	4	12	18	-7	--	--	--	--	--
	Totaux LNH		**973**	**307**	**389**	**696**	**744**		**124**	**53**	**63**	**116**	**98**

Crédits photographiques

Toutes les photos comprises dans cet ouvrage proviennent des archives personnelles de la famille Brière, à l'exception des photos suivantes :

Cahier-photos 2, pages 1 à 6 : gracieuseté de Comcast Spectacor

Cahier-photos 2, page 8 : gracieuseté de Misha Brière.

Cahier-photos 3, pages 1 à 8 : gracieuseté de Connections Productions.

Nous adressons nos plus sincères remerciements aux personnes suivantes pour leur collaboration ; toutes ont grandement contribué à rehausser le contenu visuel de cet ouvrage :

Guylaine Brière
Misha Brière
Brian Smith, de Comcast Spectacor
Marcel Gallant, de Connections Productions

Nous avons déployé les meilleurs efforts pour retrouver tous les titulaires des droits des photographies reproduites dans cet ouvrage. Si certains n'avaient pas été contactés, qu'ils veuillent bien se faire connaître auprès des Éditions Hurtubise.

Remerciements

Remerciements de Daniel Brière

Les noms de mes trois fils, Caelan, Carson et Cameron, reviennent constamment dans ma biographie. Ce n'est pas un hasard. Ils sont ma plus grande fierté et ils ont toujours été ma principale source de motivation. J'espère que la lecture de *Mister Playoffs* les rendra fiers et leur rappellera de merveilleux souvenirs.

Une pensée tout à fait spéciale pour ma complice de tous les jours, Misha, pour sa participation enthousiaste mais aussi, et surtout, pour les nombreuses discussions que nous avons eues et qui ont inspiré plusieurs passages de cet ouvrage.

J'arrive ici dans la partie la plus difficile du livre, parce que je n'aurais pas assez de 20 pages pour remercier tous ceux et celles qui m'ont soutenu, encouragé et aidé à connaître une telle carrière dans le monde du hockey.

Impossible, toutefois, de passer sous silence le soutien total et constant de Pat Brisson, André Ruel et Jim Nice, de l'agence CAA. J'ai aussi une pensée particulière pour les exigeants préparateurs physiques qui m'ont permis de passer à travers les rigueurs de plus de 1 000 matchs (incluant les séries) dans la LNH : T.R. Goodman, Hugo Girard et Lorne Goldenberg.

Merci à tous mes anciens coéquipiers et anciens entraîneurs, qui m'ont forcé à me surpasser et qui m'ont rendu meilleur.

Merci à mes amis et aux gens de ma région natale, qui m'ont constamment encouragé, dans les bons moments autant que dans les périodes difficiles. Certains ont même parcouru de très longues distances pour me témoigner leur soutien aux quatre coins de la LNH. Je leur en serai toujours reconnaissant. Ce fut une grande fierté de les représenter.

Merci aux partisans qui m'ont si chaleureusement accueilli à Amos, Gatineau, Drummondville, Phoenix, Buffalo, Philadelphie, Montréal et Denver.

Pour terminer, je remercie Martin Leclerc, qui a su raconter mon histoire avec intelligence et qui est parvenu à exprimer de juste façon toute la gamme des émotions que j'ai vécues durant mon parcours. Toutes ces heures passées à travailler ensemble sur ce projet en valaient la vraiment peine. Elles m'ont permis de revivre de grands moments de ma vie.

Remerciements de Martin Leclerc

La rédaction de *Mister Playoffs* s'est avérée assez intense au cours de l'été 2017. Je tiens à remercier la femme de ma vie (et chef de pupitre personnelle), Chantal Léveillé, ainsi que nos quatre grands enfants, Kémili, Erika, Adam et Simon, pour leur compréhension et leur précieux soutien. Vous êtes à chaque jour mon inspiration.

Cet enlevant projet ne se serait jamais concrétisé sans la confiance que m'a témoignée Daniel Brière. Ce fut un réel privilège et l'une de mes plus belles aventures professionnelles. J'espère un jour devoir publier une version remaniée de sa biographie afin d'y inclure ses exploits en tant que directeur général d'une équipe de la LNH.

Je tiens par ailleurs à saluer la grande générosité et l'enthousiasme des amis, anciens coéquipiers, ex-directeurs généraux et ex-entraîneurs de Daniel. Sans leurs confidences, *Mister Playoffs* n'aurait pas eu la même saveur et la même profondeur. Un merci particulier à Guylaine

Brière – la meilleure petite sœur au monde – et à Misha pour leur appui et leur collaboration.

Enfin, je m'en voudrais de ne pas souligner à très gros traits l'excellent travail d'Arnaud et Alexandrine Foulon et de toute l'équipe des Éditions Hurtubise. Très peu d'ouvrages à caractère sportif sont publiés au Québec. Hurtubise se distingue en accordant de l'importance à cet aspect de notre identité collective ainsi qu'aux accomplissements de nos plus grands athlètes. Une sincère accolade à André Gagnon, qui est le meilleur, le plus patient et le plus dévoué des éditeurs. De la première à la dernière page, *Mister Playoffs* porte son empreinte.

Suivez-nous

Achevé d'imprimer en novembre 2017
sur les presses de l'imprimerie Marquis-Gagné
Louiseville, Québec